Dostoiévski

Memórias da casa dos mortos

Tradução de Natália Nunes e Oscar Mendes

www.lpm.com.br

L&PM POCKET

Coleção **L&PM** POCKET, vol. 695

Texto de acordo com a nova ortografia.

Título original: Записки из Мертвого дома (*Zapiski iz mertvado doma*)

Primeira edição na Coleção **L&PM** POCKET: junho de 2008
Esta reimpressão: outubro de 2024

Tradução: Natália Nunes e Oscar Mendes
Capa: Ivan Pinheiro Machado sobre foto de Dostoiévski (Rue des Archives)
Preparação de original: Renato Deitos
Revisão: Lia Cremonese

CIP-Brasil. Catalogação na Fonte
Sindicato Nacional dos Editores de Livros, RJ

D762m

Dostoiévski, Fiódor, 1821-1881
    Memórias da casa dos mortos / Fiódor Dostoiévski; tradução de Natália Nunes e Oscar Mendes. – Porto Alegre, RS: L&PM, 2024.
    336p. : . – (L&PM POCKET ; v. 695)

    Título original : *Zapiski iz mertvado doma*
    ISBN 978-85-254-1755-8

    1. Romance russo. I. Nunes, Natália. I. Título. II. Série.

08-1276.	CDD: 891.73
	CDU: 821.161.1-3

Este livro foi publicado originalmente em 1862.
© desta edição, L&PM Editores, 2008

Todos os direitos desta edição reservados a L&PM Editores
Rua Comendador Coruja, 314, loja 9 – Floresta – 90.220-180
Porto Alegre – RS – Brasil / Fone: 51.3225.5777

PEDIDOS & DEPTO. COMERCIAL: vendas@lpm.com.br
FALE CONOSCO: info@lpm.com.br
www.lpm.com.br

Impresso no Brasil.
Primavera de 2024

SUMÁRIO

INTRODUÇÃO / 7

CAPÍTULO I
A casa dos mortos / 13

CAPÍTULO II
Primeiras impressões / 28

CAPÍTULO III
Primeiras impressões (Continuação) / 46

CAPÍTULO IV
Primeiras impressões (Continuação) / 62

CAPÍTULO V
O primeiro mês / 80

CAPÍTULO VI
O primeiro mês (Continuação) / 95

CAPÍTULO VII
Novos conhecimentos. Pietrov / 110

CAPÍTULO VIII
Homens temíveis. Luká / 123

CAPÍTULO IX
Issai Fomitch. Vânia. A história de Baklúkhin / 130

CAPÍTULO X
A festa do natal / 147

CAPÍTULO XI
O espetáculo / 164

CAPÍTULO XII
O hospital / 184

CAPÍTULO XIII
O hospital (Continuação) / 199

CAPITULO XIV
O hospital (Conclusão) / 214

CAPÍTULO XV
O marido da Akulhka (Conto) / 233

CAPÍTULO XVI
Tempo de verão / 244

CAPÍTULO XVII
Os animais do presídio / 262

CAPÍTULO XVIII
A reclamação / 275

CAPÍTULO XIX
Companheiros / 293

CAPÍTULO XX
A fuga / 308

CAPÍTULO XXI
Saída do presídio / 323

INTRODUÇÃO

Nas remotas regiões da Sibéria, no meio da estepe, de montanhas e de bosques impenetráveis, encontram-se às vezes povoações de mil e até de dois mil habitantes, com casas de madeira desmanteladas e com duas igrejas – uma na povoação e a outra no cemitério –, povoações que se assemelham mais a fazendas dos arrabaldes de Moscou do que a aldeias; de maneira geral contam até com comissários de polícia, conselheiros e outros funcionários subalternos. Na Sibéria, apesar do frio, o serviço é quase sempre moderado e as pessoas levam uma vida simples e com poucas liberdades; seguem regras antigas, sólidas, consagradas pelos séculos. Os funcionários, que na realidade desempenham o papel da nobreza siberiana, são indígenas, siberianos de origem ou vindos da Rússia, na sua maior parte da capital, seduzidos pelo ordenado certo, o pagamento dobrado e as sedutoras ilusões para o futuro. Entre eles, aqueles que conseguem decifrar o enigma da vida quase sempre ficam na Sibéria e aí se fixam com prazer. Depois acumulam riquezas, recompensas saborosas. Mas os outros, gente desorientada e que não sabe penetrar o enigma da existência, depressa se cansam da Sibéria e a si próprios perguntam tristemente qual o motivo por que foram atraídos para aí. Aguardam com impaciência o fim estipulado do seu serviço – três anos –, pedem imediatamente a transferência e regressam a suas casas, falando mal da Sibéria e troçando dela. Não têm razão, pois não só do ponto de vista do serviço, como em muitos outros, se pode abençoar a Sibéria, que tem um clima excepcional, é notável pelos seus ricos e hospitaleiros mercadores e pelos seus dignos habitantes. As moças têm uma linda cor e são muito honestas. As aves de caça voam pelas ruas e vão cair nas mãos do caçador. A champanha bebe-se mais do que se deve. O caviar é maravilhoso. Em algumas fazendas tiram-se cinco colheitas... De maneira geral, a terra é de uma fertilidade espantosa. O que é preciso é saber aproveitá-la. E na Sibéria sabem fazê-lo.

Foi numa dessas aldeiazinhas alegres, que se provêm a si próprias, muito bem situadas, cuja recordação se conserva indelével no meu coração, que vim a conhecer Alieksandr Pietróvitch Goriântchikov, colono, pertencente à nobreza da Rússia e proprietário, que depois foi presidiário de segunda categoria[1] por ter assassinado a mulher, e que até o término dos dez anos de presídio impostos pela lei, levava uma existência plácida e ignorada, como colono, na cidade de K***. Verdadeiramente, estava adscrito a uma comuna suburbana, mas vivia na aldeia, onde tinha oportunidade de ganhar alguma coisa, o que o ajudava a manter a sua casa, dando lições às crianças. É frequente encontrar na Sibéria professores que são colonos forçados, e que não são exigentes. Ensinam principalmente francês, até onde é indispensável para a vida, e do qual não teriam, nessas remotas regiões da Sibéria, a menor notícia a não ser por meio deles. Conheci Alieksandr Pietróvitch em casa dum velho funcionário, prestativo e hospitaleiro, Ivan Ivânovitch Gvósdikov, pai de cinco mocinhas de várias idades e que prometiam todas vir a ser belas. Alieksandr Pietróvitch lecionava para elas três vezes por semana, a trinta copeques de prata por lição. O seu aspecto exterior interessou-me. Era um homem extremamente pálido e seco, novo ainda, de uns 35 anos, baixinho e adoentado. Andava sempre muito bem arranjado, vestia à europeia. Quando alguém falava com ele, ficava olhando a pessoa, fixa e atentamente; escutava com muita atenção todas as palavras que lhe dirigíamos, como se refletisse ao mesmo tempo, como se com a nossa conversa lhe apresentássemos algum problema ou quiséssemos arrancar-lhe um segredo e, finalmente, respondia com clareza e laconismo, pesando cada palavra da sua resposta, de maneira que se acabava por sentir um certo mal-estar e, por fim, todos se alegravam com o fim do diálogo. Dessa vez perguntei eu a Ivan Ivânitch pelo seu passado, e fiquei sabendo que Goriântchikov vivia de maneira irrepreensível e honesta; aliás, se assim não fosse, também Ivan Ivânitch não lhe teria confiado as filhas; apesar disso era um homem estranho. Escondia-se de toda a gente, era muitíssimo culto e lia muito, mas falava pouco e, de maneira geral, era difícil entabular conversa

---

1. Presos do forte, sob comando militar. Prisão mais dura, não só para nobres, mas também para os outros presos, precisamente porque o chefe e a estrutura dessa categoria eram inteiramente militares. Comando militar severo, regime mais apertado, sempre com cadeias e sentinelas à vista. (N.T.)

com ele. Alguns afirmavam que ele estava louco, embora reconhecessem ao mesmo tempo que isso não era nenhum defeito grave, e, por outro lado, a maior parte das pessoas importantes da cidade estavam dispostas a usar de todas as atenções para com Alieksandr Pietróvitch, a fim de que ele lhes redigisse as petições etc. Calculavam que devia provir de uma boa família russa, talvez de elevada condição, mas sabiam que ele, desde que entrara para a colônia penal, cortara todo gênero de relações com ela. Numa palavra: que se tinha assim prejudicado. Entre nós, todos conheciam a sua história; sabiam que tinha matado a mulher, ainda no primeiro ano de casados; que a tinha matado por ciúmes, e depois, que ele próprio se tinha entregado à Justiça, o que suavizara muito a sua condenação. Crimes desse gênero são sempre considerados como desgraças, e tem-se sempre pena dos seus autores Mas, apesar de tudo isso, esse homem extravagante fugia teimosamente de toda a gente e só aparecia junto dos outros para dar as suas lições.

A princípio não lhe dei grande importância, mas, não sei por que, pouco a pouco fui-me interessando. Tinha qualquer coisa de enigmático. De conversar com ele, não havia nem a mais leve possibilidade. É verdade que respondia sempre às minhas perguntas e até de uma maneira tal como se considerasse isso um dos seus primeiros deveres; mas depois das respostas tornava-se difícil para mim continuar a interrogá-lo, pois refletia-se sempre no seu rosto, depois desses colóquios, um certo sofrimento e um certo cansaço. Lembro-me de uma vez em que eu saí, em sua companhia, por uma bela tarde de verão, da casa de Ivan Ivânitch. De repente lembrei-me de convidá-lo para entrar um momento em minha casa e fumar um cigarro. Não sou capaz de descrever o espanto que transpareceu no seu rosto; ficou completamente atrapalhado, começou a murmurar palavras incoerentes olhando-me com maus olhos, e deitou a correr para o passeio que ficava em frente. Eu me quedei, espantado. A partir daí, sempre que se encontrava comigo olhava-me com uma espécie de medo. Mas eu não me conformava com isso; havia qualquer coisa nele que me atraía, e, passado um mês, fui eu mesmo procurar Goriântchikov. É verdade que me conduzi nessa ocasião de maneira rude e pouco delicada. Ele vivia precisamente no limite da povoação, em casa de uma velha que tinha uma filha tuberculosa, mãe por sua vez de uma filha natural, uma garotinha de dez anos, muito gentil e alegre. Nesse momento, quando eu entrei no seu quarto, Alieksandr estava sentado junto dela e ensinava-a a ler. Quando me viu ficou de tal maneira perturbado, como se eu tivesse vindo propor-lhe algum crime. Atrapalhou-se, saltou da cadeira e ficou a fitar-me com uns olhos exorbitados. Finalmente sentamo-nos; ele seguia atentamente cada um dos meus olhares como se receasse descobrir neles algum segredo especial. Percebi que era extraordinariamente desconfiado. Olhava-me com aborrecimento, como se me perguntasse: "Mas, quando tu irás embora?" Pus-me a falar-lhe sobre a povoação, das notícias que corriam; ele abanava a cabeça e sorria, malicioso; não só parecia que ignorava as notícias mais correntes e conhecidas de todos, na cidade, como também que não tinha nenhum interesse em conhecê-las. Falei-lhe depois do nosso país, das suas necessidades; ele me escutou em silêncio e olhava-me nos olhos de um modo tão estranho que cheguei a recear perder o fio à conversa. Além disso, pouco faltou para que o aborrecesse por causa de uns livros e jornais novos que eu trazia debaixo do braço, acabados de chegar pelo correio, quando os ofereci a ele com uma certa hesitação. Fixou sobre eles um olhar ávido, mas mudou imediatamente de intenção e recusou a oferta, alegando que não tinha tempo para os ler. Finalmente, despedi-me dele e, quando saí de sua casa, parecia que trazia sobre o peito um peso insuportável. Sentia-me envergonhado e parecia-me uma vileza extraordinária desejar o convívio de um homem que procurava precisamente resolver o seu problema principal, isto é, a maneira de esconder-se de toda a gente. Mas o que está feito, feito está. Lembro-me de que não vi quase livro nenhum em sua casa e, portanto, não era verdade aquilo que diziam, de que ele lia muito. Entretanto, quando por duas vezes passei, já noite avançada, em frente da sua janela, vi luz nela. Que faria ele acordado, assim, a altas horas? Não lia. Então que fazia?

    Circunstâncias várias fizeram com que eu me afastasse da povoação por três meses. Quando regressei, soube que Alieksandr Pietróvitch tinha morrido nesse outono, na maior solidão, e que nem uma só vez tinha chamado o médico.

Na povoação, já quase todos o tinham esquecido. O seu alojamento estava vago. Pus-me imediatamente em comunicação com a dona da casa em que ele vivia, com o intento de conseguir alguns informes: a que se dedicava, concretamente, o seu hóspede? Talvez escrevesse... Por uma moeda de vinte copeques trouxe-me um cesto de madeira de tília cheio de papéis deixados pelo falecido. A velha confessou-me que já utilizara dois cadernos completos. Era uma mulher desabrida e taciturna, de quem era difícil obter respostas claras. A respeito do hóspede não podia dizer-me nada de novo. A avaliar pelas suas palavras, raramente fazia qualquer coisa, e passava meses e meses sem abrir um livro ou pegar numa pena; além disso, levava a noite toda passeando, ora para um lado ora para outro, no quarto e, às vezes, até falava sozinho; gostava muito e fazia muitas festas à sua netinha, Kátia, sobretudo desde que soube que lhe chamavam Kátia; e ia sempre ouvir uma missa de réquiem no dia de Santa Ekatierina. Visitas, não as suportava. Apenas saía de casa para dar lição às crianças; chegava a zangar-se com ela, com a velhota, quando ela ia uma vez por semana ao quarto para arranjá-lo e, durante três anos completos, quase nunca lhe dirigiu uma palavra. Perguntei a Kátia se se lembrava do seu professor. Ela me olhou em silêncio, encostou-se à parede e começou a chorar. Donde se via que até aquele homem encontrara alguém que gostasse dele.

A mulher trouxe os papéis e fiquei a lê-los todo o dia. Três quartas partes desses papéis estavam em branco, continham apontamentos insignificantes ou exercícios de caligrafia. Mas havia um caderno menor, bastante volumoso, escrito numa letra miúda e inacabado, talvez abandonado ou esquecido pelo próprio autor. Era uma descrição, embora incoerente, dos dez anos de vida de presídio que Alieksandr Pietróvitch sofrera. De vez em quando essa descrição era interrompida por outras narrativas, por estranhas e espantosas evocações, escritas com mão nervosa, convulsa, como debaixo de algum temor. Reli várias vezes esses passos e fiquei quase convencido de que tinham sido escritos por um louco. Mas os apontamentos do presidiário, *Cenas da casa dos mortos*, conforme ele os chamava em qualquer passagem do seu manuscrito, não me pareciam isentos de interesse. Todo esse mundo completamente novo, desconhecido até agora; algumas observações particulares a respeito desses homens perdidos seduziram-me e inspiraram-me uma certa curiosidade. É claro que posso estar enganado. Para contraprova escolhi, no princípio, dois ou três capítulos. O público julgará...

CAPÍTULO I

A CASA DOS MORTOS

O NOSSO PRESÍDIO erguia-se no limite da fortaleza, mesmo dentro do bastião. Se alguém se lembrasse de olhar através dos intervalos do muro para a luz do sol, não veria nada... isto é, veria unicamente uma nesguinha de céu por cima do alto baluarte de terra, sacudido pelos furacões; e que à frente e atrás do baluarte, de dia e de noite, passeavam as sentinelas; e logo a seguir pensaria, esse alguém, que teriam já decorrido muitos anos, voltaria a olhar pelas fendas do muro e tornaria a ver apenas o baluarte, as mesmas sentinelas e essa mesma nesguinha de céu, não desse céu que fica sobre a prisão, mas de outro céu, longínquo e livre. Imaginem um grande casarão, de duzentos passos de comprimento por 150 de largura, rodeado a toda a volta por um alto muro em forma de hexaedro irregular; isto é, por uma fiada de altos postes cravados profundamente na terra, fortemente ligados uns aos outros por meio de cordas reforçadas com triângulos transversais e virados para cima: eis a cerca exterior do presídio. Num dos lados deste recinto estava a porta do forte, sempre fechada, e sempre, de dia e de noite, guardada por sentinelas; somente se abria quando era preciso sair para o trabalho. Para além dessa porta ficava o mundo luminoso e livre, viviam as pessoas normais. Mas aquém do recinto, esse mundo afigurava-se a nós como uma história inverossímil. Na parte de dentro ficava um mundo especial, que não se parecia já nada com o outro, que tinha as suas leis especiais, os seus trajos, as suas regras e costumes, uma casa de mortos de além-túmulo, e uma vida... como não existe em lugar algum, e pessoas singulares. Pois é esse recanto especial que me proponho a descrever.

Quando se entra nesse recinto veem-se alguns edifícios. De ambos os lados do espaçoso pátio interior erguem-se dois compridos pavilhões de madeira, de um só andar. São os alojamentos. Aí ficam os presos, distribuídos por categorias. Depois, ao fundo do recinto, há outra jaula idêntica: é a cozinha, dividida em duas seções; mais além outra barraca, onde, debaixo do mesmo teto, se encontram a adega, os armazéns e a cavalariça. O centro do pátio, vazio, é um descampado plano e muito espaçoso. É nele que os presos formam para a revista, quando então são também contados, de manhã, ao meio-dia e à tarde, e às vezes também durante o resto do dia... conforme a desconfiança dos vigilantes e a sua aptidão para contar depressa. Em redor, entre os barracões e a taipa, resta ainda um espaço bastante extenso. É aí, junto do barracão traseiro, que alguns dos presos, de caráter mais arredio e severo, gostam de refugiar-se, nos momentos de ócio, às escondidas de todos os olhares, para se porem a meditar, sozinhos. Quando me encontrava com eles, na hora desses passeios, gostava de contemplar os seus rostos desconfiados e sulcados de cicatrizes, procurando adivinhar o que pensavam. Havia um deportado cuja ocupação favorita nos momentos livres consistia em contar os postes da paliçada – que eram 1.150 –, e andava sempre a contá-los e a olhar para eles. Cada poste significava para ele um dia; cada dia punha um de lado, e assim, pelo número deles que ainda lhe restavam, podia saber com um simples olhar quantos lhe faltavam para passar na prisão até chegar o fim dos seus trabalhos forçados. Ficava muito satisfeito quando esgotava um dos lados do hexágono. Ainda lhe faltavam alguns anos; mas no presídio havia tempo de sobra para se aprender a ser paciente. Uma vez assisti à despedida de um preso que passara vinte anos no presídio e que alcançara finalmente a liberdade. Havia alguns dos seus companheiros que se recordavam de como ele entrara na prisão, da primeira vez, jovem, despreocupado, sem pensar no seu crime nem no castigo. Saiu depois, já velho, com uma cara azeda e severa. Atravessou em silêncio todos os nossos seis pavilhões. Quando entrava em cada um deles rezava umas orações, e depois, curvado, abraçava os camaradas pedindo-lhes que não guardassem dele uma má recordação... Também em certa ocasião, era já de noite, vieram chamar à porta um preso que anteriormente fora um abastado camponês siberiano. Meio ano atrás recebera a notícia de que a mulher voltara a casar, o que lhe causou uma grande impressão. Nessa ocasião era ela quem vinha pessoalmente ao presídio, quem o chamava e lhe entregava uma esmola. Falaram durante dois minutos, choraram os dois e despediram-se para sempre. Vi o seu rosto, quando voltou para o pavilhão... Sim, naquele lugar podia aprender-se a ser paciente.

Quando começava a escurecer, trancavam-nos nos alojamentos, onde ficávamos recolhidos toda a noite. A mim custava sempre transpor os umbrais do nosso alojamento, que era uma sala comprida, de teto baixo e abafada, torvamente alumiada por velas de sebo que emanavam um vapor pesado e sufocante. Não compreendo agora como é que pude viver aí dez anos. A esteira que forrava a enxerga em que eu dormia abrangia três tábuas, não mais. Sobre essas esteiras dormiam trinta homens em cada alojamento. No inverno recolhiam-nos cedo; demoravam quatro horas a encurralar-nos a todos. E, entretanto... vozes, ruídos, risos, disputas, barulho de cadeias, caras com cicatrizes, roupas em farrapos, insultos com palavras ofensivas... Sim, homens endurecidos. O homem é um ser que a tudo se habitua, e essa é, a meu ver, a melhor das suas qualidades.

Viviam ao todo no presídio 250 homens, número que se mantinha quase constante. Uns entravam, outros acabavam de cumprir a sentença e saíam, e outros ainda morriam ali dentro. E que tipos tão variados! Julgo que todos os governos, todas as comarcas da Rússia tinham ali os seus representantes. Havia também estrangeiros; havia até alguns deportados das montanhas caucásicas. Toda essa gente estava dividida segundo os graus da sua delinquência e, por conseguinte, segundo o número de anos que lhe tinham imposto de pena. É legítimo supor que não devia haver delito algum que não estivesse ali representado. A categoria principal da população de presos era composta pelos deportados-presidiários, de classe civil (os forçados, como ingenuamente lhes chamavam os próprios presos). Eram delinquentes completamente privados de direitos civis, radicalmente separados da sociedade, de rostos marcados, como testemunho eterno do seu repúdio. Tinham sido enviados para trabalhos forçados pelo tempo de oito ou doze anos, cumpridos os quais os destinavam, como colonos, a qualquer lugar da região siberiana... Havia também delinquentes de direito de guerra, não privados dos direitos civis, como era norma geral nas companhias de presos militares russos. Eram deportados por pouco tempo, passado o qual tornavam a enviá-los para os pontos de procedência como soldados dos batalhões siberianos de linha. Muitos deles regressavam logo a seguir para o presídio como reincidentes graves; e então já não por um breve período de tempo, mas por vinte anos. A essa categoria de presos chamava-se perpétua. Mas esses perpétuos também não estavam privados de direitos civis. Finalmente, havia ainda outra categoria de delinquentes, muito estranhos, na sua maioria militares e bastante numerosa. Chamavam-lhe a seção especial. Vinham de toda a Rússia os delinquentes que a compunham. Consideravam-se a si mesmos como perpétuos e não sabiam qual era o limite da sua pena. Do ponto de vista legal deviam duplicar e triplicar o termo dos seus trabalhos. Antes da descoberta da Sibéria, realizavam nos presídios os trabalhos forçados mais duros. "Vocês têm um limite, mas nós temos presídio para muito tempo", diziam, quando falavam com os outros, à maneira de conclusão. Soube depois que tinham suprimido esta categoria. Além disso suprimiram também no nosso forte a categoria civil, mas estabeleceram uma companhia geral de presos militares. Escusado será dizer que também aqui se notava o dedo da administração. Mas eu estou aqui descrevendo qualquer coisa já velha, que mudou já há tempo e já lá vai...

Faz já um certo tempo que tudo isso aconteceu; vejo eu agora tudo isso como num sonho. No entanto ainda me lembro da minha entrada no presídio. Foi numa tarde do mês de outubro. Começara já a escurecer; os presos voltavam do trabalho; preparavam-se para fazer a chamada. Um suboficial de grandes bigodes foi quem veio abrir-me as portas desta estranha casa, onde eu havia de passar tantos anos e de sofrer tantas comoções, que, se não as tivesse experimentado eu mesmo, não poderia agora fazer delas uma ideia nem sequer aproximada. Por exemplo, nunca pude compreender este fato estranho e misterioso de que, durante os dez anos precisos que durou a minha clausura, nem uma só vez, nem por um minuto sequer, me visse só. Para o trabalho ia sempre numa caravana, em casa estava sempre com os meus dois companheiros, um de cada lado, e nem uma vez sequer, nem uma só vez... sozinho. Pois também a isso tive de habituar-me.

Havia ali criminosos ocasionais e criminosos de profissão; bandidos e chefes de bandoleiros. Havia, simplesmente, batedores de carteira e vagabundos, cavalheiros de indústria de todo gênero, e havia também os que deixavam uma pessoa ficar perplexa. Por que estariam no presídio? Mas todos tinham a sua história, turva e densa como os vapores da bruma vespertina. De maneira geral, falavam pouco do seu passado, não gostavam de evocá-lo, e era evidente que se esforçavam por não pensar nele. Conhecia alguns destes delinquentes, de temperamento tão alegre, a tal ponto despreocupados, que seria possível apostar que nunca deixavam escapar uma queixa, pelo menos conscientemente. Mas também se viam caras sombrias, quase sempre silenciosas. Raras vezes alguém contava a sua vida, e a curiosidade não era moda nem hábito ali. Se algum, vez por outra, se punha a falar da sua vida, por se sentir aborrecido, era escutado com frieza e com uma atitude áspera. Ninguém ali podia provocar a admiração de ninguém. "Nós sabemos ler e escrever", diziam alguns com vaidade. Entretanto, lembro-me de como certo bandido, já bêbado (às vezes era possível beber no presídio), se pôs um dia a contar como estrangulara um rapaz de quinze anos, como começara por lhe apertar o pescoço; e que o conduzira para um lugar deserto, de brincadeira, e aí o matara. Todos os do alojamento, que até então o tinham por bobo, levantaram a voz em uníssono e o bandido viu-se obrigado a calar-se; não foi por horror que todos gritaram, mas sim porque não era preciso falar daquilo, porque não era costume falar daquilo. Devo informar que, de fato, aqueles homens sabiam ler e escrever, não em sentido figurado, mas real. Na verdade, mais de metade deles sabiam ler e escrever. Em que outro lugar, onde as pessoas russas se reúnam em grande número, se poderia arranjar um grupo de 250 homens, metade dos quais soubesse ler e escrever? Ouvi dizer depois de não sei quem, fundamentando-se em dados semelhantes a estes, que a instrução perde os homens. Isso é um erro; existem outras causas muito diferentes, embora não se possa deixar de concordar que a instrução fomenta no povo o espírito de suficiência. Por isso abunda em todos os lados.

Todas as seções se distinguiam pelo fato; uns usavam umas pequenas capas, metade de cor escura e a outra metade amarela, e as calças, da mesma maneira, tinham uma perna amarela e outra escura. Uma vez, no lugar marcado para o trabalho, uma moça que vendia tortas aos presos olhou-me durante muito tempo e de repente desatou a rir:

– Mas que engraçado! – exclamou. – Não tinham bastante pano amarelo e o preto também não lhes chegou!

Também havia presos que usavam a capa de uma só cor, amarelo; mas, em compensação, tinha as mangas pretas. E também traziam a cabeça rapada de uma maneira diferente: uns tinham a abóbada do crânio rapada ao comprido, outros, de través.

À primeira vista era fácil notar certos traços comuns em toda essa estranha família. As personalidades mais originais, aquelas que dominavam involuntariamente, procuram apagar-se e adotar o tom geral da penitenciária. Direi que, de maneira geral, toda essa gente, salvo raras exceções, composta de indivíduos de uma jovialidade inesgotável, e que por isso sofriam o desprezo geral de toda a colônia penal... era uma gente desconfiada, invejosa, intrigante, vaidosa, irascível, e formalista no mais alto grau. A maior virtude, ali, era o dom de não sentir admiração fosse pelo que fosse. Viviam todos preocupados com a maneira de se conduzirem no exterior. Mas não eram poucas as vezes que um aspecto da maior arrogância se transformava no mais humilde, com a rapidez do relâmpago. Havia ali indivíduos de verdadeira firmeza: eram simples e não gritavam. Mas, coisa estranha, desses indivíduos fortes, perseverantes, alguns eram melindrosos no mais alto grau. Geralmente, a arrogância, o aspecto exterior ocupavam o primeiro plano. A maioria estava pervertida e rebaixava-se de um modo estranho. Bisbilhotices e juízos temerários eram contínuos. Enfim, aquilo era uma autêntica imagem do inferno. Mas ninguém ousava revoltar-se contra as leis interiores e os costumes intactos do presídio, todos os acatavam. Havia caracteres que faziam resistência, que só os acatavam com muito custo e muito esforço, mas que, finalmente, acabavam por acatá-los. Havia nessa colônia penal aqueles que tinham premeditado o seu delito, consumando-o voluntariamente; mas também havia os que o tinham cometido como se não estivessem em seu perfeito juízo, como se nem eles próprios soubessem por que, como num estado de delírio, como crianças. Outros por irritabilidade, delicada e sensível até o inverossímil. Mas ali nos dominavam imediatamente, apesar de alguns terem sido, até a sua entrada para o presídio, o terror dos campos e cidades. Olhando à sua volta, não tardava um novato a perceber que ali não podia impor-se, que ali não se admirava ninguém; por isso esses se moderavam imediatamente e se adaptavam às atitudes gerais, que consistiam numa certa aparência de dignidade especial e pessoal, comum a quase todos os habitantes da penitenciária. O próprio nome de presidiário acabava, no fim de tudo, por tornar-se qualquer coisa como um cargo, honroso até. De vergonha ou de arrependimento, nem sombra! Além disso havia também uma certa serenidade exterior, oficial, por assim dizer, uma certa reflexão tranquila. "Somos gente perdida!", diziam. "Quem não soube viver em liberdade que aguente isto agora." "Foi por não termos querido obedecer aos nossos pais que obedecemos agora ao batuque do tambor." "Por não termos querido lavrar o ouro, partimos agora pedras com o maço." Tudo isso diziam eles às vezes, à maneira de estribilhos e no tom de quem recita um provérbio ou uma frase feita, mas nunca o diziam a sério. Tudo isso eram simples palavras. Duvido que um só deles refletisse, no seu íntimo, sobre o seu delito. Se alguém se atrevesse a dirigir censuras a um preso por causa do seu crime (embora, afinal, não esteja no espírito dos russos o acusar os delinquentes...), os insultos não teriam fim. Eles insultam de um modo perfeito, artístico. Elevaram o insulto à categoria de uma ciência; esforçam-se por ferir, não tanto com uma palavra ofensiva, como com um pensamento ofensivo, com uma ironia, uma ideia vexatória... e da maneira mais concludente e cáustica. Rixas contínuas acabaram por tornar entre eles essa ciência altamente requintada. Toda essa gente trabalhara anteriormente debaixo de pancadas; assim se tornou indolente e acabou por depravar-se; e se já não o estava anteriormente, corrompeu-se quando entrou para o presídio. Ninguém estava ali por sua vontade; eram todos estranhos uns para os outros.

"Quatro pares de *lápti*, pelo menos, foi quanto o diabo gastou para nos trazer até aqui", diziam. Mas depois, intrigas, enredos, histórias de mulheres, invejas, malquerenças ocupavam constantemente o primeiro plano dessa vida infernal. Mulher alguma conseguiria ser tão intrigante como alguns daqueles desalmados. Repito que havia entre eles caracteres enérgicos, acostumados na sua vida a aguentar e a suportar tudo, batidos, duros. A esses, respeitavam-nos, mesmo contra vontade; e eles, por seu lado, embora fossem às vezes muito zelosos da sua fama, empenhavam-se em não serem molestos para os outros, não se metiam em brigas inúteis, conduziam-se com uma dignidade invulgar, eram respeitadores e obedeciam quase sempre aos chefes, não por espírito de submissão, nem por considerá-lo seu dever, mas como por virtude de não sei que contrato mútuo que trouxesse vantagens para uns e outros. Aliás, tratavam-nos com circunspeção. Lembro-me de que uma vez aplicaram um castigo, não sei por que falta, a um desses reclusos, um homem forte e enérgico, conhecido dos chefes pelas suas inclinações bestiais. Era num dia de verão, numa hora de descanso. O major, que era o chefe imediato da colônia penal, apareceu em pessoa no corpo da guarda, que ficava junto da porta de entrada, para presenciar a execução do castigo. Esse major era uma criatura fatal para os presos. Tratava-os de uma maneira que os fazia tremer. Era de uma severidade que raiava pela loucura; calcava as pessoas, como diziam os presos. O que mais intimidava os presos era o seu olhar penetrante e inquisitorial, do qual ninguém podia escapar. Via tudo, como se não precisasse de olhar. Quando entrava no presídio já sabia tudo o que se fazia no outro extremo. Os condenados chamavam-lhe o Oito Olhos. Seguia um sistema errôneo. Apenas conseguia piorar os homens já corrompidos, com os seus processos vexatórios e malignos e, se não houvesse acima dele o comandante, homem bom e sensato, que suavizava às vezes as suas ordens selvagens, teria provocado com a sua conduta graves catástrofes. Não percebo como é que pôde acabar a sua carreira são e salvo. Entretanto, só se reformou, diga-se a verdade, depois de ter sido julgado.

O referido preso empalideceu quando o chamaram. De maneira geral, oferecia-se em silêncio e com decisão às vergastadas; suportava o castigo em silêncio e depois erguia-se, como se o sacudisse de si e encarando serena e filosoficamente o percalço sofrido. Diga-se de passagem que, com ele, usavam sempre de muita severidade. Mas, dessa vez, julgava-se no seu direito. Empalideceu e, afastando-se devagarinho da caravana, apanhou e guardou na manga uma afiada ferramenta de sapateiro. Facas e todos os instrumentos cortantes estavam severamente proibidos no presídio. As buscas eram frequentes, inesperadas e escrupulosas, e os castigos, terríveis; mas é tão difícil descobrir um ladrão quando se propõe esconder uma coisa que as facas e os instrumentos cortantes nunca faltavam no presídio, apesar das buscas, que não davam com eles. E se os tiravam aos presos, não tardava que estes aparecessem com outros.

Todos os presos saíram para o pátio e, com a maior tranquilidade, puseram-se a espreitar por entre as gelosias de madeira. Todos sabiam que, dessa vez, Pietrov não se prestava à sova de boa vontade, e que chegara o fim do major. Mas no último momento o major subiu para a sua carruagem e partiu, delegando a outro oficial o cuidado de fazer executar o castigo.

– Foi Deus quem o salvou! – exclamaram depois os reclusos.

Quanto a Pietrov, suportou pacientemente o castigo. A raiva tinha-lhe fugido, com a ausência do major. O preso é dócil e paciente até certo limite, mas não é prudente passar desse limite. Efetivamente, não pode haver nada mais curioso do que esses estranhos arrebatamentos de impaciência e hostilidade. É vulgar que um homem suporte alguns anos, se resigne, suporte os castigos mais duros, e de repente fique colérico só por alguma futilidade, por uma ninharia, quase sem motivo. Um estranho poderia tomá-los por loucos e, de fato, há quem pense assim.

Disse já que no decurso de alguns anos nunca tive ocasião de observar nesses homens o mais pequeno indício de arrependimento, nem a menor manifestação de peso na consciência, e que a maioria deles se tinham, no íntimo, por absolutamente inocentes. Este é que é o fato. Não há dúvida de que a explicação de tal fato reside na vaidade, nos maus exemplos, na verdura dos anos e na falsa vergonha. Por outro lado, quem é que pode afirmar que penetrou nas profundidades desses corações degenerados e viu neles o que tão recatadamente escondem de toda a gente? Parece possível observar algum pormenor, no decurso desses anos, surpreender, penetrar nesses corações e achar um ou outro indício de uma angústia interior, de um sofrimento. Mas, comigo, isso não se deu, de certeza que não se deu. Sim, o crime, segundo parece, não pode definir-se em relação a pontos de vista predeterminados e estabelecidos, e a sua filosofia é mais difícil do que se pensa. É certo que os presídios e o sistema dos trabalhos forçados não melhoram os delinquentes, aos quais apenas castigam, mas põem a sociedade a salvo das suas ulteriores tentativas de praticarem danos e proveem à sua própria tranquilidade. O presídio e os trabalhos forçados não fazem mais do que fomentar o ódio, a sede de prazeres proibidos e uma terrível leviandade de espírito no presidiário. Estou convencido de que, com o famoso sistema celular, apenas se obtêm fins falsos, enganosos, aparentes. Esse sistema rouba ao homem a sua energia física, excita-lhe a alma, debilita-a, intimida-a, depois apresenta-nos uma múmia moralmente seca, um meio louco, como obra da correção e do arrependimento. Não há dúvida de que o delinquente, ao rebelar-se contra a sociedade, a odeia e quase sempre considera a si mesmo inocente e a ela culpada. Depois de ter sofrido o castigo que ela lhe impôs, considera-se já limpo, absolvido. Nesse ponto de vista pode pensar-se que seria quase melhor começar por absolver o delinquente. Mas, apesar de todos os pontos de vista possíveis, todos estão de acordo que há crimes que sempre e em todas as partes, dentro de todas as leis possíveis, desde o princípio do mundo se consideram crimes indiscutíveis, e como tais serão tidos enquanto o homem não deixar de ser homem. Quantas histórias não ouvi eu no presídio, dos casos mais terríveis e antinaturais, dos crimes mais cruéis, contadas com o sorriso mais inocente e mais infantilmente jovial! Ficou-me especialmente gravada na memória a narrativa dum parricida. Era de família aristocrática; tinha feito o serviço militar, e, depois, feito perante seu pai, já setuagenário, o papel de filho pródigo. Levava uma vida completamente licenciosa; estava endividado até a raiz dos cabelos. O pai refreava-o, repreendia-o; mas o pai tinha uma casa, uma granja agrícola, supunham-no endinheirado, e... o filho matou-o, ansioso pela herança. O crime demorou um mês a descobrir-se. Foi o próprio parricida quem foi dar parte do acontecido à polícia, dizendo que o pai tinha desaparecido de casa, sem que ele soubesse do seu paradeiro. Durante todo esse mês levou a vida mais desregrada. Até que, finalmente, na sua ausência, a Polícia descobriu o cadáver. Ao longo do curral havia um canal, coberto com tábuas, para a condução do esterco. Pois era nesse canal que jazia o cadáver. Estava vestido e penteado; tinha a cabeça encanecida, quase decepada, junto do tronco e, debaixo da cabeça, colocara o parricida uma almofada. Não confessou o crime; era nobre, funcionário, e foi condenado a vinte anos de trabalhos forçados. Durante todo o tempo que convivi com ele manteve-se numa excelente disposição de espírito, jovialíssimo. Era um indivíduo estouvado, desorientado, muito insensato, embora esperto. Nunca lhe notei o menor indício de crueldade pessoal. Os reclusos desprezavam-no não por causa do seu crime, do qual nunca falavam, mas sim devido à sua leviandade, por não saber conduzir-se. Nas suas conversas costumava às vezes recordar o pai. Uma vez, falando comigo a respeito da constituição sadia, hereditária na sua família, acrescentou:

– Olhe, o meu pai nunca se queixou de nenhum achaque, até o último dia da sua vida.

Uma tão brutal insensibilidade chega a parecer inverossímil. Trata-se de um fenômeno, de alguma deficiência ingênita, de uma monstruosidade moral e física, ainda ignorada da ciência, e não de um simples crime. Como era natural, eu não acreditava nesse crime. Mas os seus conterrâneos, é claro, deviam conhecer todos os pormenores da história e contaram-me integralmente. Os fatos eram tão evidentes que não havia outro remédio senão acreditar.

Os presos ouviram-no gritar uma noite, em sonhos:

– Segura-o, segura-o! A cabeça, corta-lhe a cabeça, a cabeça!

Quase todos os presos falam durante a noite e deliram. Insultos, palavras entrecortadas, facas, machados, é o que lhes vêm com mais frequência à boca, nos seus delírios.

– Somos uns homens perdidos –, diziam. – Estamos mortos por dentro e é por isso que gritamos de noite.

Os trabalhos forçados não eram uma ocupação, mas um dever. Os presos davam conta da sua tarefa ou cumpriam as horas legais de trabalho e voltavam para o presídio. Encaravam o trabalho com ódio. A não ser por causa da sua ocupação pessoal, particular, à qual se entregavam com toda a alma e com todo o seu empenho, não havia um homem que tivesse podido viver no presídio. E como é que toda aquela gente que vivera intensamente e ansiava viver, juntada ali à força para formar um bando, e à força separada da sociedade e da vida moral, teria podido viver normal e retamente, por sua própria vontade e impulso? Bastava a ociosidade para se desenvolverem ali, no homem, qualidades delituosas, de que até então nem sequer faziam ideia. O homem não pode viver sem trabalho e sem condições legais e normais: degenera e converte-se numa fera. Por isso todos no presídio, seguindo um impulso instintivo e obedecendo a um certo sentimento de conservação própria, tinham a sua ocupação e o seu ofício. Durante os grandes dias de verão, os trabalhos forçados ocupavam a maior parte do tempo; e, com a brevidade das noites, apenas lhes restava tempo para dormir. Mas no inverno, obedecendo às ordens, assim que escurecia os presos deviam já estar recolhidos. Mas que fazer nas longas e tristes noites de inverno? Por isso todos os dormitórios, apesar dos ferrolhos, se convertiam em imensas oficinas. O trabalho particular não era proibido, mas era, entretanto, proibido ter ferramentas no presídio e, sem elas, não havia trabalho possível. Mas trabalhavam às escondidas, e os chefes, às vezes, faziam vista grossa. Havia presos que entravam para o presídio sem nenhuma profissão, mas que encontravam ali quem os ensinasse, e depois, recuperada a liberdade, saíam já mestres no seu ofício. Havia sapateiros e alfaiates, carpinteiros e serralheiros, ourives e prateiros. Havia um judeu, Issai Blumstein, que era joalheiro e também usurário. Todos trabalhavam e ganhavam uns cobres. As encomendas de trabalho vinham-lhes da cidade. O dinheiro é liberdade amealhada, e por isso, para o homem totalmente privado de liberdade, torna-se dez vezes mais valioso. Só de senti-lo no bolso já ficavam meio consolados, ainda que o não pudessem gastar. Mas, seja onde for, é preciso gastar o dinheiro, tanto mais que o fruto proibido é o mais apetecido. Havia meio de introduzir no presídio até aguardente. O tabaco era severamente proibido, mas todos fumavam. O dinheiro e o tabaco livravam-nos do escorbuto e de outras doenças. O trabalho, por seu lado, salvava-os do crime; a não ser pelo trabalho, os presos ter-se-iam comido uns aos outros, como feras. Mas apesar disso o dinheiro e o tabaco eram proibidos. De vez em quando passavam revistas inesperadas, à noite, apreendiam tudo quanto era proibido e... por muito bem escondido que os presos tivessem o dinheiro, o major costumava sempre dar com ele. E por isso os presos não o amealhavam e, pelo contrário, apressavam-se a gastá-lo; e por isso também se bebia aguardente na penitenciária. Depois de cada revista, o culpado, além de ser privado de tudo quanto possuía, recebia geralmente também um castigo severo. Mas, depois de cada revista, preenchiam imediatamente os vazios, davam entrada novos objetos e tudo tornava a ficar como antes. E os chefes sabiam e os presos não murmuravam contra os castigos, apesar de aquela vida se assemelhar à daqueles que habitam nas encostas do Vesúvio.

Aquele que não tinha nenhum ofício arranjava-se de outra maneira. Havia presos bastante originais. Alguns imaginavam, por exemplo, uma engenhoca qualquer, e ofereciam às vezes tais objetos, que a ninguém, fora dos muros do presídio, poderia ocorrer, não só comprá-los como vendê-los, como até considerá-los objetos. O recluso era pobre mas extraordinariamente engenhoso. O mais ínfimo farrapo tinha ali o seu valor e servia para alguma coisa. Devido à pobreza, também o dinheiro tinha no presídio um valor muito diferente do que possui na zona da liberdade. Com um grande e complicado esforço era possível uma pessoa vestir-se por alguns *grochi*. Praticava-se ali com êxito a usura. O preso que se encontrava em penúria ou em completa miséria levava o último objeto que possuía ao usurário e recebia deste alguns cobres, mediante uma percentagem feroz. Se não desempenhava os objetos no prazo marcado, o usurário vendia-os, desapiedada e inexoravelmente; a usura ia até o extremo de admitir que se empenhassem inclusive objetos que eram imprescindíveis para os presos, em todos os momentos. Mas nesses casos costumavam acontecer contratempos que, entretanto, não eram de todo inesperados. O indivíduo que tinha empenhado os objetos, depois de ter embolsado os cobres, ia contar o sucedido ao oficial, chefe imediato do presídio, e este apressava-se a tirar ao prestamista os objetos empenhados, sem mais explicações e sem comunicar o sucedido ao chefe superior. É curioso que, em semelhantes casos, não surgiam discussões; o prestamista, muito sério e calado, apressava-se a devolver os objetos, como se tivesse contado de antemão com o percalço. É possível que pensasse para consigo que, se se encontrasse no lugar do cliente, teria feito o mesmo. E embora uma vez por outra protestasse, fazia-o sem ódio, apenas para salvar as aparências.

De maneira geral, roubavam-se todos uns aos outros, de uma maneira terrível. Tinham quase todos o seu respectivo cofre com fechadura, para guardar nele os objetos regulamentares. Era permitido tê-los; simplesmente esses cofres não serviam para nada. Calculo que devem imaginar os espertos ratoneiros que ali havia. A mim, um preso, que me dedicava uma sincera afeição, roubou-me uma vez uma Bíblia, que era o único livro permitido no presídio; confessou-me o roubo no mesmo dia, não porque estivesse arrependido, mas porque teve pena de ver-me procurá-lo com tanto empenho. Havia taberneiros que faziam contrabando de aguardente e que enriqueciam assim depressa. Hei de falar com mais demora dessa espécie de gente, pois era bastante curiosa. Também havia no presídio quem se dedicasse ao contrabando, e por isso não é de admirar que introduzissem aguardente no presídio durante as revistas e nas caravanas. O contrabando é, por sua própria natureza, um delito muito especial.

É possível, por exemplo, imaginar que o dinheiro, o lucro representam para o contrabandista apenas qualquer coisa de secundário, qualquer coisa que não ocupa o primeiro plano? Pois na realidade assim é. O contrabandista trabalha por prazer, por vocação. Até certo ponto é um poeta. Expõe-se a todos os perigos, coloca-se num transe de terrível inquietação, treme, dá voltas à cabeça e sai como pode do apuro; às vezes, tem até inspirações. Esta aflição é tão forte como o jogo de cartas. Conheci um preso na penitenciária de uma aparência física gigantesca, mas tão ingênuo, amável e mansarrão, que ninguém podia supor qual o motivo que o teria levado a uma penitenciária. Era tão pacífico e tão comedido com todos, que, durante todo o tempo que esteve no presídio, nunca brigou com ninguém. Mas era da fronteira ocidental; tinha se dedicado ao contrabando e, como é natural, não podia reprimir-se e começou a introduzir aguardente no presídio. Quantas vezes não foi castigado por causa disso e que medo ele não tinha das vergastadas! No entanto continuava, apesar dos lucros insignificantes, e de que quem enriquecia era o fornecedor. Mas aquele pobre homem amava a arte pela arte. Era tão tímido como uma mulher, e quantas vezes, depois de ter sofrido o castigo, jurava e trejurava que não voltaria mais a meter-se naquelas coisas! Fazendo um grande esforço, conseguia manter a sua palavra durante um mês, até que por fim a tentação era mais forte... Graças a esses indivíduos nunca a aguardente faltava no presídio.

E havia, finalmente, uma fonte de rendimentos, que não enriquecia os forçados, porque era de natureza real e benéfica. Refiro-me aos donativos. A classe elevada da nossa sociedade não faz uma ideia de como os comerciantes, os artífices e todo o nosso povo vela pelos desgraçados[2]. Os donativos eram permanentes e consistiam quase sempre em pão, chá e bolinhos, raras vezes em dinheiro. Se não fossem esses donativos, muitas vezes o preso, sobretudo se estivesse dependente de um julgamento, e, portanto, submetido a um regime muito severo, passaria muito mal. As esmolas eram distribuídas com igualdade religiosa entre todos os presos e cada um deles recebia sempre a sua parte. Lembro-me de que, da primeira vez, recebi uma esmola de dinheiro. Foi passado pouco tempo depois de haver entrado para o presídio. Voltava do trabalho matinal, sozinho, separado da caravana. Em direção contrária vinham uma senhora com uma filha, uma menina de dez anos, linda como um anjo. Já de outra vez eu as tinha visto. A mãe era viúva dum militar. Tinham movido um processo contra seu marido, jovem soldado, o qual veio a morrer no hospital da prisão, numa ocasião em que também eu aí estive doente. A mulher e a filha tinham ido despedir-se dele, ambas banhadas em lágrimas. Quando me viu, a menina corou muito e disse à mãe qualquer coisa em voz baixa. Logo depois esta parou, procurou na sua bolsa um quarto de copeque e deu-o à menina. Esta deitou a correr atrás de mim.

– Tome lá, desgraçado, aceite, por amor de Deus, esta esmolinha – disse, parando diante de mim e metendo-me a moeda na mão.

Eu peguei na moeda e a menina voltou para o lado da mãe, muito contente. Trouxe essa moeda muito tempo comigo.

---

2. Expressão usada pelo povo para designar os condenados a trabalhos forçados ou exilados. (N.T.)

CAPÍTULO II

PRIMEIRAS IMPRESSÕES

O PRIMEIRO MÊS E, de maneira geral, os primeiros tempos da minha vida de presidiário, conservo-os muito vivos na minha imaginação, mas os anos seguintes já estão muito apagados da minha memória. Alguns até quase completamente e confundem-se entre si, deixando-me apenas uma impressão total, pesada, monótona, sufocante.

Mas tudo o que vivi durante os primeiros dias da minha vida de recluso perdura ainda na minha imaginação, como se tudo tivesse acontecido ontem. Assim devia ser e assim é, de fato.

Lembro-me com toda a clareza de que, assim que entrei nessa vida, fiquei surpreendido por, afinal, nada daquilo me surpreender; que nessa vida não achava nada de particularmente notável, nada de extraordinário, ou, pelo menos, de inesperado. Parecia-me que já tinha visto tudo aquilo na minha imaginação, quando a caminho da Sibéria me esforçava por admirar o meu futuro. Mas depressa uma quantidade de coisas extraordinariamente insólitas, de fatos espantosos, começaram a fazer-me parar a cada passo. E até muito mais tarde, só quando tinha já muito tempo de presídio, é que me apercebi de tudo quanto havia ali de exclusivo, de inesperado, naquela existência, e sentia então cada vez maior assombro. Confesso que esse espanto não me deixou durante todo o longo tempo da minha pena, que nunca o pude afugentar de mim...

A minha primeira impressão, quando entrei no presídio, não podia ser mais repugnante; no entanto – coisa estranha! – pareceu-me que no presídio devia viver-se muito melhor do que imaginara durante o caminho. Os presos, embora com cadeias, caminhavam livremente por todo o presídio, provocavam uns aos outros, entoavam canções, trabalhavam por sua conta, fumavam cigarros, e outros até (embora em pequeno número) bebiam aguardente; e à noite alguns jogavam cartas. O próprio trabalho, por exemplo, não se me afigurava custoso nem forçado, e só depois de muito tempo percebi que o aspecto pesado e forçado daquele trabalho não estava tanto na sua dificuldade e continuidade como em ser imposto, obrigado, a golpes de vergasta.

O camponês em liberdade trabalha incomparavelmente mais, às vezes de dia e de noite, sobretudo no verão, mas trabalha para si, trabalha com uma finalidade racional, e assim o seu trabalho é muito mais leve, para ele, do que o do presidiário, forçado e perfeitamente inútil para si. Acontecia-me às vezes pensar que se me desse alguma vez para perder-me completamente, para abater um homem, para castigá-lo com o mais horrível castigo, um castigo que metesse medo e fizesse tremer antecipadamente o criminoso mais valente, não precisava senão dar ao seu trabalho o caráter de uma inutilidade e total e absoluta carência de sentido. Embora o atual trabalho forçado não tenha interesse e atrativo para o preso, é, contudo, em si mesmo um trabalho razoável; o preso fabrica tijolos, amontoa terra, faz argamassa, constrói; em todo esse trabalho há uma ideia e uma finalidade. E às vezes o trabalhador forçado dedica-se à sua tarefa, aspira a fazê-la com mais destreza, mais rapidez e perfeição. Mas se o obrigassem a transvasar água de uma cuba para outra, e desta para aquela, a calcar areia, a transportar montinhos de terra de um sítio para outro, e vice-versa, penso que o recluso se suicidaria passados alguns dias ou cometeria mil desacatos, para, ainda que fosse à custa da sua vida, se ver livre de humilhação, de vergonha e de escárnio semelhantes. É claro que tal castigo apenas podia imaginar-se com fins de tortura ou de vingança, e seria absurdo, porque ultrapassaria o seu próprio fim. Mas ainda que não exista o mínimo vestígio desse tormento, desse absurdo, desse vexame e dessa vergonha, no trabalho forçado, o trabalho do preso é incomparavelmente mais penoso do que o do homem livre, precisamente por ser forçado.

Além do mais eu entrei para o presídio no inverno, no mês de dezembro, e por isso não podia ainda fazer ideia do trabalho estival, dez vezes mais pesado. No inverno costumava escassear, no nosso presídio, o trabalho obrigatório. Os presos iam para o Irtich[3] calafetar velhos barcos do Estado; trabalhavam nas oficinas, varriam dos edifícios oficiais a neve que sobre eles o vento atirava, britavam alabastro etc. De inverno os dias são curtos, o trabalho acabava depressa e toda a nossa gente regressava cedo ao presídio, onde não havia quase nada para fazer, a não ser para aqueles que se dedicavam a trabalhos particulares. Mas ao

---

3. Rio da Sibéria. (N.T.)

trabalho particular apenas se dedicavam três presos, os outros eram parasitas que se punham a deambular sem objetivo de um barracão para outro, discutiam e tramavam intrigas, contavam histórias e bebiam, desde que dispusessem de algum dinheiro; à noite jogavam baralho até empenharem a própria blusa que vestiam e tudo isso apenas por puro desassossego, por pura ociosidade, só para não fazerem nada. Com o tempo acabei por concluir que, além da privação da liberdade, existe na vida de prisão um paradoxo, talvez mais forte do que em todas as outras, e que vem a ser a forçada convivência geral. Essa convivência geral existe também, sem dúvida alguma, em outros lugares, mas no presídio encontram-se indivíduos de tal natureza que nem a todas as pessoas pode agradar conviver com eles, e estou convencido de que todo preso sente este vexame que se lhe faz, embora, naturalmente, a maior parte deles o calem.

A alimentação também me parecia suficientemente abundante. Os presos pensavam que não havia outra igual nos presídios da Rússia europeia. Acerca destes não me atrevo a julgar, pois não os conheço. Além disso, alguns presos tinham meio de arranjar uma comida especial. A carne de vaca vendia-se ali a um *groch* a libra e, no verão, a três copeques. Mas somente os presos que contavam com dinheiro certo é que mandavam vir comida particular; os outros comiam no rancho. Além disso, os presos, quando se ufanavam da sua alimentação, falavam apenas do pão e apreciavam especialmente o fato de que nos dessem pães inteiros e não a peso, partidos em pedaços. Isto metia-lhes medo; se o dessem a peso, havia sempre alguns que ficavam com fome, ao passo que, repartido pelos barracões, chegava para todos. O nosso pão era especialmente saboroso e por isso tinha fama em toda a cidade. Atribuíam isto à habilidade dos condenados padeiros. As sopas de couves também eram muito boas. Faziam-nas numa caldeira comum, temperavam levemente a massa e, sobretudo no dia seguinte, estava fluida, clara. A mim assustava-me a enorme quantidade de baratas que se encontravam nela. Mas os presos não davam a menor importância a esse pormenor.

Nos primeiros três dias não fui para o trabalho; é assim que procedem sempre para com os recém-chegados; deixam-nos descansar da viagem. Mas no dia seguinte tiraram-me do presídio para me porem os ferros. As minhas cadeias eram grandes e disformes, e tinham "voz de baixo", segundo diziam os presos. Usavam-se fora do presídio. O modelo que se usava no presídio, disposto de maneira a não estorvar o trabalho, não se compunha de elos mas de quatro varetas de ferro, aproximadamente de um dedo de grossura, unidas entre si por três colchetes. Era preciso trazê-las debaixo das calças. Por meio de um elo segurava-se uma correia que, por sua vez, se prendia à cintura por meio de outra, a qual se prendia diretamente à blusa.

Lembro-me da minha primeira manhã no presídio. No corpo da guarda, à porta do presídio, o tambor tocou a alvorada e dez minutos depois o oficial das sentinelas abriu os barracões. À luz baça de uma vela os presos se foram levantando das suas esteiras. Na sua maioria mostravam-se taciturnos e ainda com sono. Bocejavam, espreguiçavam-se e franziam as fontes estigmatizadas. Alguns persignavam-se, outros começavam a armar brigas com os outros. Lá dentro fazia um calor horrível. O ar fresco de inverno entrava pelas portas assim que as abriam, e formavam-se nuvens de vapor no dormitório. Os presos lavavam-se numa vasilha de madeira; enchiam a boca d'água e borrifavam depois as mãos e a cara com esse líquido. A água tinha sido ali colocada já na véspera, pelo *paráchnik*. Em cada dormitório havia, por ordem superior, um preso, escolhido entre todos, para os serviços desse mesmo dormitório. Era designado com o nome de *paráchnik* e não ia para o trabalho no exterior. O seu dever consistia em zelar pela limpeza do dormitório, lavar e limpar as esteiras e o chão, trazer e levar o urinol, e encher de água fresca duas vasilhas de madeira, de manhã para se lavarem e no resto do dia para beberem. Por causa da vasilha de lavar o rosto, que era única, surgiram imediatamente questões.

– Aonde vais, cabeça de alho chocho? – resmungou um preso de má catadura, alto, seco, esverdeado, com uma estranha protuberância no crânio rapado, ao encarar com outro, gordo e baixo, com uma cara que transbordava de jovialidade e franqueza. – Para aí!

– Que fazes tu aí rosnando? Para ficar, aqui, paga-se dinheiro; para tu, que és uma espécie de monumento. Tudo quanto tens é pontiagudo, meu caro.

Essa saída produziu um certo efeito; alguns riram-se. O que foi bastante para encher o gordo de satisfação que, pelo visto, desempenhava no dormitório uma espécie de papel de bobo voluntário. O preso alto olhou-o com o maior desprezo.

– Porco! – exclamou, como se falasse para si mesmo. – Como ele engordou com o pão do rancho! Dava uma boa dúzia de presuntos!

– E tu, meu passarão! – exclamou, de repente, o outro, corando. – Isso mesmo, passarão.

– Mas que espécie de passarão? Vamos lá a ver...

– Isso é comigo.

– Mas qual? Diz lá, anda...

Comiam-se, um ao outro, com os olhos. O gordo esperava pela resposta e apertava os punhos, como se fosse às vias de fato. Eu, para dizer a verdade, pensei que iam acabar brigando; tudo aquilo era novo para mim e contemplava-o com curiosidade. Mas com o tempo acabei por perceber que essas cenas eram completamente inofensivas e se representavam, como no teatro, para assombrar o público; raramente havia rixas no presídio. Tudo isso era bastante característico e refletia a moral da prisão.

O preso alto permanecia muito tranquilo e orgulhoso. Sentia que o olhavam e esperavam para ver o que fazia, se atinava ou não com uma boa resposta; pois era preciso não afrouxar e demonstrar que ele era de fato um passarão, e que espécie de passarão. Deitou um olhar ao seu adversário com um indescritível desdém e, para que a ofensa se tornasse ainda mais grave, olhou-o por cima do ombro, de alto a baixo, como se olhasse para um inseto e por fim pronunciou lentamente e com clareza

– Uma garça real!

Uma ruidosa gargalhada acolheu a saída do preso.

– O que tu és é um tunante, e não uma garça! – respondeu o gordo, sentindo-se vencido e louco de raiva.

Mas quando a coisa ia começar a tornar-se séria, os outros intervieram.

– Hein? Que é lá isso? – gritou a assistência.

– Deem-lhe com força! – atiçou um, de um canto.

– Segurem-nos, para que eles não se atraquem! – responderam os outros.

– Nós somos valentes, cada um de nós pode lutar contra sete de vocês...

– Sim, são sadios, os dois! Um veio para o presídio por causa de uma libra de pão e o outro... o grande fanfarrão, bebeu leite azedo duma mulher e por isso provou o *knut*[4].

– Bem, bem, já chega! – gritou o inválido que estava encarregado de velar pela ordem dentro do dormitório e que, por esse motivo, dormia num canto, numa esteira especial.

– Água, meus caros! *Neválid*[5] Pietróvitch já acordou! *Neválid* Pietróvitch, meu irmão!

– Irmão?! Mas por que sou eu teu irmão? Se nunca comemos no mesmo prato, como é que somos irmãos? – resmungou o inválido metendo com dificuldade o braço na manga do capote...

Ia proceder-se à contagem; começava já a clarear; na cozinha tinha-se apinhado um grupo compacto de indivíduos. Os presos atropelavam-se, meio vestidos e com os gorros bicolores, recebiam o pão que ia repartindo um dos cozinheiros. Estes cozinheiros eram escolhidos, cada um, pelos alojamentos, dois para cada cozinha. Eram eles também os encarregados de guardar as facas de cozinha para cortar o pão e a carne, uma para cada cozinha.

Os presos espalhavam-se por todos os cantos e em volta das mesas, com os seus gorros e as suas samarras apertadas por cinturões, já preparados para partirem imediatamente para o trabalho. Alguns tinham na sua frente tigelas de madeira com *kvas*. Molhavam o pão no *kvas* e depois bebiam-no. A balbúrdia e o barulho eram insuportáveis, mas havia alguns que, discreta e tranquilamente, conversavam pelos cantos.

– Olá, velho Antônitch, bom apetite! – exclamou um preso novo, inclinando-se diante de um recluso tristonho e desdentado.

– Olá... se é que não estás por aí troçando – respondeu este sem baixar os olhos e esforçando-se por trincar o pão com os seus maxilares sem dentes.

---

4. Azorrague composto de várias tiras de couro, terminadas por arames torcidos. (N.T.)

5. Deformação de *invalid* (inválido), termo francês, do qual se utilizaram para apelidar, em tom de troça, ao velho soldado condenado. Era desses inválidos que o Comando das prisões russas se valia para vigiar os outros condenados, seus companheiros. (N.T.)

— Olha, Antônitch, eu pensava que tinhas morrido!

— Pois não morri, porque primeiro do que eu ainda hás de ir tu...

Sentei-me junto deles. À minha direita conversavam dois presos muito circunspetos, que se esforçavam por conservar o seu ar grave.

— De mim nunca roubaram nada – dizia um. – Eu é que tenho de ter cuidado para não roubar o que é dos outros.

— Está bem, mas não tentes tocar nas minhas coisas, senão escaldas-te!

— Ah, ele é isso? Então não és como nós? Sabes que mais? Todos nós, não passamos de uns presidiários... Deixa estar que ela se encarrega de te tirar tudo e nem sequer te agradece. Olha, meu amigo, os meus cobres também voam. Ainda há pouco ela esteve... Que se há de fazer? A princípio pensei pedir o auxílio de Fiedka, o carrasco, que ainda tinha uma casa nos arredores, sabes, aquela que ele comprou de Solomonka, o judeu piolhento, aquele que se enforcou, depois.

— Já sei, aquele que nos arranjou aguardente, durante três anos. Chamavam-lhe Grichka, a taberna às escuras. Bem sei...

— Pois não sabes, taberna às escuras é outro...

— Qual outro! Tens sempre a mania de que só tu é que sabes tudo! Mas eu posso provar-te...

— Então prova lá! Quem julgas tu que és? E sabes quem eu sou?

— Quem és tu? Olha, eu já te bati várias vezes, e tu ainda perguntas quem sou!

— Tu, bater-me? Ainda está para nascer aquele que me há de pôr a mão, e aquele que alguma vez teve essa ideia, a esta hora, está debaixo do chão.

— Fora daqui! Que o diabo te carregue!

— E a ti, que te coma a lepra!

— Que morras nas mãos dum turco!

E a confusão ia começar.

— Eh lá, eh lá! Fiquem quietos! – exclamaram à volta. – Não souberam viver em liberdade... felizmente que aqui vos dão o arroz. Quietinhos!

Serenaram imediatamente. Insultarem-se, desafiarem-se com a língua, era permitido. Em parte, isto constituía para todos uma diversão. Mas nunca acabavam brigando e só excepcionalmente talvez surgissem inimizades. As rixas eram comunicadas aos majores; faziam inquéritos e o major vinha pessoalmente... Em resumo: as rixas acarretavam incômodos a todos e por isso não consentiam que elas se dessem. Até quando os próprios inimigos se insultavam, era mais para se distraírem, para desabafarem. Muitas vezes eles próprios se enganavam, começando com um furor, uma raiva, que qualquer pessoa pensava... "Cuidado, vão comer-se um ao outro, são capazes de se matar", mas assim que chegavam a certo ponto, separavam-se imediatamente. A princípio tudo isto me parecia muito estranho. Foi intencionalmente que transcrevi aqui esses exemplos dos diálogos mais correntes entre os presidiários. Eu não podia imaginar, a princípio, que fosse possível as pessoas insultarem-se só por prazer, encontrar nisso uma distração, um exercício agradável, um desporto. E também ali havia vaidade. A dialética do insulto era muito apreciada. Ao bom insultador não faltavam aplausos, como aos autores.

Já desde o dia anterior eu notara que me olhavam de soslaio.

Lembro-me também de alguns olhares sombrios. Mas outros presos, pelo contrário, começavam a rondar-me, supondo talvez que eu trouxesse dinheiro em meu poder. Apressavam-se a servir-me; ensinavam-me a transportar os ferros acabados de fazer; ofereciam-me, é claro, um cofrezinho com chave para que guardasse nele os objetos necessários, que já me tinham entregue, e alguma roupa interior que me pertencia e que levara para o presídio. Mas no dia seguinte roubaram-me e beberam com o dinheiro da venda. Um deles chegou depois a ser um dos que me era mais dedicado, embora não hesitasse em despojar-me na primeira oportunidade. Fazia-o resolutamente, quase inconscientemente, como por dever, e não era possível odiá-lo.

Entre outras coisas avisaram-me de que era necessário que cada qual tivesse o seu chá, e de que seria conveniente que eu arranjasse um bule só para mim; por enquanto me emprestariam um e apresentaram-me também a um cozinheiro, dizendo-me que, por trinta copeques por mês, ele se encarregava de trazer-me tudo quanto eu quisesse, se desejasse comer à parte e comprar as provisões por minha conta... Escusado será dizer que ficaram com o meu dinheiro e que todos eles se aproximaram de mim naquele primeiro dia, pelo menos umas três vezes, em busca de um empréstimo.

Mas, de maneira geral, no presídio olhavam os aristocratas com maus olhos.

Apesar de estes estarem já privados de todos os seus direitos civis e a todos respeitos equiparados aos outros presos – estes não os reconheciam nunca como camaradas seus –, não procediam assim com qualquer intenção deliberada de ofendê-los, mas de um modo totalmente ingênuo, inconsciente. Consideravam-nos sinceramente como aristocratas, apesar de eles próprios se comprazerem com nossa humilhação.

– Não, agora já chega, está quietinho! Os tempos mudaram; ontem ainda Piotr atravessava Moscou em triunfo; hoje, Piotr rói a corda, muito mansinho – e outras amabilidades do gênero.

Contemplavam, compadecidos, o nosso sofrimento, que procurávamos ocultar-lhes. Faziam-nos ver sobretudo a princípio, no trabalho, que não tínhamos tantas forças como eles e que de maneira nenhuma podíamos ajudá-los. Não há nada mais difícil do que adquirir prestígio sobre as pessoas (principalmente sobre pessoas como aquelas) e ganhar o seu afeto.

Havia no presídio alguns presos de origem aristocrática. Em primeiro lugar, cinco polacos. Hei de falar mais demoradamente deles noutra ocasião. Os condenados tinham um ódio muito maior pelos polacos do que pelos deportados russos de sangue azul. Os polacos (refiro-me unicamente aos delinquentes políticos) mantinham para com eles uma cortesia requintada, uma delicadeza ofensiva, cheia de desinteresse, e nunca conseguiam disfarçar bem perante os condenados a sua diferença de classe, o que estes compreendiam claramente, pagando-lhes na mesma moeda.

Eu precisei de cerca de dois anos para vencer a indiferença de alguns presos. Mas na sua maioria acabaram todos por ganhar-me afeição e reconhecer que eu era uma boa pessoa.

Aristocratas russos, sem contar comigo, havia quatro. Um – uma criatura reles e má, extremamente depravada, espião e delator por ofício. Puseram-me imediatamente em guarda contra ele desde a minha entrada no presídio, e passados poucos dias cortei logo com ele todo gênero de relações. Outro, era aquele parricida de que já falei. O terceiro era Akim Akímitch; creio que nunca conheci um indivíduo tão estranho como esse tal Akim Akímitch. A sua recordação ficou-me fortemente gravada na memória. Era um homem alto, seco, de pouca compreensão, analfabeto, e tão rabugento e rigoroso como um alemão. Os condenados riam-se dele; mas alguns fugiam do seu convívio por causa do seu feitio melindroso, questionador e implicante. Andava constantemente provocando arruaças, dizendo insultos e brigando com eles. O seu sentimento de dignidade era fenomenal. Assim que observava alguma irregularidade, não descansava enquanto não a emendasse, fosse ela qual fosse. Era o cúmulo da ingenuidade. Por exemplo: ralhava com os presos e pregava-lhes sermões, fazendo-lhes ver como era feio serem ladrões e aconselhava-os, muito sério, a que não roubassem. Tinha servido no Cáucaso, no grau de alferes. Travamos amizade desde o primeiro dia, e ele contou-me a sua história. Começara o serviço no Cáucaso com os *junkers*[6], num regimento de Infantaria, até que por fim o fizeram oficial e o mandaram a não sei que forte na qualidade de chefe. Um certo principezinho, aliado da Rússia, lançou uma vez fogo à fortaleza, contra a qual tentou também um ataque noturno, que não teve êxito. Akim Akímitch fingiu que não sabia quem era o autor da façanha. Deitaram a culpa num dos inimigos e, passado um mês, Akim Akímitch convidou o principezinho para uma festa. Este compareceu imediatamente, sem qualquer receio. Akim Akímitch mandou formar o seu regimento e, diante das tropas, lançou em rosto do principezinho o seu procedimento, dizendo que era uma vergonha ter querido pegar fogo ao seu fortim. Depois começou a explicar-lhe, com todo gênero de pormenores, a maneira como devia conduzir-se um príncipe amigo da Rússia, e por fim mandou-o fuzilar, do que participou em seguida ao Comando, com toda a espécie de detalhes. Foi devido a isso que lhe formaram um Conselho de Guerra e o condenaram à morte, embora depois lhe tivessem suavizado a sentença e mandado à Sibéria, para trabalhos forçados de segundo grau, nas fortalezas, por doze anos. Ele próprio confessava que se conduzira arbitrariamente e disse-me mais que, antes de mandar fuzilar o príncipe, já sabia que um chefe aliado tinha de

---

6. Suboficiais nobres. (N.T.)

ser julgado segundo as leis, mas que, apesar de o saber, nunca seria capaz de chegar a compreender a sua falta.

– Pois repare! É que ele tentara incendiar-me o forte! E que havia eu de fazer? Agradecer-lhe, ainda por cima? – dizia-me, em resposta às minhas observações.

Mas os presos, entretanto, apesar de troçarem de Akim Akímitch, devido à sua pouca esperteza, respeitavam-no por causa da sua escrupulosidade e da sua habilidade.

Não havia ofício que Akim Akímitch ignorasse. Era carpinteiro, sapateiro, pintor de paredes, prateiro, serralheiro e aprendera tudo isso no presídio. Era autodidata; via alguém fazer uma coisa e em seguida fazia-a ele logo também. Confeccionava ainda caixinhas, cestinhos, lanternas e brinquedos infantis, que vendia na cidade. Assim, tinha sempre dinheiro que empregava depois em roupa interior fina; em cosméticos e em colchões dobráveis. Ficava no mesmo dormitório que eu e não foram poucos os serviços que me prestou nos primeiros dias da minha vida de forçado.

Quando saíam da penitenciária para irem para o trabalho, os presos formavam em duas filas diante do corpo da guarda; à frente e atrás dos presos alinhavam os soldados da escolta, de espingardas carregadas. Estavam presentes um oficial de engenharia, o condutor e alguns engenheiros subalternos que se destinavam a assistir aos trabalhos. O condutor distribuía os presos e enviava-os para os lugares onde eram necessários.

Destinaram-me, juntamente com outros, à oficina de engenharia. Consistia esta num edifício de pedra, baixinho, situado no pátio maior, cheio de materiais diversos. Havia aí ferragens, carpintaria, oficina de pintura etc. etc. Era aí que trabalhava Akim Akímitch: pintava, preparava os óleos, misturava as cores e construía mesas e outros móveis de nogueira.

Enquanto me punham as grilhetas, entretive-me a conversar com Akim Akímitch acerca das minhas primeiras impressões do presídio.

– Sim, não gostam dos aristocratas – disse ele –, especialmente dos presos políticos; de boa vontade os comeriam e não deixam de ter as suas razões. Em primeiro lugar, os senhores são pessoas diferentes deles, ainda que eles tenham sido anteriormente modestos proprietários ou militares. Já vê que não é possível que os olhem com simpatia. Acredite que é difícil viver aqui. E entre os presos da Rússia europeia, ainda é mais difícil. Temos aqui muitos que apreciam o nosso presídio, como se tivessem passado do inferno para o paraíso. O trabalho não é nenhuma desgraça. Dizem que na Rússia europeia o comando não se conduz de maneira estritamente militar; pelo menos procede de maneira diferente para com os presos; dizem que os deportados podem viver em suas casas. Eu nunca estive lá, falo pelo que tenho ouvido dizer. Não lhes rapam a cabeça, não usam uniforme, embora no fim de contas não deixe de estar certo que estes andem de uniforme e de cabeça rapada; assim, torna-se tudo mais ordenado e mais agradável à vista. Simplesmente, eles é que não acham graça. Mas repare, que confusão. Um é dos cantões; outro, cherquês; o terceiro, *raskólhnik*[7]; o quarto, um camponês ortodoxo, que deixou na terrinha a família e os filhos queridos; o quinto, judeu; o sexto, cigano; o sétimo não se sabe o que é, e todos eles se veem obrigados a viver juntos, a marchar, seja como for, uns com os outros; a comer no mesmo prato, a dormir nas mesmas esteiras. E que liberdade! Os melhores bocados só se podem comer às escondidas; os cobres têm de ser guardados no fundo das botas e, no fim de contas, a penitenciária é sempre a penitenciária... Quer queiras ou não, a loucura sobe-te à cabeça.

Mas isso eu já sabia. Tinha um desejo enorme de interrogá-lo acerca do nosso major. Akim Akímitch não era homem para guardar segredos, e lembro-me de que a impressão com que fiquei de tudo quanto me contou não foi muito boa.

Mas eu estava condenado a passar ainda dois anos sob seu domínio. Tudo quanto Akim Akímitch me contou acerca dele, verifiquei depois ser verdade, com a diferença de que a impressão direta é sempre mais forte do que a que se recebe através de uma simples narrativa. Era um homem estranho, embora mais estranho ainda fosse que semelhante homem tivesse um poder ilimitado sobre duzentas almas. Era por natureza um homem severo e mau, e nada mais. Encarava os presos como seus inimigos naturais e nisto consistia o seu primeiro e principal defeito. Possuía sem dúvida algumas aptidões; mas tudo, inclusive o que

---

7. Adepto da seita religiosa dos Velhos Crentes, que se formou na Rússia, no século XVII. (N.T.)

era bom, apresentava nele um aspecto incompleto. Rancoroso, mau, costumava entrar no presídio durante a noite e, se por acaso via algum preso dormindo sobre o lado esquerdo ou de boca para baixo, no outro dia de manhã, chamava-o para dizer-lhe: "Vamos ver se consegues dormir sobre o lado direito, como te mandei". No presídio, todos lhe tinham antipatia e temiam-no como à peste. Tinha uma cara muito vermelha e encolerizada. Todos sabiam que era um autêntico brinquedo nas mãos do seu assistente, Siedka. De quem ele gostava mais era do seu cãozinho Tresorka e esteve quase a morrer uma vez que o seu Tresorka esteve doente. Diziam que nessa ocasião chorava como se tivesse perdido um filho; chamou um veterinário, com o qual esteve quase a trocar pancada; e quando soube por Fiedka que havia na penitenciária um preso autodidata que fazia curas extraordinárias, mandou imediatamente chamá-lo.

– Salva-me! Cobrir-te-ei de ouro, se salvares o meu Tresorka! – gritou-lhe.

O homem era um siberiano, esperto, hábil, de fato, ótimo veterinário, mas muito rude.

– Olhei para Tresorka – disse depois aos outros presos, embora já passado bastante tempo da sua visita ao major, quando já tudo aquilo se tinha esquecido. – Olho-o; o cão está estendido sobre o divã, em cima dum almofadão branco, e concluo que tem uma inflamação, que é preciso fazer-lhe uma sangria para salvá-lo. Mas penso para comigo: "Gostaria de saber o que é que aconteceria se eu não o curasse, se o deixasse estourar para aqui!" Nada; vou e digo-lhe: "Vossa Excelência mandou-me chamar já muito tarde; ontem, ou anteontem, talvez ainda pudesse fazer alguma coisa, mas hoje já não é possível...".

E foi assim que Tresorka morreu.

Contaram-me com todos os pormenores como uma vez quiseram matar o nosso major. Havia na penitenciária um certo preso. Estava conosco havia já alguns anos e distinguia-se de todos nós pelo seu ingênuo modo de conduzir-se. Também reparavam que nunca falava com ninguém. Achavam que era um pouco amalucado. Sabia ler e escrever e tinha passado todo o ano anterior lendo constantemente a Bíblia, lendo-a de dia e de noite. Quando todos dormiam, à meia-noite, ele se levantava, acendia uma vela de igreja, subia no fogão, tirava o livro que lá estava escondido e punha-se a ler até que amanhecia. Um dia chegou junto do oficial e disse-lhe que não queria ir para o trabalho. Avisaram o major, o qual ficou furioso e veio imediatamente numa correria. O preso atirou-lhe um tijolo que já levava, às escondidas; mas errou o golpe. Agarraram-no, levantaram-lhe um processo e castigaram-no. Fizeram tudo isso rapidamente. Passados três dias o infeliz falecia na enfermaria. Quando morreu disse que não tinha feito aquilo por ódio a ninguém, mas apenas porque queria sofrer. E isso sem que pertencesse a alguma seita. No presídio lembravam-se dele com respeito.

Finalmente puseram-me as grilhetas. Entretanto, já tinham aparecido na oficina várias vendedeiras de bolinhos. Algumas eram ainda umas mocinhas. Enquanto eram jovens, andavam na venda dos bolos; as mães os faziam e elas vendiam-nos. Quando já mulheres continuavam entrando ali, mas sem bolinhos; era esse o costume. Entre as vendedeiras havia também algumas que eram casadas. Os bolinhos custavam um *groch* cada um e quase todos os presos os compravam.

Reparei num preso carpinteiro, já de cabelo branco mas muito mulherengo, que, sorrindo, não tirava os olhos de cima das vendedeiras. Pouco antes de elas terem chegado pôs um lenço vermelho no pescoço. Uma mulher gorducha e toda cheia de marcas de varíola sentou-se no banco junto dele e entre ambos entabulou-se o diálogo seguinte:

– Por que não foste lá ontem? – perguntou-lhe o preso com um sorriso fátuo.

– Eu fui, mas Mitka chamou-os! – respondeu a mulher com desenvoltura.

– É verdade, chamaram-nos; senão, teríamos ido lá, sem falta... Mas anteontem foram lá todas...

– Quem é que foi?

– A Mariachka, Khavrochka, Tchekunda, Dvugrochévaia[8]...

– Que quer dizer isso? – perguntei eu a Akim Akímitch. – Será possível?

– É – respondeu-me baixando os olhos, pois, era um homem muito austero.

---

8. Literalmente, no valor de dois *grochi*. Ordinária, rameira. (N.T.)

Não havia dúvida de que aquilo era possível, mas apenas uma vez por outra e com grandes dificuldades. De maneira geral entregavam-se mais à bebida do que a isso, apesar da dureza da vida de forçado. Até à mulher era muito difícil chegar. Era preciso arranjar uma hora, um lugar, pôr-se de acordo com elas, marcar um encontro, procurar a solidão, o que era particularmente difícil; escapar da caravana, o que era ainda mais difícil, e depois gastar uma boa soma, relativamente falando. Mas, apesar de tudo isso, vim ainda a ter oportunidade, algumas vezes, de testemunhar cenas de amor. Lembro-me de que uma vez, no verão, tínhamos ido para um certo alpendre, nas margens do Irtich, onde nos ocupávamos de acender um forno; as sentinelas eram bons rapazes. Apareceram então ali duas *souffleuses*, como os presos lhes chamam.

– Olá? Então por onde têm andado? Talvez com os Zvierkóvi? – perguntou-lhes um dos presos, do qual se tinham aproximado, e que havia muito tempo as esperava.

– Quem? Eu? Mais tempo demora a pega na árvore do que eu com eles – respondeu com desenvoltura uma das mulheres.

Era uma criatura horrorosa. Vinha acompanhada pela Dvugrochévaia, a qual era também de uma fealdade superior a toda hipérbole.

– Já há tempo que não vos via – continuou o galã dirigindo-se a Dvugrochévaia. – Que fizeste, para estares assim tão magra?

– Eu já lhe digo. Eu, dantes, era muito gorda, e agora, em compensação... pareço um palito.

– Não andaram com os soldados?

– Qual! Isso são as más línguas que o dizem! Embora, no fim de contas... Embora nos deixem sem um cobre, os soldados atraem-nos!

– Então deixem-nos e venham conosco; nós temos dinheiro...

Para completar o quadro imaginemos esse galanteador de cabeça rapada, de grilhetas e de terno listado, e vigiado por sentinelas.

Perguntei a Akim Akímitch, e ele me disse que eu podia voltar com a escolta para o presídio, e foi o que fiz. Os outros regressavam já. Os primeiros a regressarem eram os que trabalhavam por empreitada. O único processo de obrigar os presos a trabalharem com persistência era dar-lhes uma tarefa. Às vezes davam-lhes umas tarefas enormes; mas, apesar disso, acabavam-nas muito mais depressa do que quando os faziam trabalhar durante todo o dia, até o toque do tambor, que anunciava a hora do rancho. Assim que acabavam o seu trabalho, os condenados voltavam logo para o presídio e já ninguém os incomodava.

Não comiam todos juntos, mas ao acaso, à medida que iam chegando; aliás, também não havia lugar suficiente para todos, ao mesmo tempo, na cozinha. Provei a sopa de couves, mas, por não estar habituado, não fui capaz de ingeri-la e fiz um pouco de chá. Sentei-me na ponta da mesa. A meu lado tinha um companheiro que, tal como eu, era de família nobre.

Os presos entravam e saíam. Havia ainda lugar de sobra, pois ainda não tinham chegado todos. Um grupo de cinco homens formava um pequeno círculo à parte, na mesa ampla. O cozinheiro deu a cada um deles um prato fundo de sopa de couves e deixou em cima da mesa uma travessa com peixe frito. Deviam festejar qualquer coisa e comiam por dois. Olhavam para os outros de soslaio. Entrou um polaco e sentou-se junto de mim.

– Não estava em casa, mas sei tudo! – exclamou com voz forte um preso alto, entrando na cozinha e passando revista com os olhos a todos os presentes.

Devia ter cinquenta anos e era musculoso e magro. Tinha qualquer coisa de sinistro no rosto, ao mesmo tempo que de cômico. O que mais chamava a atenção nele era o seu lábio inferior, grosso e proeminente, o que dava ao seu rosto uma expressão muitíssimo engraçada.

– Saúde! E que vos faça muito bom proveito! Mas por que é que nem sequer cumprimentam? – acrescentou, sentando-se junto dos que comiam. – Bom apetite! Recebam bem o convidado!

– Nós, meu caro, não somos de Kursk!

– Ah! Talvez sejam de Tambov!

– Nem de Tambov. De nós não levas nada, meu caro. Dirige-te a algum ricaço e estende-lhe a mão.

— Na minha barriga, meus caros, hoje estão Ivan Taskun e Maria Ikhótchina[9]; mas onde está, onde vive esse ricaço?

— Tens aí Gázin, que é um homem endinheirado; podes dirigir-te a ele.

— Mas Gázin, meus caros, ficou sem dinheiro, embebedou-se, gastou tudo na pinga.

— Tem vinte rublos – disse outro. – Pelo visto, o negócio de taberneiro não é nada mau.

— Mas que, não admitem convidados? Bem, se é assim, comeremos por conta da casa.

— Vamos lá, pede chá. Olha, os senhores tomam-no.

— Aqui não há senhores, agora; aqui todos são o mesmo que eu – exclamou com mau modo um preso que estava sentado num canto. Até esse momento não tinha dito uma palavra.

— De boa vontade tomaria chá; mas custa-me pedi-lo, também temos a nossa dignidade! – observou o preso do lábio gordo, olhando-nos com uma expressão bonachona.

— Se deseja, eu lhe ofereço – disse, convidando-o – com muito gosto...

— Com muito gosto? Aí é que não havia de aceitar! – e aproximou-se da mesa.

— Em casa só comia sopa de couves; e agora, aqui, apetece-lhe a bebida dos senhores! – exclamou o preso de mau gênio.

— Então, não há aqui quem beba chá? – perguntei-lhe eu; mas ele não se dignou responder-me.

— Olhem, aí estão com os bolos. Ande, dê-me um também!

Entraram com os bolos. Um preso novo trazia um monte de bolinhos e procurava vendê-los aos outros presos. As vendedeiras entregavam-lhe dez bolos e, a partir destes, começaram a contar.

— *Kalátchi, kalátchi*! – gritava ao entrar na cozinha. – Chegados de Moscou, quentinhos! Se não me tivessem custado dinheiro, quem os comia era eu. Vamos, rapazes, que só tenho um! Quem é que teve mãezinha?!

Esta invocação do amor maternal comoveu-os a todos e alguns compraram-lhe bolinhos.

— Mas... vocês não sabem? – acrescentou. – Gázin não cometeu nenhum pecado! Meu Deus! Então não se lembrou de sair! Contanto que o Oito Olhos não o descubra!

9. Alegoria de calão, para designar a fome. (N.T.)

– Escondem-no. Mas como, embebedou-se?

– Está mas é furioso.

– Então vamos ter pancadaria...

– De quem falam? – perguntei ao polaco que estava sentado junto de mim.

– De Gázin, o preso. É doido por vinho. Assim que apanha algum dinheirinho põe-se logo a beber; se não fosse isto era o homem mais pacato do mundo, mas quando bebe perde a cabeça e atira-se às pessoas de faca em punho. O que vale é que aqui sabem amansá-lo.

– Como é que o amansam?

– Dez presos atiram-se sobre ele e dão-lhe uma sova, com todas as suas forças, até que fique sem sentidos, isto é, até o deixarem meio morto. Então levam-no para a esteira e deitam-lhe uma samarra por cima.

– Um dia podem matá-lo!

– A outro matariam, a ele, não. É o mais forte de todos que estão no presídio, e de uma constituição robustíssima. Na manhã seguinte levanta-se como se nada tivesse acontecido.

– Ora, diga-me, por favor – continuei eu a perguntar ao polaco –, agora, eles estão comendo, enquanto eu bebo chá. E todos olham para mim, como se invejassem o meu chá. Diga-me: que significa isso?

– Não é por causa do chá – respondeu-me o polaco –, mas por o senhor ser nobre, como eu, e não sermos parecidos com eles. Sabe Deus quantos gostariam de brigar conosco. Têm sempre uma vontade enorme de nos ofenderem, de nos vexarem. O senhor admira-se muito desta hostilidade. Aqui, têm-nos um ódio feroz a todos, é uma coisa horrível. A mais horrível, em todos os sentidos. É preciso muita paciência para uma pessoa se acostumar a isto. Há de encontrar muitas vezes essa hostilidade e aversão por causa do chá e da comida especial, apesar de haver aqui muitos que frequentemente comem à parte e alguns que bebem chá constantemente. Eles podem fazê-lo, mas o senhor não pode.

Quando disse isto levantou-se e saiu da mesa.

Passados poucos minutos tive a confirmação das suas palavras.

CAPÍTULO III

Primeiras impressões
(Continuação)

Assim que Mátski (o polaco com o qual eu tinha acabado de falar) saiu, Gázin, completamente bêbado, apareceu na cozinha.

Um preso bêbado, à luz do dia, quando todos eram obrigados a estar no trabalho, tão próximo do lugar onde estavam os chefes do presídio, que podiam aparecer ali de um momento para o outro, a dois passos do suboficial encarregado da guarda dos presos, e que não se afastava do edifício; tão à vista das sentinelas e dos inválidos, numa palavra, de todos os guardiões do presídio, vinha arruinar por completo a ideia que eu fizera da vida dos presos. Foi preciso ainda muito tempo para que a mim mesmo pudesse explicar todos esses fatos, que eram para mim autênticos enigmas, durante os primeiros dias do meu cativeiro.

Já disse que os presos tinham sempre o seu trabalho particular, e que esse trabalho era uma exigência natural da vida presidiária; que à parte essa necessidade, o preso ama extraordinariamente o dinheiro e valoriza-o acima de tudo, quase tanto como a liberdade, sentindo-se consolado quando o ouve tilintar no bolso, e que, pelo contrário, se mostra diminuído, tristonho e inquieto, e perde a coragem quando ele se lhe acaba, e se torna então capaz de roubar seja o que for, contanto que o arranje. Mas apesar de ser tão precioso na penitenciária, o dinheiro nem sempre contribuía para a felicidade daqueles que o possuíam. Em primeiro lugar, era-lhes muito difícil guardá-lo, de maneira que não o roubassem nem o apreendessem deles. Se o major conseguisse dar com ele, em qualquer das suas inesperadas revistas, apreendia-o imediatamente. Pode ser que o empregasse em melhorar o rancho dos presos; fosse lá para o que fosse, o certo era que o levava. Mas o mais frequente era roubarem-no; não havia modo de o porem bem seguro. Mais tarde os presos vieram a descobrir um meio de guardar o dinheiro com toda a confiança. Depositavam-no nas mãos dum velho, um antigo crente, que chegara ali como adepto da seita de cismáticos que formavam os camponeses de Staradúbovo... E não posso deixar de dizer algumas palavras acerca deste, embora me afaste do meu assunto.

Era um velho de sessenta anos, baixinho e de cabelos brancos. Causou-me uma profunda impressão da primeira vez que o vi. Era completamente diferente dos outros presos. Qualquer coisa de plácido e de sereno transparecia no seu olhar, a tal ponto que me lembro de como me agradava olhá-lo nos seus olhos claros e luminosos, rodeados de rugas finas e pequenas. Conversávamos muitas vezes e talvez nunca tenha encontrado na minha vida uma criatura tão boa e tão simpática. Tinha sido deportado por um crime muito grave. Entre os aldeões de Staradúbovo, adeptos da antiga fé[10], começaram a dar-se conversões. O governo protegia os conversos e começou a pôr em jogo todos os seus recursos para que se convertessem também os outros dissidentes. Mas o nosso velho decidiu, juntamente com outros fanáticos, dar público testemunho da sua fé, como ele dizia. Os outros começaram a levantar uma igreja nova e eles incendiaram-na. O nosso velho foi enviado para os trabalhos forçados como um do instigadores. Era um comerciante rico e tinha mulher e filhos; mas aceitou a sua sorte, sem fraquejar, por considerar, na sua cegueira, que aquilo era um martírio pela sua fé. Quem convivesse durante algum tempo com ele havia de fazer involuntariamente esta pergunta: "Como é possível que este homem, tão amável, ingênuo como uma criança, tenha sido um revolucionário?" Algumas vezes eu lhe falava da fé... Não havia quem o demovesse das suas convicções; mas nunca deixava transparecer maldade nenhuma nem ódio nas suas palavras. E no entanto tinha incendiado igrejas e não o negava. Calculo que, segundo a sua maneira de pensar, devia considerar a sua conduta e o martírio como uma felicidade. Mas nunca lhe notei nem lhe ouvi nada que pudesse ser indício de vanglória ou de jactância.

Havia ali outros adeptos da antiga fé, na maior parte siberianos. Eram pessoas melindrosas, homens brigões, muito irritáveis e pedantes, e grandes dialéticos na sua doutrina; indivíduos altivos, desordeiros, presunçosos e incrivelmente impacientes. O nosso velho era completamente diferente. Talvez

---

10. Seita religiosa dos Velhos Crentes, que não adotou as reformas religiosas preconizadas no século XVII. (N.T.)

mais lido do que todos eles, evitava as discussões. Era muito sociável. Estava sempre contente e costumava rir-se, não com esse risinho sombrio, cínico, com que se riam os presidiários, mas com um riso claro, plácido, com um riso que transbordava de candura infantil e que dizia muito bem com os seus cabelos brancos. Pode ser que eu esteja enganado, mas parece-me que se pode conhecer os homens pela maneira de rir e que, quando surpreendemos um riso afetuoso na boca de alguém que não conhecemos, podemos afirmar que se trata de uma boa pessoa. O velho era muito considerado em todo o presídio, mas não se envaidecia por isso. Os presos chamavam-no avô e nunca se metiam com ele. Mas apesar da visível dignidade com que suportava os seus trabalhos forçados, escondia na alma um pesar profundo, inconsolável, que se esforçava por dissimular. Eu ficava no mesmo alojamento que ele. Uma vez, aí pelas três da madrugada, acordei e ouvi um chorar manso e reprimido. O velho estava sentado sobre o fogão (aquele mesmo fogão sobre o qual, já antes dele, à noite, se punha a rezar aquele outro preso que lia a Bíblia e queria matar o major), e rezava no seu livro manuscrito. Chorava, e eu ouvi como dizia de quando em quando: "Senhor, não me abandones! Senhor, dá-me forças! Os meus filhinhos, tão pequeninos, nunca mais me verão!" Não poderia exprimir a pena que aquilo me fez. Bem. Pois foi a esse velhinho que, pouco a pouco, todos os presos foram confiando o seu dinheiro para que ele o guardasse. No presídio eram quase todos gatunos; mas, de repente, não sei por que, todos adquiriram a convicção de que aquele velho não poderia roubá-los. Sabiam que ele também escondia em qualquer lugar as quantias que lhe enviavam de casa, mas num lugar tão seguro que não era possível descobri-las. Mais tarde veio a revelar-nos o seu esconderijo, a mim e a alguns dos polacos. Numa das estacas da nossa cerca havia nascido uma galha que, segundo parecia, estava bem agarrada ao tronco. Mas ele levantou a galha e ficou a descoberto um grande buraco. Era ali que o velhote escondia o seu dinheiro, voltando depois a colocar a galha no seu lugar, de maneira que nunca ninguém pudesse suspeitar de nada.

 Mas afastei-me da minha narrativa. Tínhamos ficado nisto: no motivo pelo qual o dinheiro não durava muito no bolso dos presos. Mas além da dificuldade de guardá-lo havia no presídio outras causas de sobressalto; o preso é, por natureza, um ser a tal ponto ansioso de liberdade, e também, devido à sua posição social, a tal ponto desorientado e desordenado que, naturalmente, o seduz a ideia de fartar-se de tudo, de gastar de uma só vez todos os seus bens, com balbúrdia e com música, a fim de esquecer, ainda que só por um minuto, a sua sorte. Era estranho ver alguns deles trabalharem sem levantar a cabeça, às vezes durante meses inteiros, apenas com o fim de poderem um dia largar completamente o trabalho, para depois, outra vez, até nova pândega, se porem a trabalhar outros tantos meses a fio. Muitos gostavam de vestir uma roupa nova e, é claro, qualquer coisa fora do comum: umas calças pretas de feitio especial, ou um cinturão, ou uma samarra siberiana. Também se usavam muito as camisas de cor, de algodão, e o cinturão com fivelas de metal. Quando estavam alegres e foliões por causa de alguma festa, era certo que se punham a percorrer todos os alojamentos, chamando por toda a gente. A satisfação de se sentirem bem frajolas raiava pela infantilidade; e, de fato, muitos desses presos eram umas autênticas crianças. Para dizer a verdade, todos esses objetos vistosos deixavam, como por encanto, de ser propriedade sua, pois às vezes, já nessa mesma noite, os empenhavam ou vendiam por um preço irrisório. Aliás, andavam sempre na paródia, para a qual havia oportunidade, geralmente, ou nos dias de festa ou nos dias em que o anfitrião celebrava o seu santo. O preso que celebrava o seu santo onomástico levantava-se nesse dia muito cedo, acendia uma vela e rezava; depois vestia-se, alindava-se e encomendava o jantar. Mandava comprar carne de vaca e peixe e fazer empadas siberianas; a seguir comia como um abade, geralmente sozinho, pois raramente convidava os companheiros para partilharem do festim. Depois aparecia a aguardente; o tipo bebia, percorrendo todos os dormitórios, fazendo barulho, provocando os outros e esforçando-se por demonstrar a todos que estava bêbado, que se excedera, conquistando assim o respeito geral. Entre os russos, em todas as partes se acolhe o bêbado com uma certa simpatia; no presídio quase lhe prestavam homenagem. Havia qualquer coisa de aristocrático na bebedeira dos presidiários. Assim que se embebedava, o preso começava logo a exigir música. Havia no presídio um polaco desertor, muito repugnante, mas que tocava violino, possuindo um que era mesmo seu e representava toda a sua fortuna. Não tinha ofício nem benefício; por isso lembrou-se de dedicar-se a tocar danças alegres para os companheiros que se embriagavam. O seu trabalho consistia em seguir constantemente, de alojamento a alojamento, o forçado bêbado, tocando o violino com todas as forças. Às vezes o seu rosto refletia desgosto, angústia. Mas aquelas palavras de "Toca, que eu te pago" eram o suficiente para que ele se pusesse a tocar com nova energia. Quando começava a embebedar-se, o preso tinha a certeza absoluta de que, assim que estivesse completamente atascado, os companheiros haviam de dar por isso e então o deitariam e procurariam algum meio de os chefes não chegarem a saber do ocorrido; e, tudo isso, o fariam com o maior desinteresse. Por outro lado, o suboficial e os inválidos, encarregados de velar pela ordem dentro do presídio, estavam completamente seguros de que o bêbado não chegaria a cometer nenhum desacato. Todos os presos, de todos os alojamentos, tomavam conta nisto, e quando o bêbado se excedia e começava a ficar pesado, deitavam-lhe imediatamente água na fervura e, se fosse necessário, imobilizavam-no, muito simplesmente. Mas a chefia secundária do presídio também fazia vista grossa sobre os bêbados e fingia não saber de nada. Sabiam muito bem que, se não permitissem a aguardente, ainda seria pior... Mas donde vinha essa aguardente?

Vendiam-na no presídio os próprios taberneiros de ofício. Eram vários e praticavam um tráfico contínuo e lucrativo, apesar de os bêbados e desregrados serem normalmente poucos, pois, para beber, era preciso contar com dinheiro e os presos tinham grandes dificuldades para o conseguirem. Esse negócio começara, prosperara e se desenvolvera de maneira bastante original. Suponhamos um preso sem ofício e sem vontade de trabalhar (que não faltava ali), mas com vontade de possuir dinheiro e, além disso, homem impaciente, que deseja ver depressa o resultado das suas diligências. Conta com algum dinheirinho para começar e decide-se a fazer contrabando de aguardente: empresa atrevida e que acarreta riscos graves. Podia acontecer que o tivesse de pagar com o corpo e se visse ao mesmo tempo privado do seu comércio e do seu pecúlio. Mas o taberneiro arrostava com tudo. Dinheiro, a princípio tem algum, e, além disso, da primeira vez é ele mesmo quem introduz a aguardente no presídio, tirando, é claro, um bom lucro. Repete a operação pela segunda e pela terceira vez e, desde que os chefes não se intrometam, o seu negócio prospera rapidamente, e é então que assenta sobre uma base mais ampla: arvora-se em negociante, em capitalista, mantém agentes e ajudantes, corre menos perigo e cada vez ganha mais. Quem se arrisca são os ajudantes.

Havia sempre no presídio indivíduos perdulários, jogadores, que se embebedavam até gastarem o último copeque; indivíduos sem ofício, desprezíveis e miseráveis, mas dotados de ousadia e iniciativa no mais alto grau. Esses indivíduos, a respeito de capital só possuem um: as costas, que podem servir-lhes para qualquer coisa, e portanto utilizam-no e dispõem-se a tirar dele o rendimento que pode dar. O indivíduo avista-se imediatamente com o comerciante e se oferece a ele para introduzir a aguardente no presídio; o rico taberneiro tem sempre alguns desses auxiliares, em qualquer parte fora do presídio – um soldado, um camponês, às vezes uma mocinha –, que compra a aguardente nas tabernas, em grande quantidade, relativamente, por conta do negociante e pelo preço conveniente, e vai depois ocultá-la em qualquer esconderijo dos lugares por onde os presos devem passar quando se dirigirem para o trabalho. O fornecedor começa sempre por dar a provar a excelência da aguardente; mais isto e mais aquilo, o preso não pode resistir muito e pode dar-se por muito feliz se não deixar ali todo o seu dinheiro em troca de uma aguardente que, por muito boa que seja, no fim das contas é aguardente. Ao referido fornecedor apresentam-se de antemão, designados pelo taberneiro do presídio, os transportadores que hão de trazer os odres. Estes odres primeiro são lavados, depois enchem-nos de água, para que conservem assim a umidade e elasticidade primitivas e fiquem capazes de receber a aguardente. Assim que os tem cheios de água, o preso liga os odres à cintura e, se se proporcionar, às partes mais escondidas do corpo. É claro que para isto é necessária toda a destreza, toda a manha de larápio do contrabandista. De certa maneira é a sua honra que está em causa. Tem de passar diante dos soldados da caravana e das sentinelas. Mas engana-os; o ladrão eficiente sabe sempre enganar os soldados da caravana, que às vezes se reduzem a algum recruta. É claro que primeiro se informam acerca da natureza da caravana, considerando também o momento e o lugar onde vão trabalhar. O preso é, por exemplo, consertador de fogões e encarrapita-se em cima de um. Como se há de ver o que ele faz aí? O soldado não há de ir encarrapitar-se também atrás dele. Quando regressa ao presídio traz na mão uma moedinha de quinze ou vinte copeques, como por acaso, e espera o cabo à porta. Quando voltam do trabalho todos os presos são revistados pelo cabo das sentinelas, o qual os olha e apalpa por todas as partes, antes que se abram as portas da penitenciária. O introdutor da aguardente espera, de maneira geral, que durante a revista não cheguem a inspecionar-lhe determinadas partes do corpo. Mas às vezes acontece que o cabo o revista também aí e encontra a aguardente. Então o preso apela para o seu último recurso. Em silêncio e às furtadelas, mete na mão do cabo a moeda que traz na sua. Costuma suceder que, devido a essa manobra, consegue entrar no presídio, sem qualquer contratempo, transportando a sua aguardente. Mas de outras essa manha falha e então não tem outro remédio senão lançar mão do seu último capital: as costas. Dão parte ao major, paga bem com o referido capital, confiscam-lhe a mercadoria e o contrabandista aguenta tudo sem fugir nem mugir e sem denunciar o fornecedor; mas, entenda-se, não porque o papel de delator lhe repugne, mas apenas porque a denúncia não lhe traria proveito algum; ele, de todas as maneiras, havia sempre de apanhar, e a sua única consolação talvez fosse a de que ambos apanhassem. Mas precisa do fornecedor, embora, segundo o costume e em relação à combinação feita, este não dá ao contrabandista nem um só copeque de indenização pelas vergastadas que podem cair-lhe sobre as costas. Quanto às denúncias, costumam ser frequentes. O delator não fica exposto a qualquer contratempo no presídio; nem sequer teme que lhe mostrem desdém. Não o desprezam, tratam-no tão amigavelmente que, se no presídio alguém se pusesse a querer demonstrar-lhe a vileza da delação, ninguém o compreenderia. Havia um preso de condição nobre, depravado e mau, com quem rompi todo gênero de relações, o qual era um grande amigo de Fiedka, o delator do major, o que lhe servia de espião e lhe contava tudo o que ouvia aos presos.

Pois todos sabiam disso e nunca ninguém pensou em castigá-lo, nem sequer censurar a sua conduta.

Mas já me desviei do assunto. Tínhamos ficado em que a aguardente entrava no presídio sem dificuldade alguma. Bem; uma vez aqui, o taberneiro toma conta dos odres que lhe levam, paga o custo e começa a deitar contas. Verifica então que a mercadoria lhe fica muito cara e, portanto, para obter maior lucro, batiza-a de novo, deitando-lhe outra porção de água, quase metade por metade; e assim aguarda a chegada do cliente, que aparece no primeiro dia de festa, e às vezes no meio da semana: algum preso que trabalhou durante meses como um burro, amealhando alguns copeques para poder depois gastá-los todos num só dia, previamente escolhido. Durante muito tempo o pobre trabalhador sonhou com esse dia, durante a noite, nos seus felizes desvarios, depois do trabalho, e essa ideia ajudou-o a suportar os mil dissabores da vida do presídio. Até que por fim amanheceu o dia abençoado; o dinheiro continua em seu poder; não o apreenderam nem o roubaram dele, e vai passar agora mesmo para a bolsa do taberneiro que, a princípio, lhe dá aguardente pura, se puder, isto é, batizada apenas duas vezes; mas à medida que o recipiente vai minguando, tudo quanto falta supre-o com água. Paga-se ali por um copo de aguardente cinco ou seis vezes mais do que em qualquer outra taberna. Imaginem, portanto, quantos copos de aguardente terá de embutir o preso e quanto dinheiro terá de gastar para chegar a embebedar-se. Mas, por não estar habituado à bebida e também devido à anterior abstinência, não tarda o preso a embriagar-se e, geralmente, continua bebendo até gastar os últimos cobres. É então que aparece toda a espécie de objetos: o taberneiro, ao mesmo tempo, é usurário. Começam por levar-lhe os objetos de uso particular, de aquisição recente; depois os já usados, e por fim os objetos que no presídio lhe destinaram para uso próprio. Depois de ter gasto tudo na bebida, tudo, até o último farrapo, o preso vai deitar-se; no dia seguinte acorda com um peso insuportável na cabeça e é em vão que corre para junto do taberneiro a pedir-lhe um trago de aguardente, que lhe alivie a enxaqueca. Suporta a sua desdita, amarfanhado, e nesse mesmo dia recomeça de novo o seu trabalho, para novamente, durante meses, trabalhar sem levantar a cabeça, sonhando com o dia feliz da última pândega, que não lhe sairá da memória, até que, pouco a pouco, comece a excitar-se e a pensar noutro dia parecido, que ainda vem longe, mas que há de chegar alguma vez.

Quanto ao taberneiro, quando consegue finalmente reunir uma quantia importante com o seu negócio, algumas dezenas de rublos, prepara pela última vez a aguardente, mas não lhe deita água, pois, dessa vez, destina-a para si mesmo. É que chegou também o seu dia de boêmia! E a festança começa com bebida, comida e música. E tem uma grande ideia: convida também para a orgia as autoridades subalternas e que estão mais próximas do presídio. A festança prolonga-se às vezes durante vários dias. Escusado será dizer que a aguardente não tarda a acabar, e então o bêbado anfitrião acode a outros taberneiros, que já estão à sua espera, e bebe da aguardente destes até gastar os últimos cobres. Por muito que os presos velem pelo bêbado, às vezes é apanhado pelos chefes superiores, o major ou o oficial de guarda. Então, levam-no ao comando, tiram-lhe o dinheiro, se o encontram, e, para conclusão, mandam-no açoitar. Esfalfado, volta para a penitenciária e, passados alguns dias, já está de novo no seu ofício de taberneiro. Alguns desses bêbados, ainda com dinheiro, sonham com o belo sexo. À custa de muito dinheiro, deixam às vezes o trabalho, em segredo, e vão até certos arredores, acompanhados pela escolta subornada. Aí, numa casinha sossegada, precisamente no limite da cidade, oferece um banquete a todos e gasta o dinheiro. Com dinheiro, os presos podem fazer tudo, e o próprio soldado da escolta participa de todas essas coisas. Em geral, esses soldados da escolta são futuros candidatos ao presídio. Aliás, sempre que haja dinheiro podem fazer tudo, e essas excursões costumam ficar em segredo. É preciso acrescentar que só muito de tempos em tempos as realizam. Requerem dinheiro grosso, e os amantes do belo sexo preferem valer-se de outros recursos mais fáceis.

Logo durante os primeiros dias da minha vida de presidiário, um jovem preso, um rapaz muito bonito, me inspirou uma curiosidade especial. Chamava-se Sirótkin[11]. Era, sob vários aspectos, uma criatura muito enigmática. Em primeiro lugar foi o seu belo rosto que me chamou a atenção; não devia ter mais

---

11. Nome derivado de *sirotá*, órfão. (N.T.)

de 23 anos. Pertencia à seção especial, isto é, à perpétua, e justamente por isso era considerado um dos delinquentes militares mais graves. Calmo e simples, falava pouco e raramente sorria. Tinha os olhos azuis, as feições regulares, a cara sem um fio de barba, suave, os cabelos castanho-claros. A cabeça rapada, quase nem chegava a enfeá-lo, tão bonito era o rapaz. Não tinha ofício mas recebia dinheiro com frequência, embora não muito. Era muito preguiçoso e andava mal vestido. Havia alguém que de vez em quando lhe mandava roupa, uma bonita camisa, por exemplo, e Sirótkin demonstrava então grande alegria por causa do presente e ia exibir-se pelos dormitórios. Não bebia nem jogava baralho e nunca tinha rixas com os outros. Costumava andar pelos alojamentos, de mãos nos bolsos, muito tranquilo e meditabundo. É difícil supor em que poderia pensar. Se alguma vez uma pessoa o olhava, por curiosidade, se lhe perguntava qualquer coisa, respondia imediatamente e com delicadeza, não como um presidiário, mas sempre de maneira lacônica, seca, e olhando para as pessoas como uma criança de dez anos. Quando tinha dinheiro, nunca comprava nada que fosse necessário, não dava a roupa para consertar, nem comprava sapatos novos, mas comprava um bolinho, um pão doce e saboreava-o... como se tivesse apenas sete anos! "Olha lá, Sirótkin", costumavam dizer-lhe os presos, "tu és a órfã do presídio." Nos dias de folga costumava vaguear pelos outros alojamentos; os outros traziam quase todos algum trabalho entre as mãos; ele era o único que nada fazia. Se lhe diziam qualquer coisa, quase sempre uma piada (até os seus próprios companheiros costumavam zombar dele), saía dali sem sequer dizer uma palavra e ia para outro alojamento; às vezes, quando as piadas eram muitas, chegava até a corar. Eu pensava muitas vezes: "Por que teria vindo dar ao presídio esta criatura tão agradável e pacata?" Certa vez, estava eu doente no hospital do presídio, Sirótkin também, e a sua cama estava junto da minha; à tardinha pus-me a falar com ele; logo no princípio da conversa se mostrou muito animado e acabou por me contar como é que tinha sido feito soldado, quanto a mãe chorou e a tristeza que sentiu por se ver entre os recrutas. Acrescentou que nunca pôde suportar a vida do quartel, que aí todos eram duros, antipáticos, e que os oficiais estavam quase sempre descontentes com ele.

– E como é que acabou tudo isso? – perguntei-lhe eu.
– Por que te mandaram para cá? E como se isso ainda fosse pouco, ainda por cima te mandaram para a seção especial! Ah, Sirótkin, Sirótkin!

– Pois tive de passar um ano inteiro no batalhão, Alieksandr Pietróvitch, e mandaram-me para aqui porque matei Grigóri Pietróvitch, que era o comandante da minha companhia.

– É quase inacreditável, Sirótkin, pois será possível que tu foste capaz de matar alguém?

– Foi como lhe disse, Alieksandr Pietróvitch. Agora já estou arrependido.

– E os outros recrutas não se acostumavam a essa vida? Com certeza a princípio também lhes custa, mas depois acostumam-se e, olha, acabam por ser bons soldados. A tua mãe devia ter-te mimado muito; devia ter-te regalado com tortas de anis e leite, até aos dezoito anos.

– É verdade que a minha *mamacha* gostava muito de mim. Quando eu fui para o quartel, dizem que se meteu na cama e não se tornou a levantar... A caserna acabou por se tornar odiosa para mim. Os oficiais não gostavam de mim, castigavam-me a toda hora... E por quê? Eu sou muito poupado em tudo, minha vida é muito ordenada, não bebo aguardente, não me aproprio do alheio, porque isso não está certo, Alieksandr Pietróvitch, uma pessoa apropriar-se daquilo que não lhe pertence... Todos os que me rodeiam têm o coração de pedra... ninguém a quem confiar os meus desgostos... Às vezes ia para um canto e punha-me a chorar. Pois bem. Uma vez, eu estava de sentinela. Era já noite e tinham-me mandado para junto do estaleiro. Ventava muito, era outono e estava tão escuro que até doíam os olhos. E como eu estava desgostoso, ai, tão desgostoso! Vou e pego na espingarda pela culatra, tiro-lhe a baioneta e ponho-a ao meu lado; descalço o pé direito, apóio o cano da espingarda contra o peito, deito-me sobre ele e puxo o gatilho com o dedo grande do pé... Olho... nada! Verifico a espingarda, limpo-a, ponho-lhe outro cartucho e encosto outra vez o cano contra o peito. Mas... que se passa? O cartucho encrava-se e o tiro falha de novo... "Mas que será isto?", digo para comigo. Calço outra vez a bota, "calço" de novo a baioneta, resigno-me e ponho-me a passear de um lado para o outro. E de repente tomei uma resolução: ir para qualquer lugar, para longe da tropa. Passada meia hora surge o comandante com um piquete. Caminha direito para mim e diz: "Então isto é que é ficar de sentinela?" Levantei a espingarda e enterrei-lhe a baioneta até o cano. Quatro mil varadas e depois para aqui, para a seção especial...

Não mentia. Fora na verdade por isso que o mandaram para a seção especial. Aos delinquentes vulgares davam-lhes castigo mais leves. Além disso Sirótkin era o único de todos os seus companheiros que tinha tão boa aparência física. Quanto aos outros da sua categoria, dos quais se encontravam entre nós uns cinquenta, fazia dó olhar para eles; havia apenas duas ou três caras apresentáveis; os outros tinham as orelhas caídas, eram feios e sujos; alguns já tinham cabelos brancos. Se as circunstâncias o permitirem, hei de falar mais minuciosamente de toda essa corja. Sirótkin costumava manter relações amigáveis, até com Gázin, aquele a respeito do qual comecei a falar no princípio deste capítulo, recordando a maneira como entrou bêbado na cozinha e acabou assim por desmentir as ideias que eu construíra acerca da vida no presídio.

Esse Gázin era um indivíduo terrível. Provocava em todos uma estranha impressão de horror. A mim parecia que não podia existir criatura mais feroz e abominável. Eu vira em Tobolsk[12] o bandido Kâmieniev, famoso pelas suas façanhas, e depois também Sókolov, um preso que aguardava a decisão do processo, um desertor e feroz assassino. Mas nenhum deles me impressionou tão desagradavelmente como Gázin. Parecia-me às vezes que tinha diante de mim uma aranha enorme, gigantesca, de forma humana. Era tártaro e possuía uma força terrível, o mais forte de todos os do presídio; de estatura mediana, de constituição hercúlea, tinha uma cabeçorra disforme, desproporcionadamente grande, andava corcovado e olhava de baixo para cima. Acerca dele corriam no presídio boatos estranhos; sabia-se que pertencia à classe militar, mas os presos diziam entre si, não sei se com verdade, que ele desertara de Niertchinsk[13]; já por mais de uma vez tinha estado na Sibéria, por mais de uma vez também tinha fugido e mudado de nome, até que por fim veio

---

12. Antiga e importante cidade da Sibéria Ocidental, na Rússia Asiática. (N.T.)

13. Cidade da Transbaical, centro de uma região mineira, para onde destinavam os forçados da primeira categoria. (N.T.)

parar ali, à seção especial. Diziam também que gostava de matar mocinhas só por puro prazer; que as levava para lugar solitário e começava a meter-lhes medo, a assustá-las, e quando a pobre vítima tinha já caído no cúmulo do espanto e tremia de pavor, ele, então, cortava-lhes o pescoço, mas pouco a pouco, devagar, com deleite. Eu pensava que tudo isto deviam ser suposições sugeridas pela terrível impressão que em todos provocava Gázin; essas suposições condiziam perfeitamente com ele, era o seu próprio rosto que as sugeria. Mas, apesar de tudo, quando não estava bêbado, o homem conduzia-se discretamente no presídio. Mostrava-se sempre tranquilo, não ralhava com ninguém, fugia até das discussões, mas como se desprezasse os outros, como se se considerasse superior a todos eles; falava muito pouco e parecia deliberadamente retraído. Todos os seus movimentos eram lentos, tranquilos, firmes. Lia-se nos seus olhos que não tinha nada de bronco, e que, pelo contrário, era muito esperto e havia até sempre na sua cara e no seu sorriso qualquer coisa de extraordinariamente trocista e cruel. Fazia contrabando de aguardente e era um dos mais ricos taberneiros do presídio. Mas embebedava-se duas vezes por ano e era então que aparecia à superfície a todos a bestialidade da sua natureza. Embebedava-se pouco a pouco e começava por atingir os outros com os seus sarcasmos maldosos, calculados e como que preparados de antemão, até que por fim, já completamente bêbado, se apoderava dele um furor tremendo, empunhava uma faca e arremetia contra as pessoas. Os presos, que conheciam a sua enorme força, fugiam dele e escondiam-se, e ele arremetia contra o primeiro que encontrasse no seu caminho. Mas em breve encontraram o processo de o meterem na ordem. Dez homens de seu alojamento atiravam-se contra ele imediatamente e a luta começava. Não é possível imaginar nada de mais horrível do que essa luta: batiam-lhe sobre o peito, debaixo do coração, sobre a boca do estômago, no ventre; eram muitos e espancavam-no durante muito tempo, e só o largavam quando ele perdia os sentidos e ficava como morto. A outro não se atreveriam eles a surrarem assim, pois bater dessa maneira a uma pessoa equivaleria a matá-la; mas a Gázin, não. Depois da sova, quando ele estava completamente desmaiado, tapavam-no com uma samarra curta e levavam-no para a sua esteira. "Curte aí a bebedeira, porco!" E de fato, na manhã seguinte, levantava-se como se nada tivesse acontecido e, taciturno e severo, encaminhava-se para o trabalho. E todas as vezes que Gázin bebia até ficar embriagado, já toda gente sabia, no presídio, que esse dia havia, inevitavelmente, de acabar para ele com uma sova. Também ele sabia e, no entanto, embebedava-se. Assim aconteceu durante vários anos, até que por fim repararam que Gázin começava a decair. Queixava-se de vários males e tornara-se muito fraco; ia cada vez com mais frequência à enfermaria. "Rendeu-se!", diziam os presos entre si.

*

Irrompeu na cozinha, seguido daquele reles polaco do violino, que os bêbados contratavam para complemento da sua paródia, e ficou ali estacado, em silêncio, olhando insidiosamente para todos os presentes. Todos se calaram. Por fim, reparando em mim e no meu companheiro, lançou-nos um olhar hostil e de chacota, sorriu com muita fatuidade, como se estivesse satisfeito consigo mesmo e, bamboleando-se ostensivamente, dirigiu-se para a nossa mesa.

– Dê-me licença que lhe pergunte – começou (falava russo) – com que meios é que conta para permitir-se o luxo de tomar chá aqui.

Não respondi e troquei um olhar com o meu companheiro, supondo que seria preferível calar-me a responder. À primeira resposta ele teria rebentado de cólera.

– Terá dinheiro, por acaso? – continuou ele. – Com que então temos dinheiro, hein? Veio para o presídio para tomar chá, não? Como é que se arranja para tomar chá? Vamos, diga lá...

Mas quando viu que nós estávamos decididos a não responder e a não reparar nele, ficou tão furioso que tremia de cólera. Junto dele estava uma grande bandeja, a um canto, na qual punham todo o pão, já cortado e pronto para o jantar dos presos. Era tão grande que nela cabia todo o pão para meio presídio; mas agora estava vazia. Ele foi, agarrou-a com ambas as mãos e lançou-a por cima de nós. Um pouco mais e teria nos partido a cabeça. Ainda que o assassinato ou a intenção de matar inspirasse extraordinária aversão em todo o presídio – começariam as indagações, as rusgas, as medidas de rigor obrigatórias, e por isso os presos procuravam cuidadosamente não se lançar em tais extremos –, apesar disso estavam todos, agora, numa atitude expectante. Nem uma só palavra em nossa defesa. Nem uma palavra para Gázin. A tal ponto era poderosa a inveja que tinham de nós! Era evidente que lhes agradava ver-nos naquele momento difícil... Mas para que o episódio tivesse acabado bem bastou que um, quando ele ia a descarregar a bandeja sobre nós, lhe gritasse:

– Gázin, estão te roubando a aguardente!

Atirou com a bandeja ao chão e, como louco, saiu da cozinha.

"Foi Deus quem os salvou!", disseram os presos entre si. E passado muito tempo ainda o diziam.

Não pude verificar imediatamente se essa notícia do roubo da aguardente era verdadeira ou inventada de propósito exclusivamente para nos salvar.

À tarde, já tinha escurecido, antes de fecharem os alojamentos, saí, pus-me a passear em volta da cerca, e uma lúgubre tristeza caiu sobre a minha alma, uma tristeza tão grande que nunca depois tornei a sentir outra igual durante toda a minha vida de presidiário. O primeiro dia de desterro é sempre duro de suportar, onde quer que seja, no presídio, na caserna ou nas galeras... Mas lembro-me, com toda a nitidez, de que o pensamento que mais me preocupava depois, e que me acompanhou durante toda a minha vida no presídio – e que, em parte, era um problema insolúvel – e insolúvel continua ainda agora para mim: o da desproporção das penas em relação a crimes idênticos. De fato, nem aproximadamente podem comparar-se uns crimes com outros. Suponhamos que dois homens cometeram um homicídio, que se examinaram as circunstâncias dos dois crimes e que se aplicou aos dois quase a mesma pena. E, entretanto, vejam que diferença entre os dois crimes. Um, por exemplo, matou um homem por uma ninharia, por causa de uma cebola! Saiu para a rua, encontrou o homem no caminho e matou-o. E tudo por causa de uma cebola! "Aí tens, meu caro! Mandaste-me chamar; matei um homem, e tudo isso por causa de uma cebola. Palerma! Uma cebola, que vale um copeque! Cem almas... cem cebolas! Olha, toma um rublo!" (Lenda presidiária). Outro, em compensação, matou para defender de um tirano inexorável a honra da noiva, da irmã ou da filha. Um outro, servo fugitivo, talvez meio morto de fome, matou um dos que foram enviados em sua perseguição, para defender a liberdade e a vida, ao passo que outro matou umas pobres mocinhas, só pelo prazer de degolá-las, de sentir nas mãos o seu sangue morno, gozando com a sua dor, com os seus derradeiros gemidos de pomba debaixo do gume da faca. E então? Pois tanto a um como a outro os mandam para o presídio. É certo que há diferenças no valor dessas penas, mas essas diferenças não são relativamente grandes, enquanto a diferença entre um e outro crime... o é infinitamente. São tantas as diferenças quantos os gêneros de crimes. Suponhamos que seja impossível medir, pormenorizar essa diferença; que se trate de um problema insolúvel por sua própria natureza; qualquer coisa como a quadratura do círculo, por exemplo. Mas quem não se aperceba dessa diferença, que atente nesta: a diferença entre as consequências do castigo... Aí tendes um homem que se consome no presídio, se apaga como uma luzinha; e aí tendes um outro que, só depois de ter entrado para o presídio soube o que era uma vida alegre, um agrupamento tão simpático de bravos camaradas. Sim, há alguns deste gênero, no presídio. Eis aí, por exemplo, um homem culto sofrendo os remorsos de uma consciência requintada, torturado por um sofrimento moral, perante o qual todo outro sofrimento nada significa, e que se julga a si mesmo, pelo seu crime, mais implacável, mais severamente do que a lei mais cruel. E eis aí, em comparação com ele, um outro que nem sequer, um só momento em toda a sua vida de presidiário, se detém a pensar no crime que cometeu. E mais, que se considera até inocente. E há, assim, os que praticam um crime apenas com o fim de irem dar à prisão e livrarem-se, desse modo, da vida, incomparavelmente mais forçada em liberdade do que no presídio. Na vida livre vive no último grau da humilhação, nunca come o suficiente e trabalha para o amo desde a manhã até a noite; ao passo que no presídio o trabalho é mais leve do que em casa; o pão também é dobrado e tão bom como nunca até então o provou, e nos dias de festas tem carne de vaca; além disso há possibilidade de ganhar um copeque trabalhando. E os companheiros? Gente esperta, habilidosa, que sabe tudo. De maneira que o nosso homem olha para os companheiros com admiração: nunca, até então, vira outros como eles; considera-os como a mais elevada sociedade que é possível encontrar no mundo. Dar-se-á o caso de que o castigo possa inspirar os mesmos sentimentos a estes dois homens? Mas, afinal, para que matar a cabeça com problemas insolúveis? Ouviu-se o tambor: eram horas de voltar ao alojamento.

CAPÍTULO IV

PRIMEIRAS IMPRESSÕES
(CONTINUAÇÃO)

COMEÇOU A ÚLTIMA CHAMADA. Depois disso fechavam logo os alojamentos, cada um com as suas chaves especiais, e os presos ficavam hermeticamente trancados até de madrugada.

Era um suboficial que fazia a chamada. Para isso, os presos formavam às vezes no pátio, e vinha também o oficial das sentinelas. Mas o mais frequente era que essa cerimônia se realizasse nos próprios alojamentos. Foi o que se deu nessa altura. Os encarregados da contagem costumavam enganar-se e voltavam ao princípio para contar de novo. Até que, por último, as pobres sentinelas contavam até o número desejado e fechavam então os alojamentos. Em cada um destes alojavam-se uns trinta homens, que se acomodavam com bastante dificuldade nas esteiras. Mas era ainda muito cedo para dormir e portanto cada um procurava ocupar-se com qualquer coisa.

Das autoridades do presídio apenas ficava em cada dormitório um inválido, do qual já falei, e um decano dos presos, naturalmente designado pelo major, em atenção à sua boa conduta. Sucedia com muita frequência que os decanos incorriam, por sua vez, em alguma falta grave; então eram açoitados, destituídos, imediatamente, e nomeavam outros. No meu alojamento o decano era Akim Akímitch, o qual, com grande espanto meu, ralhava muitas vezes com os presos, que costumavam responder-lhe com chufas. O inválido era mais esperto que ele, não se metia em coisa alguma, e se por acaso lhe acontecia ralhar com algum, fazia-o apenas por causa das aparências, para tranquilizar a sua consciência. Sentava-se muito caladinho na sua cama de rede e punha-se a coser as botas. Os presos não lhe davam a menor importância.

Nesse meu primeiro dia de vida presidiária não fazia outra coisa senão observar, e depois tive oportunidade de comprovar que as minhas observações eram acertadas. Sobretudo a de que vigiavam exageradamente os presos, todos aqueles que não eram presos, fossem eles quem fossem, começando pelos que não estavam em contato estreito com os reclusos, como eram os soldados que vigiavam as caravanas, as sentinelas e, de maneira geral, todos aqueles que tinham qualquer relação com a vida penitenciária. Parecia que esperavam que de um momento para o outro um preso os acometesse com uma faca. E o que é ainda mais curioso: os próprios presos reconheciam que tinham medo deles, o que lhes infundia uma certa coragem. E, no entanto, o melhor chefe para os presos é precisamente aquele que não os teme, e os forçados só se sentem à vontade quando têm confiança neles. Nesse caso chega até a ser possível atraí-los. Sucedeu que durante o meu período penitenciário, embora de longe em longe, um ou outro indivíduo do comando entrasse no presídio sem escolta. Era digno de ver como isso impressionava favoravelmente os reclusos. Esses intrépidos visitantes obtinham o seu respeito e, se alguma coisa de desagradável tinha de se dar, nunca acontecia na sua presença. O medo que os presos inspiram é geral em todos os lugares onde há presos e, de fato, não sei ao certo a que seja devido isso. Não há dúvida de que deve ter algum fundamento, a começar pelo próprio aspecto do preso, malfeitor reconhecido; além de que todo aquele que passa pelo presídio deve sentir que toda essa chusma de indivíduos não está ali por sua vontade e que, apesar de todas as medidas que se tomem, não é possível fazer do homem vivo um cadáver, pois conserva os seus sentimentos, a sua sede de vingança e de vida, as suas paixões e a necessidade de satisfazê-las. Mas, apesar de tudo isso, estou firmemente convencido de que não há razão nenhuma para temer os presos. Não é assim tão levianamente nem tão instantaneamente que um homem se lança, de faca em punho, sobre o seu semelhante. Em resumo: supondo que exista algum perigo, e que efetivamente ele exista, só poderá encontrar-se onde, precisamente onde, pela raridade de semelhantes acontecimentos, pode concluir-se que é insignificante. É claro que me refiro apenas aos presos que cumprem a sua pena, muitos dos quais se alegram de se verem finalmente no presídio (a tal ponto às vezes uma vida nova parece boa!), e estão portanto decididos a viver aí em paz e tranquilidade. Mas, ainda sem falar nisto, até os que são por sua natureza turbulentos, não encontram ali muitos motivos para se tornarem arrogantes. Todos os condenados, por muito temerários e duros que sejam, têm medo de tudo no presídio. Quanto ao preso que está para sofrer um castigo... isso é outro caso. Este, na verdade, pode acometer um desconhecido por qualquer futilidade: pela simples razão, por exemplo, de que no dia seguinte tem de partir para cumprir a pena e, se cometer outro crime, afasta assim o castigo. É esta a causa, a finalidade da agressão: adiar a sua sorte, seja como for, e o mais depressa possível. Conheço também um estranho caso psíquico desta natureza.

Entre nós, havia no presídio, na seção militar, um preso, um soldado, que não estava privado dos seus direitos civis, que fora condenado a dois anos de prisão, e que era um grande fanfarrão e covarde de primeira ordem. De maneira geral, só muito raramente a fanfarronice e a covardia existem no soldado russo. O nosso soldado parece estar sempre tão atarefado que, ainda que quisesse fanfarronar, não poderia. Mas se por acaso é fanfarrão, é quase sempre também extremamente covarde. Dútov (era este o nome do preso) acabara, finalmente, a sua breve pena, e voltara de novo para o batalhão. Mas como todos os da sua classe que são enviados para o presídio para se corrigirem acabam por se corromper definitivamente, acontece geralmente que, ao se verem em liberdade, ao fim de duas ou três semanas, se encontram já envolvidos em novo processo e aparecem outra vez no presídio, com a diferença de que então não vêm já apenas por dois ou três anos, mas sim formando parte da categoria perpétua, por quinze ou vinte anos. Foi o que se deu neste caso. Passadas três semanas da sua saída da penitenciária, Dútov cometeu um roubo por arrombamento e, além disso, armou um escândalo e desatou em impropérios. Instauraram-lhe o processo e condenaram-no à penitenciária. Receoso até o último extremo do castigo que se aproximava, como o mais vergonhoso covarde, aguardou o próprio dia em que deviam levá-lo para o presídio e atirou-se, de faca na mão, contra o oficial de reserva, que entrara no seu alojamento. É claro que devia saber perfeitamente que, com esse ato, agravava muito a sua pena e aumentava os seus anos de trabalhos forçados. Mas calculava que, assim, adiava, ainda que fosse apenas por uns dias, por umas horas, o terrível instante do castigo. Era a tal ponto covarde que quando arremeteu, de faca na mão, contra o oficial, nem sequer chegou a feri-lo, e fez tudo isso apenas para cometer um novo crime pelo qual tivesse de voltar a ser julgado.

Não há dúvida nenhuma de que o momento que antecede o castigo é terrível para o condenado, e eu, durante alguns anos, tive oportunidade de ver mais de um na véspera do dia fatal. Costumava encontrar-me com presos que estavam pendentes de castigo no hospital do presídio, durante as ocasiões em que aí entrava como doente, o que acontecia com muita frequência. Todos os presos russos sabem que as pessoas que mais compassivas se mostram para com eles são os médicos, que nunca estabelecem distinções entre os presos, como de maneira geral toda a gente faz, exceto talvez a gente simples do povo. Esta nunca incrimina o preso pelo seu crime, por mais grave que ele seja, e perdoa-lhe tudo em atenção ao castigo que lhe acarreta e à sua desdita. Não é em vão que, em toda a Rússia, o povo chama desgraça ao crime e desgraçado ao criminoso. Definição cheia de um profundo significado. E é sobretudo interessante o fato de ser inconsciente e instintiva. O médico é também... um verdadeiro refúgio para o preso em muitas ocasiões, mas sobretudo para os presos pendentes de castigo, que suportam duros sofrimentos. Por isso costuma o preso que se encontra nestas condições, quando calcula a data provável em que chegará o dia tão temido, recolher-se à enfermaria na ânsia de alijar, ainda que por pouco tempo, esse doloroso momento. Quando sai daí, sabendo quase com exatidão que no outro dia chegará o momento fatal, adoece quase sempre gravemente. Alguns se esforçam por ocultar os seus sentimentos, apenas por vanglória; mas a sua coragem fingida, forçada, não engana os seus companheiros. Todos passaram pelo mesmo e calam-se por humanidade. Conheci um preso, um rapaz novo, um homicida, soldado, condenado ao número máximo de varadas. Tinha um medo tão grande que, na véspera do castigo, resolveu tomar um copo de aguardente no qual deitara pó de tabaco. De fato, antes do castigo, nunca a aguardente falta aos presos. Muito tempo antes da data temida já a têm em seu poder; compram-na muito cara, mas preferem privar-se do indispensável do que se arriscar a não ter o dinheiro necessário para arranjar um quartilho de aguardente e bebê-lo um quarto de hora antes da execução da pena. Existe entre os presos a crença geral de que o bêbado não sente tanto os açoites ou as pauladas. Mas estou me afastando do meu tema. O pobre rapaz, assim que bebeu a aguardente, pôs-se de fato doente: começou a deitar sangue pela boca e levaram-no para a enfermaria quase desmaiado. A tal ponto essa hemoptise lhe despedaçou os pulmões que, passados poucos dias, descobriram-lhe os sintomas de verdadeira tuberculose, da qual veio a morrer passado meio ano. Os médicos que o tratavam não sabiam a que se devia a doença.

Mas, falando dos delinquentes que costumam fraquejar perante o castigo, devo acrescentar que alguns, pelo contrário, desconcertam um observador pela sua extraordinária impassibilidade. Lembro-me de alguns exemplos de intrepidez que roçava pela insensibilidade, exemplos que não eram nada raros. Recordo-me especialmente do conhecimento que travei com um estranho criminoso. Num dia de verão espalhou-se pela enfermaria do presídio o boato de que nessa tarde ia aplicar-se o castigo ao célebre bandido Orlov, desertor do Exército, que tinha sido trazido para ali. Os presos doentes afirmavam que ele seria cruelmente castigado. Aparentavam todos uma certa comoção e, confesso-o, eu também esperava o aparecimento do famoso bandido com grande curiosidade. Já tinha ouvido falar muitas coisas acerca dele. Era perverso como poucos, degolava sem a menor compaixão velhos e crianças, era um homem de força hercúlea e francamente vaidoso das suas façanhas. Respondia por vários crimes e foi condenado a sofrer uma fila inteira de vergastadas[14]. Já tinha caído a tarde quando o trouxeram. A enfermaria já estava na obscuridade e acenderam as luzes. Orlov vinha quase desmaiado, extremamente pálido, com os cabelos empastados, tesos, pretos como o breu. Tinha

---

14. Os condenados às vergastadas deviam passar entre duas filas de soldados, armados de vergastas verdes. (N.T.)

as costas inflamadas, de uma cor sanguinolenta, arroxeada. Os presos velaram-no toda a noite, levavam-lhe água, mudavam-no de posição, davam-lhe remédios, cuidavam dele como de uma criança, como de um santo homem. No dia seguinte, já se levantou e deu dois passeios pela enfermaria. Aquilo me deixou atônito; ele chegara à enfermaria prostrado, num estado de extrema debilidade. Recebera de uma vez metade das pancadas a que o condenaram. O médico só mandou suspender a execução quando viu que, se a prolongassem, o sentenciado correria risco de morte. Além disso Orlov era baixo, de corpo fraco, e ficara sem forças devido ao longo sofrimento durante o castigo. Quando por acaso uma pessoa encontrava presos sentenciados, ficava depois a lembrar-se por muito tempo dos seus rostos espantados, consumidos e pálidos, e dos seus olhares de delírio. Apesar de tudo isso, não tardou que Orlov se restabelecesse. Não há dúvida de que a sua energia interior, anímica, ajudou fortemente a sua natureza. Na verdade, era um homem extraordinário. Por curiosidade convivi de perto com ele e estudei-o durante uma semana. Posso afirmar que nunca na minha vida encontrei um caráter humano mais forte, mais férreo do que o seu. Eu tinha já conhecido em Tobolsk uma celebridade do mesmo gênero, um ex-capitão de bandidos. Esse era uma autêntica fera, e quem quer que se visse diante dele, embora ignorasse o seu nome, havia de pressentir, por instinto, que se encontrava na presença de um ser terrível, bestial. A sensualidade predominava a tal ponto nele, sobre todas as potências espirituais, que só de olhar-lhe o rosto compreender-se-ia imediatamente que ali havia apenas uma ânsia selvagem de prazeres, satisfações e deleites carnais. Estou convencido de que Koriêniev – era esse o nome do bandido – devia também perder a coragem e tremeria de horror perante o castigo, apesar de ser capaz de degolar o próximo sem pestanejar. Com Orlov passava-se o contrário. Este era um verdadeiro dominador da sensualidade. Saltava à vista que este homem tinha um ilimitado poder sobre si mesmo, que desprezava todos os sofrimentos e castigos e nada temia neste mundo.

Percebia-se nele uma energia imensa, uma ânsia de vingança, ânsia de alcançar o fim a que se propunha. Entre outras coisas espantava-me a sua extraordinária altivez. Olhava para todos como de uma altura inverossímil, mas sem para isso fazer qualquer esforço, de uma maneira natural. Penso que não deve ter existido neste mundo uma criatura capaz de se lhe impor. Olhava para tudo com uma estranha fleuma, como se não houvesse nada neste mundo que pudesse assombrá-lo. Mas embora soubesse que os outros presos lhe tinham respeito, nunca se tornou soberbo perante eles. Dizem que a vaidade e a soberbia são características de quase todos os presos, sem exceção. Era muito franco e extraordinariamente sincero, embora pouco falador. Às minhas perguntas respondeu imediatamente que esperava restabelecer-se para acabar de cumprir o castigo o mais depressa possível, e que, antes, receara não poder suportá-lo.

– E pronto – acrescentou, piscando-me um olho –, é assunto arrumado. Aguentarei o número de vergastas que me restam, e em seguida toca a marchar para Niertchinsk, simplesmente, hei de fugir durante o caminho, ora se fujo! É só ficar bom das costas...

E durante esses cinco dias aguardou com impaciência o momento em que pudesse pedir alta. Nessa expectativa, mostrava-se às vezes muito animado e alegre. Procurei fazer com que ele me falasse das suas aventuras. Ele franzia o sobrolho perante tais perguntas, mas respondia-me sempre com franqueza. Quando percebeu que fazia investigações sobre a sua consciência, procurando algum indício de arrependimento, olhou-me de uma maneira tão nitidamente depreciativa e arrogante como se eu me tivesse repentinamente convertido, a seus olhos, num rapazinho estúpido, com o qual não se podia conversar do mesmo modo que com um homem feito. Também no seu rosto se refletiu um pouco de piedade por mim. Passado um momento desatou a rir, com o riso mais franco, sem ponta de ironia, e tenho a certeza de que, quando depois ficou só e se lembrou das minhas palavras, é muito possível que tenha voltado a rir.

Finalmente deram-lhe alta, embora não tivesse ainda as costas completamente saradas; também a mim me deram alta na mesma ocasião, de maneira que saímos juntos da enfermaria: eu, para voltar ao presídio, ele para entregar-se ao corpo da guarda, onde estava alojado. Quando nos despedimos apertou-me a mão, o que nele era sinal de grande confiança. Penso que deve ter feito isso por estar muito satisfeito consigo mesmo nesse momento.

Mas, de fato, não tinha outro remédio senão desprezar-me, e evidentemente que devia olhar-me como um ser humilde, frágil, digno de dó e inferior a ele, em todos os sentidos. No dia seguinte aplicaram-lhe a outra metade do castigo.

Quando fechavam o nosso alojamento, este tomava imediatamente um aspecto especial, o aspecto de uma autêntica moradia, de um verdadeiro lar. Era o momento em que eu podia olhar para os meus companheiros, os presos, como pessoas de família. Durante o dia, os suboficiais, as sentinelas e, de maneira geral, os superiores podem aparecer no presídio a todo momento, e por isso todos os seus habitantes se conduzem de outro modo, como se sentissem uma certa inquietação, como se esperassem ouvir um grito de alarme de um instante para o outro. Mas assim que fecham o alojamento, vão todos tranquilamente para o seu lugar, e a maioria se entrega a algum trabalho manual. O alojamento aparece todo iluminado, de repente. Todos têm a sua vela e o seu candeeiro, geralmente de madeira. Um põe-se a consertar os sapatos, outro, a coser alguma peça de roupa. O ambiente mefítico do alojamento vai-se agravando de momento para momento. Um grupo de malandrins senta-se à turca sobre um tapete em farrapos, num canto, e põe-se a jogar baralho. Há em quase todos os alojamentos um preso destes, que possui um tapete velhíssimo, de aproximadamente um metro de comprimento, uma vela e um ensebado baralho de cartas, incrivelmente gastas. A este conjunto chamam *maidan*[15]. O dono destes objetos cobra uma certa quantia aos jogadores: quinze copeques por noite, o que é o seu ganho. Os jogadores costumam jogar a três parceiros, a monte etc. Jogam sempre a dinheiro. Cada jogador coloca na sua frente um monte de cobres, tudo o que traz na bolsa, e não se levanta da sua posição de cócoras senão quando perdeu tudo ou deixou os seus companheiros sem uma só moeda. O jogo acaba a uma hora da noite bastante avançada, e às vezes prolonga-se até de madrugada, até mesmo no momento em que se abrem as portas do presídio. No nosso alojamento, e nos outros também, havia sempre mendigos, pedinchões que, ou tinham perdido tudo no jogo e na bebida, ou, simplesmente, eram pedinchões por natureza. Digo "por natureza" e insisto particularmente nesta expressão. Na verdade, em todas as partes

---
15. Na sua expressão usual, no Sul da Rússia, mercado, feira. (N.T.)

onde nos encontremos, qualquer que seja o ambiente, quaisquer que sejam as circunstâncias, há e sempre há de haver alguns homens estranhos, agradáveis, e que muitas vezes não são nada tolos, mas que o destino determinou fossem eternamente uns mendigos. São sempre uns pobres-diabos, uns mendicantes, parecem sempre intimidados e de ar abatido, não se sabe por que, e que são sempre os alcoviteiros de alguém, o seu correio particular, geralmente daqueles que andam na boêmia e dos que enriquecem de um dia para o outro e se vão elevando acima dos demais. Todos os começos, todas as iniciativas... para eles, são dolorosos e difíceis. Dir-se-ia que nasceram condenados a não serem nunca os primeiros a começar qualquer coisa, limitando-se a secundar os outros, a viver dependentes da sua vontade, a bailar conforme os outros tocam; o seu destino... é cumprir o dos outros. Ainda que tudo em que tomam parte se conclua favoravelmente, nenhuma circunstância, nem mudança alguma podem enriquecê-los. Hão de ser sempre mendigos. Tive ocasião de observar que esses indivíduos não formam uma casta única, e que se encontram em todas as sociedades, classes, partidos, nas redações dos jornais e nos grupos do acionistas. Pois sucedia o mesmo em cada alojamento, em todo o presídio, e bastava que se falasse de *maidan* para que logo se apresentasse algum desses tipos oficiosos. De maneira geral, até, não podia haver *maidan* sem um desses. Contratavam-no para quase todos os jogos, oferecendo-lhe cinco copeques por noite, e a sua missão principal era estar toda a noite de sentinela. Geralmente tinha de passar sete ou oito horas na escuridão, colado à parede, com trinta graus abaixo de zero, de ouvido atento a qualquer rumor, ao menor sussurro, a cada passo que se ouvisse no pátio. O major da praça, ou as sentinelas, apareciam às vezes no presídio a uma hora bastante avançada da noite, entravam muito de mansinho e vinham surpreender velas acesas, que até já do pátio se viam. Pelo menos, quando de repente começavam a ranger as fechaduras das portas dos muros dos pátios, era já tarde para se esconderem, para apagar as luzes e se estenderem nas esteiras. Mas como o *maidan* fazia pagar caro a sua negligência à sentinela contratada, essas surpresas eram muito raras. Não há dúvida de que cinco copeques é uma recompensa ridícula, insignificante, mesmo no presídio; e sempre ali me chocou a desumanidade e falta de compaixão dos que encarregavam outro de alguma incumbência. "Aceitaste o dinheiro, portanto faz o teu serviço!"

Era este um argumento que não admitia réplica. Pelo dinheiro entregue, o contratador exigia tudo o que podia exigir, e até mais, e ainda pensava que ficava prejudicado. Esse boêmio, esse bêbado que esbanjava o dinheiro a torto e a direito, explorava implacavelmente o servidor. Isto tenho eu observado em mais de uma prisão e em mais de um *maidan*.

Já disse que, no alojamento, quase todos se ocupavam de algum trabalho particular; à parte os jogadores, não passariam de cinco os indivíduos completamente desocupados, os quais se estendiam logo para dormir. O meu lugar nas esteiras ficava mesmo junto da porta. No outro lado da minha esteira, com a cabeça ao nível da minha, estava Akim Akímitch. Ficava até as dez ou onze horas trabalhando numa lanterna chinesa de muitas cores, que lhe tinham encomendado na cidade, mediante uma boa retribuição. Fabricava essas lanternas de maneira admirável; trabalhava metodicamente, sem interrupção, e quando acabava a sua tarefa, recolhia os seus utensílios, estendia a sua cama, fazia a sua oração e deitava-se muito dignamente a dormir. Levava o decoro e a ordem até o extremo, até uma minúcia quase pedante; era evidente que devia considerar-se um homem muito esperto, o que sucede a todos os indivíduos de vistas curtas. A mim tornou-se antipático logo no primeiro dia, embora me lembre que já nesse primeiro dia me deu muito que pensar, admirando-me, sobretudo, que um indivíduo como ele, em vez de triunfar na vida, tivesse ido parar num presídio. Mais adiante hei de ter ocasião de falar de Akim Akímitch por mais de uma vez.

Mas quero descrever rapidamente o resto do nosso alojamento. Tive de viver nele muitos anos, e todos esses indivíduos haviam de ser os meus futuros vizinhos e camaradas. Por isso é compreensível que eu os olhasse com a mais viva curiosidade. À minha esquerda, nas esteiras, havia um grupo de montanheses do Cáucaso, condenados, na sua maior parte a penas várias, por roubo. Entre eles havia dois lésguios, um tchetcheno e três tártaros do Daguestão. O tchetcheno era um homem severo e sombrio; quase nunca falava com ninguém e estava sempre olhando à sua volta com receio e de revés, e com um sorrizinho transbordante de maldade e zombaria. Um dos lésguios era já velho, tinha um nariz comprido, aguçado, encavalado, uma autêntica cara de bandido. O outro, Nurra, pelo contrário, desde o primeiro dia deixou-me uma impressão muito agradável, muito simpática. Ainda não era velho, de estatura mediana, de natureza hercúlea, louro, de olhos azuis, narizinho curto numa cara de finlandês, e as pernas arqueadas pelo costume de andar sempre a cavalo. Tinha o corpo todo marcado, advindas essas cicatrizes de golpes de baioneta e ferimentos de balas. Pertencia aos montanheses aliados, do Cáucaso, mas, às escondidas, costumava juntar-se aos montanheses inimigos, lutando a seu lado contra os russos. No presídio todos gostavam dele. Estava sempre contente, era sempre amável com todos; trabalhava devagar, com boa vontade e calmamente, embora muitas vezes olhasse com aborrecimento a vergonha e a sujidade da vida do presidiário e se pusesse a resmungar perante qualquer excesso, perante a gatunagem, a bebedeira e, duma maneira geral, por tudo quanto não estivesse bem, mas sem brigar com ninguém e afastando-se até de todos por causa do seu aborrecimento. Nunca, enquanto durou a sua vida de preso, roubou nada de ninguém nem praticou nenhuma má ação. Era extraordinariamente devoto. Rezava as suas orações obedecendo estritamente às regras; nos dias de jejum que precediam as festas maometanas jejuava como um fanático e passava as noites inteiras rezando. Todos gostavam dele no presídio e acreditavam na sua honestidade. "Nurra... tu és um leão", diziam os presos; de maneira que ficara com a alcunha de leão. Estava firmemente convencido de que, depois de cumprida a sua pena, o mandariam outra vez para a sua casa, no Cáucaso, e vivia desta esperança. Creio que teria morrido se lhe tivessem roubado essa ilusão. Desde o meu primeiro dia no presídio que reparei logo nele. Não era possível deixar de atentar no seu rosto bonacheirão e simpático, entre as caras franzidas, ariscas e trocistas dos outros presos. Passada meia hora de eu ter entrado no presídio, passou junto de mim e deu-me uma pancadinha no ombro, sorrindo-me afetuosamente com os olhos. A princípio, não pude compreender o que aquilo significava. Falava muito mal o russo. Passado pouco tempo tornou a passar junto de mim e deu-me outra pancadinha no peito. Depois, isto se repetiu ainda mais vezes. Soube depois que, conforme eu supunha, eu lhe inspirava dó, que compreendia como o presídio me devia ser doloroso, e que queria oferecer-me a sua amizade, dar-me coragem e assegurar-me a sua proteção. Bom e ingênuo Nurra!

Os tártaros do Daguestão eram três e todos irmãos. Dois eram já homens maduros, mas o terceiro, Ali, tinha apenas vinte e dois anos e parecia ainda mais novo. O seu lugar nas esteiras ficava junto do meu. O seu rosto lindíssimo, inteligente, e ao mesmo tempo doce e cândido, desde o primeiro instante cativou o meu coração e senti-me feliz por ter-me o destino reservado aquele vizinho e não outro. Toda a sua alma se refletia no seu belo, direi até... belíssimo rosto. O seu sorriso era tão ingênuo como o de uma criança inocente; os seus negros e grandes olhos, tão suaves, tão acariciadores que eu sentia sempre uma satisfação especial e até uma espécie de alívio dos meus sofrimentos e inquietações quando o olhava. Falo sem exagero. O irmão mais velho (tinha cinco irmãos mais velhos; os outros tinham sido enviados para as minas), quando ainda estavam na aldeia, ordenou-lhe uma vez que pusesse o gorro e montasse a cavalo para acompanhá-lo num assalto à mão armada. Tão grande é o respeito pelo irmão mais velho entre os montanheses do Cáucaso, que o rapaz não se deteve a fazer perguntas, nem sequer se lembrou de indagar aonde iam. E os outros não achavam necessário dizer a ele. Lançaram-se todos na aventura criminosa quando encontraram no caminho um rico mercador armênio, e despojaram-no. Eis aqui como isso aconteceu: destroçaram a escolta, mataram o armênio e o séquito, e levaram as suas mercadorias. Mas o caso foi descoberto; prenderam os seis, processaram-nos, julgaram-nos e condenaram-nos a trabalhos forçados na Sibéria. A demência dos juízes para com Ali reduziu-se a imporem-lhe uma pena mais curta: quatro anos. Os irmãos gostavam muito dele, com um amor mais paternal do que fraterno. Era a sua consolação no presídio e, apesar de serem carrancudos e de natureza arredia, sorriam sempre quando o viam e quando falavam com ele (na verdade falavam muito pouco com ele, como se o considerassem ainda novo demais para falar sobre assuntos sérios) os seus rostos iluminavam-se e eu percebia que lhe diziam qualquer coisa divertida, quase infantil, pelo menos olhavam uns para os outros e sorriam afetuosamente ao escutarem as suas respostas. Ele, por si, não ousava tomar a iniciativa de falar com eles, tal era o respeito que lhes tinha. Custa a saber como é que esse rapaz pôde conservar durante todo tempo do seu cativeiro aquela ternura de coração, aquela docilidade e simpatia, sem se zangar nunca nem perder a calma. Era no entanto de um caráter forte e firme, apesar de toda a sua evidente candura. Com o tempo, acabei por chegar a conhecê-lo a fundo. Era tímido como uma moça solteira e honesta, e qualquer coisa desagradável, cínica, feia ou imprópria, forçada, que sucedesse no presídio, acendia o fogo da indignação nos seus lindos olhos, que, nesses casos, se tornavam ainda mais belos. Mas fugia de todas as brigas e discussões, embora de maneira geral não fosse desses que se deixam ofender impunemente, e sabia velar pela sua dignidade. Simplesmente, nunca altercava com ninguém, e todos gostavam dele e o mimavam. A princípio, limitava-se a ser delicado para comigo. Mas, pouco a pouco, comecei a conviver mais com ele; passadas poucas semanas, já sabia muito bem o russo, coisa que os seus irmãos não conseguiram durante toda a sua estada no presídio. Revelou-se um rapaz muito esperto, muito modesto e delicado, e até muito sensato. Apresso-me a dizer que, de maneira geral, considero Ali como uma criatura invulgar, e recordo o meu conhecimento com ele como um dos melhores encontros que tive na minha vida. Há naturezas tão naturalmente belas, a tal ponto favorecidas por Deus, que o pensamento só de que alguma vez possam corromper-se nos parece impossível. Estamos sempre tranquilos a seu respeito. Também eu o estou agora, a respeito de Ali. Onde estará ele neste momento?

 Uma vez, quando havia já bastante tempo que eu estava no presídio, estava estendido na minha esteira e pensava em qualquer coisa muito triste. Ali, sempre trabalhador e ocupado, dessa vez não trabalhava, apesar de ainda ser muito cedo para dormir. Atente-se em que nessa ocasião celebravam eles uma festa muçulmana e estavam de folga. Estava deitado, com a cabeça apoiada numa mão e pensando também só Deus saberia em quê. De repente perguntou-me.

 – Então, estás assim tão triste?

Eu o olhei com curiosidade e pareceu-me estranha aquela inesperada e direta pergunta de Ali, sempre tão delicado, tão discreto, tão perspicaz; mas quando o olhei atentamente vi-lhe um rosto tão triste, tão torturado pelas recordações, que compreendi imediatamente que também ele sofria, sobretudo naquele momento. Dei-lhe a entender a minha suposição. Ele suspirou e sorriu tristemente. Eu amava o seu sorriso, sempre terno e cordial. Além disso, quando sorria mostrava duas fiadas de dentes como pérolas, de cuja beleza poderia ufanar-se a maior beldade do mundo.

– Então, Ali, não será verdade que, agora, estás pensando nas festas que neste tempo se fazem no Daguestão? Está-se lá bem, não é verdade?

– Oh, sim! – respondeu ele com entusiasmo, e as suas pupilas refulgiram. – Mas como é que sabes que eu pensava nisso?

– Então não havia de saber? Não se está lá muito melhor do que aqui?

– Oh! Por que me dizes isso?

– Na vossa terra deve haver agora flores e luzes...

– Oh! Não continues... – e mostrava um grande desgosto.

– Ouve, Ali, tu tens alguma irmã?

– Tenho... Por que perguntas isso?

– Porque, se é parecida contigo, deve ser muito bonita.

– Comigo! É tão bonita que não há outra como ela em todo o Daguestão! Oh, como é linda a minha irmã! Nunca deves ter visto outra igual em toda a tua vida! E a minha mãe também é muito bonita.

– E gostava muito de ti, a tua mãe?

– Oh! Que dizes? Naturalmente morreu de desgosto por minha causa. Eu era o seu filho preferido. Gostava mais de mim do que da minha irmã, mais do que de todos... Sonho sempre com ela e ponho-me a chorar.

Calou-se e durante toda essa noite não tornou a dizer uma palavra. Por esse tempo procurava sempre ocasião para falar comigo, embora, devido ao respeito que eu, sem saber por que, lhe inspirava... nunca se atrevesse a ser o primeiro a interpelar-me. Mas ficava muito contente quando era eu quem lhe dirigia a palavra. Eu lhe fazia perguntas acerca do Cáucaso e da sua vida anterior. Os irmãos não o proibiam de falar comigo, até gostavam. E ao verem a amizade crescente que eu sentia por Ali, começaram a mostrar-se mais atenciosos para comigo.

Ali ajudava-me no trabalho, prestava-me todos os serviços que podia nos alojamentos, e via-se, claramente, que sentiria grande satisfação se pudesse suavizar a minha sorte e agradar-me em tudo, e nesta ânsia de agradar-me não havia a mínima baixeza nem o menor desejo de lucro, e sim um vivo sentimento de amizade, que já não escondia. Entre outras coisas, tinha muito jeito para os trabalhos manuais; sabia muito bem coser a roupa branca, remendar o calçado; aprendeu depois também, até onde era possível, carpintaria. Os irmãos sentiam-se muito orgulhosos por ele.

– Olha, Ali – disse-lhe eu uma vez –, por que não aprendes a ler e a escrever russo? Não vês como isso te pode ser útil aqui, na Sibéria, e depois?

– Eu bem queria aprender, mas quem é que me há de ensinar?

– Sim, aqui há poucos que saibam ler e escrever! Mas, se quiseres, eu mesmo te ensinarei!

– Ah, então, ensina-me! – e levantou-se da esteira e estendeu-me os braços num gesto de súplica.

Começamos no serão seguinte. Eu tinha uma versão russa do Novo Testamento, livro que não era proibido no presídio. Ali aprendeu o alfabeto muito bem só neste livro, em poucas semanas. Passados três meses já entendia a linguagem do livro... Aprendia com entusiasmo, com prazer.

Uma vez lemos todo o "Sermão da montanha". Eu reparei que ele lia algumas passagens, acentuando-as de uma maneira especial.

Perguntei-lhe se gostava do que tínhamos lido. Ele me olhou de frente e ruborizou-se.

– Ah, sim! – respondeu. – Sim! Issa[16] era um santo profeta, Issa falava pela boca de Deus! Que bonito!

– Mas de tudo, de que gostaste mais?

– Daquela passagem que diz: "Perdoa, ama, não faças mal a ninguém, ama os teus próprios inimigos". Ah, como são belas as suas palavras!

---

16. Deformação do russo *Iésus* (Jesus). (N.T.)

Voltou-se para os irmãos, que assistiam ao nosso diálogo, e pôs-se a falar-lhes com entusiasmo. Ficaram durante muito tempo conversando entre si, num tom sério e movendo afirmativamente a cabeça. Depois, com um sorriso grave e afetuoso, isto é, muçulmano (que é muito do meu agrado, pois a gravidade é precisamente o que mais me agrada desse sorriso), encararam-me e afirmaram que Issa era um profeta de Deus e que operara grandes milagres; que uma vez fez um pássaro de barro e o pássaro deitou a voar... que isso estava escrito nos seus livros. Ao dizerem isto estavam muito convencidos de que me proporcionavam uma grande alegria louvando Issa, e Ali sentia-se muito feliz por ver que os irmãos estavam resolvidos e desejosos de me darem essa satisfação.

Obtivemos também um grande êxito quanto à escrita. Ali arranjou papel (e deixou que eu o pagasse), pena e tinteiro, e passados dois meses já tinha aprendido a escrever muito bem. O que encantou também os irmãos. O seu orgulho e satisfação não tinham limites. Não sabiam como exprimir-me o seu agradecimento. Quando acontecia trabalharmos na mesma seção, ajudavam-me continuamente e consideravam-se felizes por poderem fazê-lo. De Ali, nem quero falar. Queria-me como a um irmão. Nunca mais esquecerei a sua saída do presídio. Levou-me para trás do alojamento, deitou-me os braços ao pescoço e rompeu a chorar. Nunca até então me tinha dado um beijo nem chorado diante de mim. "Fizeste mais por mim", dizia, "do que o meu pai e a minha mãe juntos: fizeste de mim um homem. Deus há de pagar-te e eu nunca te esquecerei!"

Onde estás, onde estás a esta hora, meu bom, meu meigo, meigo Ali?

Além dos circassianos, havia nos nossos alojamentos um grupo de polacos que formavam uma espécie de família e que quase não se comunicavam com os outros presos. Já disse que, pelo seu exclusivismo, pela sua má vontade para com os presos russos, se tornavam antipáticos a todos. Eram caracteres atormentados, doentios; eram apenas seis. Alguns deles eram indivíduos instruídos, dos quais falarei em particular e pormenorizadamente mais adiante. Alguns me emprestaram livros durante a minha vida na prisão. O primeiro desses livros provocou-me uma forte, estranha, especial impressão. Falarei dela em outra ocasião, mais particularmente. Considero essa impressão muito curiosa e tenho a certeza de que muita gente havia de encontrar neles muitas coisas completamente incompreensíveis. Quando não se tem experiência, não se pode julgar coisa alguma. Apenas digo isto: que as privações morais são mais difíceis de sobrelevar do que todos os tormentos físicos. A pessoa do povo que vem parar no presídio encontra-se aí no seu mundo, e talvez num ambiente mais avançado. Não há dúvida de que perde muitas coisas: a terra, a família, tudo, mas o seu meio continua a ser o mesmo. O homem culto, condenado pela lei a sofrer o mesmo castigo que a gente ignara, perde incomparavelmente mais do que esta. Vê-se obrigado a renunciar a todas as suas exigências, a todos os seus costumes; a mover-se num meio para ele insuficiente, a aprender a respirar outros ares... como um peixe que tiram da água e põem sobre a areia... E o castigo imposto pela lei, igual para todos, torna-se frequentemente dez vezes mais duro para ele. Isto é verdade... ainda que se fale apenas dos costumes materiais que é preciso sacrificar.

Mas os polacos formavam um grupo especial. Eram seis e viviam todos juntos. De todos os presos do nosso alojamento apenas gostavam de um judeu e talvez apenas pela única razão de que os divertia. A nosso ver, os outros presos gostavam também dele por outros motivos, embora todos, sem exceção, fizessem troça dele. Era o único judeu que ali havia e ainda hoje não posso lembrar-me dele sem rir. Cada vez que o olhava vinha-me à memória aquele judeuzinho, Ânkel, do *Taras Bulba*, de Gógol, que, ao despir-se para se meter de noite na cama com a sua judia, ficava terrivelmente parecido com um frango depenado. Issai Fomitch, o nosso judeu, era também tão parecido com um frango sem penas como uma gota de água é parecida com outra. Já não era novo, devia ter uns cinquenta anos, baixinho e enfermiço, esperto e, ao mesmo tempo, evidentemente estúpido. Era audaz e fanfarrão e, ao mesmo tempo, terrivelmente covarde. Todo ele era rugas e tinha na testa e nas faces os sinais com que o tinham marcado no pelourinho. Nunca pude compreender como é que ele pôde resistir a sessenta açoites. Mandaram-no para o presídio como culpado de homicídio. Guardava cuidadosamente a receita que lhe deu o médico da sua judiaria, logo após o castigo. Atribuía tanto poder a essa receita que, em duas semanas, graças a ela, se lhe haviam de tirar os sinais da cara. Não se atrevia a explorar esse poder no presídio e esperava cumprir os seus doze anos de pena para, assim que se visse entre a colônia judaica, se pôr a explorar infalivelmente a receita. "Se não for assim, não conseguirei casar-me", dizia-me uma vez, "e eu não tenho outro remédio senão casar-me." (Dizia "casar-me", ceceando). Eu era muito seu amigo. Estava sempre de excelente disposição de espírito. A vida era-lhe fácil, no presídio; era joalheiro de ofício e tinha muitas encomendas da cidade, na qual não havia nenhum ourives, e por isso livrava-se dos trabalhos pesados. Escusado será dizer que, ao mesmo tempo, era usurário. E emprestava dinheiro a todo o presídio, com os respectivos juros e garantias. Entrara no presídio antes do que eu e um dos polacos descreveu-me com todos os pormenores a sua chegada. Tratava-se de uma história muito interessante, que mais adiante contarei, pois ainda hei de tornar a falar de Issai Fomitch.

O restante dos vizinhos do nosso dormitório compunha-se de quatro velhos crentes, anciãos e muito lidos, entre os quais se achava também o velho de Staradúbovo; de dois ou três pequenos russos[17], sujeitos de má catadura, de um presidiário novo, com o nariz em bico, dos seus vinte e três anos, que matara oito pessoas, de uma súcia de falsificadores de moeda, um dos quais era o bobo do nosso alojamento e, finalmente, de alguns tipos sombrios e sinistros, rapados e desfigurados, taciturnos e invejosos, que olhavam receosamente por baixo à sua volta, e predestinados a olharem, entristecerem, calar-se e invejar ainda durante muitos anos... todo o tempo da sua condenação. Tudo isto se me apresentou como através de uma névoa naquela primeira, triste noite da minha nova vida; apresentou-se a mim assim, por entre o fumo e o barulho, por entre insultos e palavras de um cinismo indescritível, num ambiente pestilencial, por entre ruídos de cadeias, juramentos e risos desavergonhados. Estendi-me nas esteiras descobertas, pus a minha roupa debaixo da cabeça (ainda não tinha almofada) e cobri-me com o meu sobretudo de peles; mas durante muito tempo não fui capaz de adormecer, apesar de

---

17. Um dos grupos étnicos da Rússia. Morenos, de cabelos e olhos escuros, eram célebres pelo seu apego feroz à língua, às tradições, à história da sua província, Ucrânia, cujo folclore era magnífico. (N.T.)

estar muito cansado e esgotado por causa de todas as estranhas e inesperadas impressões daquele primeiro dia. A minha nova vida tinha começado. Esperavam-me ainda muitas coisas que nunca imaginara e que nem sequer pressentia...

CAPÍTULO V

O primeiro mês

Passados três dias da minha estada no presídio, ordenaram-me que fosse para o trabalho. Tenho ainda gravado na memória esse primeiro dia de trabalho, se bem que não me sucedera nada de extraordinário, não falando, é claro, de tudo quanto, mesmo sem isso, tinha de extraordinária a minha situação. Mas essa era também uma das primeiras impressões, e eu continuava ainda olhando tudo com assombro. Durante todos esses três primeiros dias experimentei as mais penosas sensações. Eis aqui em que consistia o meu assombro: "Estou no presídio", repetia-me a cada momento. "Esta vai ser a minha vida durante muitos anos; o lugar em que hei de sentir tão inverossímeis, tão mórbidas impressões! E quem sabe? Talvez... quando, passados uns anos, possa finalmente deixá-lo... chegue a sentir saudades disto!", acrescentava, não sem uma mescla dessa maliciosa impressão que às vezes degenera na necessidade de remexermos propositadamente na ferida, pelo desejo de nos distrairmos com o nosso próprio sofrimento, reconhecendo precisamente que no exagero de toda a infelicidade há também um prazer. A ideia de, com o tempo, vir a ter saudades daquele lugar... a mim mesmo me enchia de espanto; já então pressentia até que grau o homem tem o poder de habituar-se. Mas tudo isto era por pressentimento, pois, então, tudo à minha volta era ainda hostil e... horrível... conforme me parecia, embora nem tudo o fosse. Aquela selvagem curiosidade com que me olhavam os meus novos companheiros de presídio, que reforçavam a sua rudeza para com um novato da classe aristocrática que de repente se introduzia na sua corporação, rudeza que, às vezes, roçava pela maldade... Tudo aquilo me mortificava a tal ponto que era eu mesmo quem desejava ir o mais depressa possível para o trabalho, para saber o quanto antes avaliar toda a grandeza da minha miséria e começar como os demais e a colocar-me imediatamente ao seu nível. É claro que eu ainda não tinha reparado nem suspeitado daquilo que tinha diante dos meus olhos, não adivinhava ainda a possibilidade de consolação no meio da hostilidade. Além disso, alguns rostos amáveis, afetuosos, que já encontrara nesses três dias, infundiam-me muita coragem. De todos, o mais carinhoso e amável para comigo era Akim Akímitch. Entre os rostos severos e maldosos dos outros reclusos, não podia no entanto deixar de notar alguns, bondosos e joviais. "Em todos os lugares há gente má e boa também", costumava dizer a mim mesmo, à guisa de consolação. "Quem sabe? Pode ser que estas criaturas, no fim de contas, não sejam piores do que as outras, do que as que ficaram por lá, fora do presídio." Pensava isto e movia a cabeça perante tal pensamento; mas, entretanto... meu Deus! Se eu, ao menos, tivesse sabido logo até que ponto esse raciocínio era exato!

Havia, por exemplo, entre nós, um homem ao qual somente ao fim de muitos, muitos anos, cheguei a conhecer bem a fundo, e que andou constantemente à minha volta, quase todo o tempo da minha condenação. Era um preso chamado Suchílov. Quando falei há pouco de outros condenados, os quais não eram piores do que outras pessoas, lembrei-me imediata e involuntariamente dele. Prestava-me serviços, apesar de eu ter ainda outro servidor. Akim Akímitch, logo desde o começo, no primeiro dia, me apresentara a um preso... Óssip, dizendo-me que, por trinta copeques por mês, ele se encarregaria de preparar-me todos os dias uma comida à parte, se a do presídio me repugnasse e eu contasse com meios para comer por minha conta. Óssip era um dos quatro cozinheiros designados por eleição, entre os presos, para cuidar das nossas cozinhas, embora, no entanto, pudesse livremente aceitar ou recusar o cargo e até renunciá-lo no dia seguinte. Os cozinheiros não saíam para o trabalho e a sua obrigação reduzia-se a cozer o pão para nós e preparar a sopa de couves. Não os chamavam cozinheiros e sim cozinheiras, mas não por desprezo, tanto mais que para a cozinha se escolhiam indivíduos habilidosos e, se fosse possível, sérios, mas por leve troça, com o que os nossos cozinheiros nunca se zangavam. Óssip era quase sempre escolhido, e desempenhou a função de cozinheira uns poucos anos quase seguidos, e só renunciava ao cargo quando se sentia triste ou, ao mesmo tempo, lhe chegava a ânsia de negociar na aguardente. Era de uma honestidade e franqueza raras, apesar de se dedicar ao contrabando. Era aquele mesmo matreiro alto, enfermiço, do qual já fiz menção; tinha medo de tudo, principalmente das varadas; agradável, transigente, afetuoso com todos, jamais armava confusão com alguém, mas não podia abster-se de introduzir aguardente clandestinamente, apesar de todo o seu medo dos perigos inerentes ao contrabando. Negociava em aguardente, juntamente com outros cozinheiros, embora, no fim de contas, em menor escala do que Gázin, por exemplo, por não ter coragem para se arriscar mais. Não me engano dizendo que, num mês, se foi todo o meu dinheiro na minha alimentação, sem incluir o pão, que era do rancho, naturalmente, e às vezes a sopa de couves, quando tinha muita fome, apesar da repugnância que me inspirava, e que, diga-se de passagem, desapareceu completamente com o tempo. Costumava comprar um pedaço de carne de vaca, o que me custava uma libra por dia. No inverno, custava um *groch*. Quem ia buscar a vaca era um dos inválidos, dos quais havia um em cada alojamento com a missão de velar pela ordem e que de bom grado se encarregava de ir todos os dias às compras para os presos, sem lhes cobrar por isso absolutamente nada, a não ser uma pequena gorjeta de vez em quando. Faziam isso por interesse próprio, por causa da sua tranquilidade, senão lhes seria impossível conviver com os presos na penitenciária. Assim, introduziam chá em tabletes[18], carne de vaca, tortas etc. etc., excetuando quase exclusivamente a aguardente. A eles não pediam aguardente, embora às vezes oferecessem. Óssip cozinhou para mim, durante vários anos seguidos, única e exclusivamente um pedaço de carne assada. Como é que ela era assada... isso é outra questão; mas não se trata agora disso. É curioso que, durante esse tempo todo, nunca troquei com ele duas palavras. Muitas vezes punha-me a falar com ele, mas era incapaz de manter uma conversa; respondia sim ou não com um sorriso, e pronto. Também nos provocava

---

18. Consome-se na Sibéria muito chá, o qual é vendido sob a forma de pesados tabletes, fortemente comprimidos. (N.T.)

uma estranha impressão olhar para aquele Hércules com o raciocínio duma criança de sete anos.

À parte Óssip, entre o número dos indivíduos que me serviam encontrava-se também Suchílov. Não fui eu quem o chamou nem quem o procurou. Foi ele próprio quem se apresentou e se recomendou; nem sequer me lembro de quando foi. Lavava-me a roupa. Para este fim tinham construído uma grande poça d'água. Era nessa poça, numas selhas que a administração fornecia, que se lavava a roupa dos presos. À parte isso, o próprio Suchílov inventou mil coisas para me ser agradável; preparava-me o chá, fazia-me vários recados, arranjava-me aquilo de que eu precisava, levava o meu capote para coser, engraxava-me as botas quatro vezes por mês. Fazia tudo isso com a melhor boa vontade, conscientemente, com o maior esmero. Em suma: unia o meu destino ao seu e considerava as minhas coisas como suas. Por exemplo, nunca dizia: "O senhor tem um rasgão no capote", e outras coisas do gênero, mas sim: "Temos tantas camisas"; "Temos um rasgão no capote". Olhava-me nos olhos e parecia encarar isso como a principal finalidade da sua existência. Ofício, ou, como diziam os presos, ofício manual, não tinha nenhum, e segundo parecia, de mim recebia apenas um copeque. Eu lhe pagava o melhor que podia, isto é, alguns *grochi*, e ele se dava sempre por satisfeito, sem nada objetar. Não podia deixar de estar ao serviço de alguém e para isso escolheu a mim, por eu ser mais afável do que os outros e mais exato nos pagamentos. Era um desses indivíduos que nunca poderão enriquecer nem prosperar, que se ofereciam para servir de sentinela aos *maidani*, levando horas inteiras à espreita, colados às paredes, aguentando a geada, de ouvido atento ao menor ruído que se ouvisse no pátio, não fosse por acaso o major da praça, prestando-se a tudo isso por cinco copeques mal contados, por quase toda a noite, expondo-se à contingência de serem descobertos e perder tudo, e de ter de pagar ainda com o corpo. Já me referi a esses indivíduos. A sua característica consistia em... anular a sua personalidade, sempre e em todos os lados, e quase à frente dos outros, e representar nos assuntos comuns um papel não de segunda mas de terceira ordem. Tudo isto era inato neles. Suchílov era um pobre rapaz pacato e humilde, parecia quase um cão que apanhou pancada, não porque alguma vez alguém lhe batesse, o que jamais acontecia, mas era assim, de seu natural. A mim inspirava sempre dó. E mais: nem sequer podia vê-lo sem experimentar esse sentimento, se bem que eu não fosse capaz de explicar a causa da minha compaixão. Falar com ele, não podia; ele também não se atrevia a falar comigo e era evidente que isso lhe era difícil, e só se animava quando, no fim do diálogo, o mandava fazer alguma coisa, o mandava sair, dar algum recado. Até que, finalmente, cheguei a me convencer de que, com isso, lhe proporcionava um prazer. Não era estúpido nem esperto, nem novo nem velho, nem alto nem baixo, nem bom nem mau, levemente picado da varíola e um pouco ruivo. Não se podia dizer nada de definido a seu respeito. Apenas uma coisa: segundo penso, e conforme pude adivinhar, pertencia à mesma confraria que Sirótkin, e pertencia a ela unicamente pelo seu aspecto de cão batido e pela sua irresponsabilidade. Os presos, algumas vezes, dirigiam-lhe piadas, principalmente por se ter trocado no caminho, ao ir para a Sibéria, e tê-lo feito por causa de uma camisa vermelha e por um rublo de prata. Segundo as zombarias dos presos, tinha-se vendido por esse preço tão vil. Trocado... significa trocar o seu nome pelo de outro e também a condenação. Por estranho que isso pareça, é exato, e no meu tempo esse costume estava ainda em vigor entre os presos enviados para a Sibéria, impondo obrigações aos contratantes e revestindo-se de certas formalidades. A princípio também eu não acreditava nisso, embora, finalmente, não tivesse outro remédio senão acreditar, por tê-lo visto.

Eis de que maneira as coisas se passavam: enviavam, por exemplo, para a Sibéria um grupo de presos. Uns... vão para o presídio, outros para as oficinas, outros para a colônia, mas vão todos juntos. Em determinado lugar do trajeto, suponhamos no governo de Perm, algum dos deportados sente o desejo de trocar com outro. Um certo Mikháilov, assassino ou réu de outro crime grave, pensa que não lhe convém ir passar uns anos no presídio. Suponhamos que seja um indivíduo esperto, habilidoso, que conhece o assunto; então procura algum da caravana, que seja mais ingênuo, mais manejável, e ao qual impuseram uma pena relativamente leve: ir para as fábricas por uns poucos anos, ou ir para o presídio, mas por menos tempo. Até que encontra um Suchílov. Suchílov é serviçal, por temperamento, e vai simplesmente para a colônia. Venceu já um percurso de quinhentas verstas, naturalmente sem um copeque no bolso, porque Suchílov nunca pode ter dinheiro... e vai cansado, moído, comendo só do rancho, sem provar qualquer coisinha de melhor, vestido com a farda do presidiário, servindo-os a todos por um miserável *groch*. Mikháilov puxa conversa com Suchílov, torna-se seu amigo íntimo e, por fim, presenteia-o com aguardente. Até que lhe propõe a troca. "Ó homem, eu, Mikháilovitch, vou para o presídio, mas não verdadeiramente para o presídio, e sim para a seção especial..." É claro que aí também é presídio, mas um presídio à parte, onde se está muito melhor... Da seção especial, no tempo em que existia, até os próprios funcionários, os de Petersburgo, por exemplo, não sabiam nada. Era um lugarzinho tão especial e à parte, num dos cantos da Sibéria, e tão pouco povoado (no meu tempo não tinha mais de sessenta homens), que se tornava difícil dar com ele. Conheci depois indivíduos que tinham servido na Sibéria e não o conheciam, e que tiveram notícia da existência dessa seção especial pela primeira vez através de mim. No Código dedicavam-lhe ao todo apenas seis linhas: "Estabelece-se no próprio presídio uma seção especial para os criminosos mais graves, até que se inaugurem na Sibéria os trabalhos forçados mais duros". Até os próprios presos desta seção ignoravam se era... perpétua ou por tempo determinado. Este não estava marcado, apontado: "Até que se inaugurem os trabalhos forçados mais duros", e portanto... isso equivalia a ficar para sempre no presídio. Não é de admirar que nem Suchílov ou algum da sua caravana o soubessem, incluindo o próprio deportado Mikháilov, o qual pode ser que tivesse alguma ideia acerca de uma seção especial, a avaliar pelo seu crime, bastante grave, pelo qual recebera três ou quatro mil vergastadas. Por isso não devia considerá-lo nenhum bom lugar. Suchílov ia com destino à colônia. Que podia desejar-se de melhor, nestes casos? "Não quererias trocar comigo?" Suchílov, debaixo do efeito da aguardente, alma simples, cheio de gratidão por Mikháilov, que o convidou para a bebida, não tem coragem de negar-se. Além disso já ouviu dizer dos da caravana que uma pessoa se pode trocar, que há alguns que se trocam, e que não se trata portanto de nada de extraordinário nem de inaudito. Chegam a acordo.

O desavergonhado Mikháilov, aproveitando-se da singular ingenuidade de Suchílov, compra-lhe o nome por uma camisa de cor e por um rublo de prata, coisa que lhe entrega diante de testemunhas. No dia seguinte, Suchílov ainda está bêbado; mas convidam-no de novo e agora já não lhe fica bem negar-se; o rublo que lhe deram já o gastou na bebida; a camisa vermelha, passado algum tempo, também. "Não queres? Então devolve-me o dinheiro." Mas onde é que Suchílov há de ir buscar um rublo de prata? Mas se ele não o devolve, serão os companheiros que o obrigam a devolver; por isso vela severamente a companhia. Acrescente-se ainda que, se deu a sua palavra, tem de cumpri-la, e de fazer com que assim seja também se encarrega a companhia. Senão, o condenarão à morte. Dar-lhe-ão uma boa sova ou matam-no, simplesmente; pelo menos lhe meterão medo, ameaçando-o de morte.

No fundo, se os da súcia tivessem uma só vez sido negligentes neste gênero de assuntos, ter-se-iam acabado estas frequentes trocas de nomes. Como é possível desdizer a sua palavra e desfazer um contrato depois de receber o dinheiro? Quem é que, então, não cumpriria a sua palavra? Em resumo: isso é um assunto que diz respeito a todos os da caravana, e portanto eram todos muito severos neste ponto. Finalmente Suchílov vê que já não há maneira de escapar e acaba cedendo. Participa-o a toda a súcia e, além disso, compete-lhe também dar alguns presentes ou convidar uns tantos para uma rodadas de copos, se for preciso. Para os outros, é natural, tudo lhes é indiferente; que Mikháilov ou Suchílov vão para o diabo, o caso é que se bebe aguardente; por isso, por seu lado, ficam muito caladinhos. Na primeira etapa fazem, por exemplo, a troca das chamadas; gritam para Mikháilov: "Mikháilov!" e Suchílov responde: "Presente!" e continuam para a frente. E ninguém fala mais no caso. Em Tobolsk os presos são distribuídos. Mikháilov vai para a aldeia a colonizar e Suchílov é enviado para a seção especial, debaixo duma escolta reforçada. Agora já ninguém pode protestar. E como provar a coisa, no fim das contas? Por quantos anos não se arrastaria depois o caso? E qual seria o resultado? E, finalmente, onde arranjar testemunhas? De maneira que o resultado foi Suchílov ter ido dar à seção especial por um rublo de prata e mais uma camisa vermelha.

Os presos troçam de Suchílov – não porque se tivesse trocado (embora desprezassem, como imbecis caídos numa armadilha, aqueles que voluntariamente trocavam trabalhos leves por trabalhos pesados), mas por se ter contentado simplesmente com uma camisa encarnada e um rublo de prata, isto é, uma paga insignificante. De maneira geral, os que se trocam fazem-no por quantias de certa importância, relativamente. Em todo caso, por algumas dezenas de rublos. Mas Suchílov era tão manso, tão dócil e tão humilde com todos, que nem dava vontade rir-se dele.

Convivi com Suchílov durante alguns anos. Pouco a pouco, foi-me tomando uma dedicação extraordinária; eu não podia deixar de reparar nisso, pois também já me acostumara a ele. Mas uma vez – nunca perdoarei a mim próprio – não desempenhou satisfatoriamente qualquer incumbência que lhe fiz, embora mesmo assim tivesse recebido o dinheiro, e eu tive a crueldade de dizer-lhe: "Repare, Suchílov, você aceita o dinheiro mas não faz as coisas". Suchílov não disse nada e foi fazer o que eu lhe mandara; mas, de repente, tomou uma expressão muito séria. Passaram dois dias. Eu pensava: "Não é possível que tenha ficado assim por causa das minhas palavras". Eu sabia que um preso, Anton Vassíliev, andava constantemente a reclamar-lhe o pagamento de um *groch* que ele lhe devia. Pensei que, provavelmente, não teria dinheiro e não se atrevia a pedir-me. No terceiro dia disse-lhe: "Suchílov, penso que você queria pedir-me dinheiro para pagar a Anton Vassíliev! Então tome lá!" Eu estava sentado na esteira e Suchílov de pé, na minha frente. Parecia lisonjeá-lo muito o fato de eu lhe oferecer dinheiro e preocupar-me com a sua situação, tanto mais que, nos últimos tempos, me pedia demasiados adiantamentos, segundo ele próprio pensava, e por isso não se atrevia a pensar que eu lhe fizesse ainda outro. Olhou para o dinheiro, depois para mim, e de repente deu meia-volta e afastou-se. Tudo isto me chocou imensamente. Saí atrás dele e fui alcançá-lo atrás dos alojamentos. Estava junto das paliçadas do presídio, de cara voltada para a cerca e com a cabeça apoiada sobre ela e reclinada na mão. "Que tens, Suchílov?", perguntei-lhe. Não olhou para mim e observei com o maior assombro que estava prestes a chorar. "O senhor pensa, Alieksandr Pietróvitch...

pensa", exclamou numa voz entrecortada e esforçando-se por olhar para outro lado, "que eu... a si... pelo dinheiro... e eu... eu... ah!" E de repente voltou-se de novo para a paliçada de tal maneira que quase se magoou na testa... e rompeu a soluçar!

Era a primeira vez que eu via um homem chorar no presídio. Consolei-o e, embora a partir daí começasse a servir-me ainda com mais boa vontade do que dantes, se isso era possível, e a olhar por mim, apesar de tudo, por alguns indícios quase imperceptíveis, pude reconhecer que, no seu coração, não perdoava a minha censura. E, no entanto, os outros troçavam todos dele, feriam-no, em circunstâncias semelhantes, insultavam-no, às vezes gravemente, e ele estava sempre bem com eles e nunca se zangava. Sim, é muito difícil compreender os homens, mesmo em longos anos de convívio!

Eis aqui a razão por que, ao primeiro olhar, não podia o presídio mostrar-se a mim sob o aspecto real com que se me revelou depois. Eis aí o motivo por que eu dizia que, ainda que o olhasse como o olhava, com aquela viva e forçada atenção, não podia ver muitas coisas que se passavam mesmo diante dos meus olhos. É claro que, a princípio, impressionavam-me as coisas mais destacadas, que ressaltavam com maior nitidez; mas até mesmo essas, pode ser que não as interpretasse bem e deixavam somente na minha alma uma impressão ingrata, desesperadamente triste. Contribuiu muito para isso o meu encontro com A...v, outro preso que se dedicou a mim, passado pouco tempo de eu estar no presídio, e que provocou uma impressão especialmente dolorosa nos primeiros dias da minha estada aqui. Aliás, eu já sabia, antes da minha entrada para o presídio, que devia vir encontrar-me aqui com A...v. Amargurou esses penosos tempos iniciais e agravou os meus sofrimentos espirituais. Não posso deixar de falar deles.

Era o exemplo mais repulsivo do ponto até que pode perverter-se e degradar-se um homem, e até que extremo pode matar em si todo sentimento de moralidade, sem o menor remorso da consciência. A...v era um jovem aristocrata ao qual me referi já de passagem, dizendo que delatava perante o major da praça tudo o que se passava no presídio e que era amigo do seu espião Fiedka. Eis aqui, em poucas palavras, a sua história. Como não foi capaz de concluir em lado nenhum um curso de estudos, e como, em Moscou, se tivesse zangado com os pais, assustados com a sua conduta licenciosa, mudou-se para Petersburgo e, para arranjar dinheiro, decidiu levar a termo uma reles delação, isto é, resolveu vender a vida de dez homens a fim de poder satisfazer imediatamente a sua implacável sede dos mais grosseiros e repugnantes deleites, nos quais, seduzido por Petersburgo, pelos seus restaurantes e lugares de luxo, se afundou de tal maneira que, apesar de não ser tolo, chegou a ver-se implicado num assunto estúpido e absurdo. Não tardou que se comprovasse a falsidade da sua delação; na sua denúncia acusava seres inocentes, enganou os seus amigos e foi por tudo isso que o enviaram para a Sibéria, por dez anos, para o nosso presídio. Era ainda muito novo, a vida mal tinha começado para ele. Parecia natural que semelhante mudança na sua sorte o tivesse impressionado, provocando uma reação, alguma mudança na sua natureza. Mas aceitou o seu novo destino sem a menor comoção, nem aversão, sem por isso perder a calma nem intimidar-se por nada, como por exemplo com a necessidade iniludível de trabalhar e de ter de renunciar aos restaurantes da moda e aos prazeres. Parecia até que o nome de presidiário lhe caía mesmo a propósito para cometer más ações e vilezas cada vez maiores. O presidiário, de presidiário não passa; uma vez que se encontra nessa situação, já uma pessoa pode descer a tudo sem se envergonhar. Era esta a sua opinião exata. Lembro-me dessa criatura repugnante, como de um fenômeno. Vivi alguns anos com assassinos, com malfeitores repelentes; mas digo convictamente que nunca, até hoje, encontrei na vida uma degradação moral tão completa, uma depravação tão consumada e com tão insolentes baixezas como as que reunia A...v.

Havia até entre nós os da classe aristocrática, um parricida, ao qual já me referi. Pois bem: pude comprovar, por muitos indícios e fatos, que até esse indivíduo era incomparavelmente mais nobre de espírito e mais humano do que A...v. A meus olhos, durante todo o tempo da minha vida presidiária, A...v não era mais do que um pedaço de carne com dentes e estômago e com uma sede insaciável dos mais grosseiros, dos mais bestiais prazeres carnais, e considero que era capaz de matar, de assassinar com o maior sangue-frio, contanto que isso lhe proporcionasse a satisfação do mais repelente e caprichoso desses prazeres. Em resumo: de tudo, desde que não corresse nenhum risco. Não exagero, pois cheguei a conhecer bem A...v. Era um exemplo daquilo até onde pode chegar a parte carnal do homem, quando não é interiormente obstada por nenhuma norma, por nenhuma lei. Como me repugnava aquele seu eterno sorriso trocista! Era um monstro, um Quasímodo moral. Acrescente-se a isto que era esperto e inteligente, bonito, e também com alguma instrução e aptidões. Não; melhor seria o fogo, a peste e a fome do que viver com tal homem. Já disse que no presídio todos se envileciam tanto que a espionagem e a delação floresciam e os presos nunca se zangavam por causa disso. Pelo contrário, todos se mostravam muito amigos de A...v e se portavam incomparavelmente melhor com ele do que comigo. A brandura que com ele mantinha o nosso major conferia-lhe a seus olhos distinção e prestígio. Entre outras coisas, convencera o major de que sabia fazer retratos (aos presos, tinha-lhes feito acreditar que era tenente da guarda) e assim conseguiu que o mandassem trabalhar em casa, com o fim de fazer um retrato do major. Como se isso fosse pouco, fez amizade com o delator Fiedka, que tinha uma influência extraordinária sobre o seu amo e, por conseguinte, sobre tudo e todos no presídio. A...v espiava-nos, por ordem do major, e, no entanto, quando estava bêbado, batia-lhe na cara, e até o insultava, chamando-o delator e mexeriqueiro. Acontecia com muita frequência que, depois de lhe ter dado uma sova, o major se sentava na sua cadeira e ordenava a A...v que continuasse a fazer-lhe o retrato. O nosso major, segundo parece, tinha engolido a patranha de que A...v era um artista notável, quase um Briúlovi[19], de quem tinha ouvido falar; mas, apesar disso, julgava-se com o direito de esbofetear-lhe a cara, porque – que diabo! –, ali, ele não era o artista mas o preso, e ainda que fosse o próprio Briúlov, ele, major, era o seu superior e podia fazer dele o que quisesse. Entre outras coisas obrigava A...v a limpar-lhe as botas e a despejar os bacios de alguns quartos, apesar de que, durante muito tempo, não quis duvidar de que A...v fosse um artista. O retrato foi-se protelando infinitamente, quase durante um ano. Até que por fim o major suspeitou de que andavam a

---

19. Karl Briúlov, pintor russo, chefe da escola romântica. Descendente de uma família francesa. (N.T.)

enganá-lo e, muito admirado por ver que o retrato nunca mais se acabava e que, pelo contrário, cada dia se parecia menos com ele, encolerizou-se, deu uma boa sova no artista e mandou-o trabalhar como um negro... A...v lamentava o percalço e custava-lhe muito renunciar aos bons dias passados, às sobras da mesa do major, ao amigalhaço Fiedka e a todos os prazeres que os dois sabiam arranjar na cozinha.

Depois do ostracismo de A...v, deixou o major de perseguir a M***, outro preso com o qual A...v andava continuamente em briga. O motivo, fora este: M***, na época em que A...v entrara para o presídio, estava só. Aborrecia-se muito; não tinha nada de comum com os outros presos, olhava-os com horror e desprezo, não reparava nem via neles nada daquilo que podia torná-los simpáticos e não convivia com eles. Os condenados pagavam-lhe na mesma moeda. De maneira geral, a situação dos indivíduos semelhantes a M***, no presídio, é terrível. M*** não conhecia o motivo por que A...v fora parar ao presídio. Em compensação, A...v, adivinhando com quem tinha de haver-se, afirmou-lhe imediatamente que o tinham deportado em virtude de uma denúncia absolutamente falsa, quase pelo mesmo motivo por que tinham deportado também M***.

M*** ficou muito contente com aquele companheiro e amigo. Seguia-lhe os passos, consolava-o nos primeiros dias de cativeiro, supondo que, com certeza, devia sofrer muito; dava-lhe o que lhe restava de dinheiro, presenteava-o e partilhava com ele as coisas indispensáveis. Mas não tardou que A...v lhe ganhasse ódio, precisamente por ser ele nobre, por olhar com tanta repugnância os atos vis, mas sobretudo por ser tão diferente dele; e tudo quanto M*** lhe dissera, nas suas conversas anteriores, a respeito do presídio e do major, o foi contar a este. O major ficou muito zangado, vingou-se de M*** tornando-o objeto dos maiores vexames e, se não fosse a intervenção do comandante, teria feito alguma atrocidade... A...v não só não sentiu a menor comoção quando M*** veio a saber depois a sua baixeza, como até se comprazia em encontrar-se com ele e ficar a olhá-lo com um sorriso trocista. Pelo visto, isso lhe dava prazer. Era o próprio M*** quem me fazia reparar nisso, algumas vezes. Esse reles companheiro fugiu mais tarde, juntamente com outro preso e com o soldado da escolta; mas disso falarei mais adiante. A princípio também quis enganar-me, pensando que eu não conhecia a sua história. Repito que ele me amargurou os primeiros dias de cativeiro, já por si tão tristes. Eu sentia horror perante aquela maldade e vilania cruéis, entre as quais me movia, entre as quais tinha caído. Pensava que todos ali deviam ser maus e vilãos. Mas enganava-me, julgando-os a todos conforme A...v.

Durante esses três dias estive de folga, triste folga, no presídio; estendi-me na esteira, dei pano a certo preso que Akim Akímitch me indicara, no qual a Administração me fornecera, para que me fizesse umas camisas, pagando-lhe, é claro (a tantos *grochi* por camisa); arranjei, seguindo os reiterados conselhos de Akim Akímitch, um colchão dobrável (de feltro forrado de linho), tão fino como um biscoito, e também uma almofada cheia de lã, terrivelmente dura para quem não estava acostumado. Akim Akímitch trabalhou com persistência preparando-me todas essas coisas e, além disso, fez por sua própria mão um cobertor das tiras de um velho uniforme que se compunha de umas calças já gastas e de uma samarra, que para esse fim comprara de outro preso. Os objetos da Administração, com os quais se acabava de cumprir a pena, tornavam-se propriedade do preso, que os vendia imediatamente ali mesmo, no presídio, e, apesar de se tratar de peças usadas, tinha sempre a esperança de poder vendê-las por qualquer preço. Tudo isso, a princípio, me admirava muito. Era o meu primeiro e verdadeiro contato com o povo. Eu próprio me tinha convertido de repente num homem simples, num presidiário como eles. Os seus hábitos, as suas ideias e costumes... eram os meus, pelo menos formalmente, segundo a lei, embora, na realidade, eu não os partilhasse. Estava admirado e comovido, como se nunca tivesse suspeitado a existência de tudo aquilo e nem o tivesse ouvido dizer, apesar de o conhecer e ter ouvido dizer. O fato é que a realidade produz sempre em nós uma impressão muito diferente daquilo que se ouviu dizer. Como podia eu, por exemplo, imaginar anteriormente, mesmo de longe, que uns simples trapos pudessem ser considerados como peças de vestuário? Pois desses trapos fiz eu um cobertor! Também era difícil imaginar de que gênero era o pano destinado à roupa dos presos. Parecia, de fato, uma espécie de pano grosseiro, próprio para soldados;

mas assim que uma pessoa o vestia transformava-se num crivo e rompia-se com uma facilidade exasperante. Além do mais, entregavam esses fatos aos presos para um ano; mas antes de expirar o prazo já estavam imprestáveis. O preso trabalha, carrega pesos; o uniforme estraga-se e rompe-se depressa. Em compensação as peles que nos davam eram para três anos e, de maneira geral, serviam-nos, durante todo esse tempo, de sobretudo, de manta e de colchão. Mas as peles eram fortes, embora muitas vezes se vissem, no fim do terceiro ano, isto é, ao expirar o seu prazo, peles remendadas com simples pano de linho. Mas apesar disso, ainda que estivessem muito gastas, quando terminava o prazo marcado os donos vendiam-nas por quarenta copeques de prata. E algumas, mais bem conservadas, vendiam-se a sessenta e até setenta copeques de prata... o que, no presídio, era muito dinheiro.

O dinheiro – e já falei disto – representava verdadeiramente um raro prestígio e um grande poder. Posso afirmar resolutamente que o preso que possui algum dinheiro, por pouco que seja, padece dez vezes menos no presídio do que aquele que não tem nenhum, se bem que a administração do presídio lhe forneça tudo e ainda que alguém possa perguntar-lhe para que quererá ele o dinheiro, como diziam os nossos superiores. Repito novamente que se os presos fossem privados da possibilidade de arranjar dinheiro, tornar-se-iam loucos, rebentariam como moscas (se bem que lhes fornecessem tudo) ou entregar-se-iam, finalmente, à prática de crimes inauditos: uns, por tristeza, outros, para que deixassem o mais depressa possível de torturá-los e acabassem com eles de uma vez, ou também, para, de certa maneira, mudarem de sorte (explicação técnica). Se o preso, que conseguiu dinheiro quase à custa de um suor e sangue, ou resolveu imaginar uma manha extraordinária para o arranjar, incorrendo às vezes em vilezas e patifarias, gasta-o depois de um modo tão absurdo, num aturdimento infantil, isso não quer dizer que não o aprecie, embora à primeira vista assim pareça. O preso está ansioso por dinheiro, até a vertigem, até a loucura, e se de fato o atira pela janela afora, quando o possui, faz isso por qualquer coisa que no entanto aprecia ainda mais. Mas que pode valer mais do que o dinheiro, para o preso? A liberdade ou, então, uma pequena ilusão de liberdade. Os presos são grandes sonhadores. Hei de dizer depois qualquer coisa acerca disto; mas, já que toquei no assunto, direi que vi presos condenados a vinte anos de prisão que me diziam com a maior tranquilidade frases como esta: "Tenha paciência, homem, Deus há de fazer com que chegue o dia, e então..." O sentido da palavra preso era este: um homem privado de liberdade; mas, se tem dinheiro, dispõe também da sua liberdade. Apesar de todos os estigmas, das cadeias e das odiosas paliçadas do presídio que lhe limitam o mundo e o encurralam como uma fera enjaulada, pode ter aguardente, isto é, o prazer mais severamente proibido, encontrar-se com mulheres e, às vezes (embora nem sempre), subornar os superiores imediatos, os inválidos ou algum suboficial, os quais farão vista grossa quando ele infringir a lei e a disciplina; e além disso pode até encher-se de empáfia diante dos camaradas. E o preso gosta loucamente de fanfarronar, isto é, fazer acreditar aos companheiros e acreditar ele mesmo, ainda que seja só por um momento, que possui uma liberdade e um poder maior do que parece. Numa palavra: pode armar bulha e ruído, olhar alguém por cima do ombro e demonstrar-lhe que ele pode fazer tudo isso, que tudo isso está nas suas mãos, isto é, acreditar em tudo aquilo que o pobre nem sequer pode imaginar. Eis efetivamente aqui talvez a razão por que logo ao primeiro olhar se veja no presídio uma tendência especial para a gabolice, para a presunção, para o exagero cômico e extremamente ingênuo das boas qualidades de cada um, ainda que se trate apenas de uma exaltação imaginária. Finalmente, toda esta pândega tem os seus perigos; significa ter apenas um vislumbre de liberdade. Mas o que não daria uma pessoa pela liberdade? Um milionário, se lhe pusessem a corda no pescoço, não daria os seus milhões por um hausto de ar?

Os superiores costumavam admirar-se de que um preso que tinha levado ali uma vida pacata durante vários anos, modelar, a tal ponto que chegavam a nomeá-lo vigilante, devido à sua boa conduta, se tornasse de repente, sem uns minutos sequer de reflexão – como se o demônio se tivesse apoderado dele –, alvoroçado, questionador, provocador e incorresse às vezes até num ato criminoso, ou se tornasse insolente para com os superiores, ou matasse, ou vexasse continuamente alguém etc.

Viam-no e ficavam espantados. E no entanto talvez a causa dessa mudança súbita naquele homem, do qual podia esperar-se tudo menos isso, não fosse outra senão a brusca, repentina manifestação da personalidade, a instintiva nostalgia do seu próprio eu, o desejo de elevar a sua personalidade humilhada, revoltando-se subitamente e chegando até a cólera, até o furor, até a perda da razão, até o espasmo, até a vertigem. Talvez assim o morto-vivo enterrado no sepulcro lance um grito e se esforce por sair dele, embora, naturalmente, a razão possa demonstrar-lhe que todos os seus esforços hão de ser inúteis. Mas tudo assenta precisamente nisso, em que a razão é que já não existe; trata-se de uma loucura. Atentemos, além disso, a que quase todas as manifestações espontâneas da personalidade no preso são consideradas como um crime, e que, nesse caso, para ele é indiferente que tal manifestação seja grande ou pequena. Fanfarronar, comprometer-se – comprometer-se por nada, se necessário for, até o assassinato. Dizem que tudo está no começar; e uma vez metido nesse caminho, não há quem se lhe oponha. Eis a razão por que mais valeria não chegar a tal. Teriam todos mais tranquilidade, sim; mas como consegui-lo?

CAPÍTULO VI

O PRIMEIRO MÊS
(CONTINUAÇÃO)

QUANDO EU ENTREI PARA O presídio, tinha algum dinheiro, do qual algum trazia comigo, com receio de que o roubassem, e além disso tinha também escondido alguns rublos entre as folhas do Evangelho, que se podia ler no presídio. Esse livro, com o dinheiro escondido nele, tinham me dado ainda em Tobolsk umas pessoas também deportadas por dez anos, e que há muito tempo estavam acostumadas a ver um irmão em cada infeliz. Há na Sibéria, e quase nunca faltam, umas pessoas que se impõem a missão de prestar um auxílio fraternal aos desgraçados e partilhar dos seus sofrimentos, como se fossem todos seus filhos, com absoluto desinteresse e sagrada piedade. Não posso deixar de expor aqui com brevidade um desses encontros. Na cidade em que ficava o nosso presídio[20], vivia uma senhora, Nastássia Ivânovna, que era viúva. É claro que nenhum de nós, estando no presídio, podia conhecê-la pessoalmente. Parecia que tomara como missão da sua vida auxiliar os presos; mas de quem mais ela cuidava era de nós. Teria havido na sua família alguma infelicidade semelhante? Teria alguém particularmente querido e chegado ao seu coração padecido por algum crime ou dar-se-ia o caso de que resumisse a sua felicidade em fazer por nós tudo quanto lhe fosse possível? Muito, não havia dúvida de que não podia: era muito pobre. Mas nós, os do presídio, sentíamos que tínhamos fora dele uma amiga leal. Entre outras coisas, comunicava-nos frequentemente novidades, do que tínhamos grande falta. Quando saí do presídio e fui para outra cidade, aproveitei a ocasião para fazer-lhe uma visita e conhecê-la pessoalmente. Vivia nos arredores, em casa de um dos seus parentes próximos. Não era nem velha nem nova, nem bonita nem feia; também não era possível saber se era inteligente, se tinha instrução. Notava-se apenas, a todos os momentos, que era de uma bondade infinita, com um enorme desejo de servir, de animar, de fazer por todos qualquer coisa que lhe pedisse, com o maior agrado. Tudo isso se mostrava nos seus olhos plácidos e bondosos. Juntamente com alguns outros dos meus camaradas, passei quase toda a tarde em sua casa. Olhava-nos nos olhos, sorria quando nós sorríamos, apressava-se a mostrar a sua concordância a tudo quanto dizíamos, esforçava-se por nos oferecer tudo quanto tinha à mão. Deu-nos chá, uma merenda, um pouco de doce de fruta e, se fosse rica, teria ficado satisfeita apenas por poder obsequiar e presentear-nos ainda mais, a mim e aos meus companheiros, que deviam continuar no presídio. À despedida, deu-nos uma cigarreira a cada um, como recordação. Era ela própria quem fazia essas cigarreiras de cartão (sabe Deus como!), forradas com papéis de várias cores, desses mesmos papéis que servem para encadernar os livros de aritmética das crianças (e é possível, afinal, que a sua origem fosse essa). Os bordos e as duas metades da cigarreira eram revestidos de papel dourado, que provavelmente compraria de propósito na loja. "Como os senhores fumam, pode ser que lhes dê jeito", disse, como se pedisse timidamente

---

20. Omsk, na Sibéria Ocidental. (N.T.)

desculpa pelo seu presente... Dizem alguns (já o tenho ouvido e sei) que o maior amor pelo próximo é, ao mesmo tempo, o maior egoísmo. Mas que egoísmo poderia haver nisto... nunca cheguei a compreender.

Apesar de não possuir muito dinheiro quando entrei no presídio, não podia aborrecer-me seriamente com aqueles presos, que, quase logo na primeira hora da minha vida de cativeiro, depois de me terem enganado uma vez, vinham com muita ingenuidade pedir-me dinheiro por três e até por cinco vezes. Mas confesso uma coisa, com franqueza: custava-me muito que todos aqueles indivíduos, com os seus ardis inocentes, me tivessem, como não podiam deixar de me ter, segundo me parecia, por um tolo e por um idiota, e acabassem por rir de mim precisamente por eu lhes dar dinheiro cinco vezes, até. Não havia dúvida de que eles deviam pensar que eu caía nos seus logros e nas suas manhas, ao passo que, se negasse a eles e os afugentasse do meu lado, tinha a certeza de que haviam de respeitar-me mais. Mas, por muito que isso me custasse, não podia contudo repeli-los. Custava-me também porque pensava, seriamente e com inquietação, naqueles primeiros dias, em que posição devia colocar-me em relação a eles. Sentia e compreendia que todo aquele ambiente era totalmente novo; que estava mergulhado numa treva completa e que não podia viver na treva tantos anos. Era, pois, necessário preparar-me. É claro que decidi que, em primeiro lugar, deveria guiar-me conforme os meus sentimentos e a consciência me ordenassem. Mas também sabia que isso era apenas um preceito moral e que a realidade me era completamente desconhecida.

E por isso, apesar de todos os pormenores da minha instalação no presídio, dos quais já falei, e nos quais fui tão eficientemente ajudado por Akim Akímitch, e de eles me distraírem também um pouco, uma estranha, aguda tristeza me afligia cada vez mais. "É uma casa de mortos!", disse eu a mim próprio, ao olhar uma vez, ao crepúsculo da tarde, à entrada do nosso alojamento, os presos que regressavam do trabalho e se iam espalhando preguiçosamente pelo pátio, pelos alojamentos e pelas cozinhas e vice-versa. Observava-os e procurava adivinhar, pelas suas caras e pelos seus modos, de que gênero de pessoas se trataria e qual seria o seu caráter. Passavam diante de mim de rosto carrancudo ou demasiado alegre (estes dois aspectos são os mais frequentes e, por assim dizer, são característicos do condenado); insultavam-se ou conversavam simplesmente; ou então passavam solitários, meditabundos, devagar, com um ar indiferente; uns com um ar cansado e apático, outros com um olhar sombrio, lúgubre; e estes (até ali!) com um aspecto de superioridade consciente, o gorro à banda, o sobretudo de peles ao ombro, o olhar insolente, sinistro, e um sorriso trocista. "Será tudo isto que vai constituir o meu ambiente, o meu mundo atual", pensava eu, "no qual, quisesse ou não, tinha de viver..." Por várias vezes tentei interrogar e fazer falar Akim Akímitch, com o qual gostava muito de tomar o chá para não estar sozinho. É necessário dizer que o chá era quase o meu único alimento nos primeiros tempos. Akim Akímitch nunca recusava o convite para o chá e era ele mesmo quem preparava o nosso gracioso samovar, pequeno e automático, de folha, que M*** me emprestara. Akim Akímitch costumava beber quase sempre um copo (possuía copo); bebia em silêncio e com dignidade, depois passava-o para mim, agradecia-me e continuava em seguida a fazer o cobertor. Mas aquilo que eu queria saber... não podia dizer-me e, além disso, não compreendia por que eu me interessava tanto pelos caracteres dos condenados que nos rodeavam e que estavam tão próximos de nós, e escutava-me com um certo sorrisinho forçado, que conservo bem gravado na memória. "Não, era preciso que eu descobrisse por mim próprio, sem perguntar a ninguém", pensava.

Mas, no quarto dia, precisamente como na manhã em que me puseram os ferros, estavam os presos já formados, logo de manhã cedo, em duas filas, na esplanada em frente do corpo da guarda, à porta do presídio. À frente e à retaguarda deles alinhavam os soldados, de espingardas carregadas e baionetas caladas. O soldado tem ordem de fazer fogo sobre o preso que faça menção de querer deitar a correr; mas ao mesmo tempo torna-se responsável se disparar sem ser num caso de absoluta necessidade. O mesmo sucede nas revoltas declaradas dos presos. Mas quem é que pensaria em fugir assim, às claras?

Apareceram depois o oficial de engenharia, o dirigente dos trabalhos e também os suboficiais de engenharia e os soldados encarregados de inspecionar os trabalhos.

Fizeram a chamada; os primeiros a desfilar foram os presos que trabalhavam na alfaiataria; os engenheiros nada tinham a ver com estes que trabalhavam especialmente para o presídio, confeccionando o vestuário. Depois desfilaram os outros, por oficinas, e os destinados aos trabalhos pesados. Com outros presos, em número de vinte, desfilei eu também. Para além da fortaleza, nas margens do rio gelado, havia duas barcaças que pertenciam ao presídio e estavam já impróprias para navegar, mas que era necessário desmontar para que a madeira velha não apodrecesse inutilmente. Aliás, todo esse material velho, segundo parecia, não valia nada. A lenha vendia-se na cidade por um preço insignificante e por aqueles arredores havia madeira de sobra. Enviavam-nos para ali para que não se juntassem demasiados num mesmo lugar e ficassem portanto sem fazer nada, era o que os presos pensavam. A esses trabalhos entregavam-se eles quase sempre com indolência e apatia; tudo se tornava bem diferente quando se tratava de um trabalho que tinha um fim prático, útil, e, sobretudo, quando podiam fazê-lo de empreitada. Então ficavam verdadeiramente entusiasmados e, embora esse trabalho não lhes trouxesse proveito algum, tive oportunidade de verificar como eles davam o melhor dos seus esforços para terminar a tarefa o mais depressa e o melhor possível; o amor-próprio contribuía também de certo modo para interessá-los. Mas nesse trabalho, que se realizava mais por formalidade do que por necessidade, era difícil marcar uma tarefa, impondo-se portanto o trabalho continuado até o toque do tambor, que chamava ao regresso, às onze da manhã. O dia estava morno e nublado, a neve quase se derretia...

O nosso grupo dirigiu-se para além do forte, para a margem do rio, fazendo um leve ruído com as cadeias, as quais, apesar de irem escondidas debaixo da roupa, emitiam apesar disso um fino e tênue tilintar metálico, a cada um dos nossos passos. Dois ou três homens afastaram-se em direção ao depósito, onde foram buscar a ferramenta necessária. Eu continuei com os outros e, de fato, estava um pouco entusiasmado: queria ver e ficar sabendo imediatamente de que gênero de trabalhos se tratava. Que seria isso de trabalhos forçados? E como é que eu ia trabalhar pela primeira vez na minha vida?

Lembro-me de tudo até ao mais ínfimo pormenor. No caminho encontramos um homem de barba, que parou e levou a mão à bolsa. Logo a seguir um preso saiu do grupo, tirou o gorro, aceitou a esmola – cinco copeques – e depois voltou para o seu lugar. O homem da barba benzeu-se e continuou o seu caminho. Esses cinco copeques gastaram-nos nessa mesma manhã em bolos, que distribuíram em partes iguais entre todos os do nosso grupo.

Desse grupo de presos, conforme era costume, uns eram retraídos e taciturnos, outros indiferentes e indolentes, outros ainda conversavam entre si, em voz baixa. Havia um que se mostrava extraordinariamente alegre e jovial, cantava e pouco faltava para que se pusesse a dançar no meio do caminho, fazendo tilintar as cadeias a cada cabriola. Era o mesmo preso baixinho e manhoso que, na minha primeira manhã no presídio, brigou com outro por causa da água à hora das abluções e porque esse tinha ousado afirmar de si próprio que era uma garça. Chamava-se Skurátov, esse divertido camarada. Até que por fim cantou uma cançoneta, cujo estribilho era este:

Casaram-me, sem eu dar por isso,
Quando estava no moinho.

Só lhe faltava a balalaica.

A sua boa e alegre disposição de espírito suscitou logo a seguir, é claro, o aborrecimento de outros do grupo, que consideravam aquilo quase como um insulto.

– Isso é ladrar! – resmungou um dos presos, de mau humor, que, afinal, não tinha nada a ver com o caso.

– Isso era a canção do lobo e tu trocaste tudo, cabeça de alho chocho! – observou outro, dos carrancudos, com a pronúncia da Ucrânia.

– Serei cabeça de alho chocho – respondeu imediatamente Skurátov –, mas você, na sua Poltava, atafulhava-se de almôndegas!

– Mente! Ele é que as comia! Comia berças e chupava a sola das alpargatas!

– Mas agora o diabo engorda-o com amêndoas de canhão – disse um terceiro.

– Eu, meus amigos, não há dúvida de que sou um menino mimado – respondeu Skurátov com um leve suspiro, para mostrar que a sua educação delicada o fazia sofrer, e dirigindo-se a todos em geral e a nenhum em particular. – Desde pequeno que me criaram com ameixas secas e guloseimas; mas os meus irmãos têm loja aberta em Moscou, negociam com o que calha e estão podres de ricos.

– E tu, em que negociavas?

– Em várias coisas, e lá íamos indo menos mal. Mas olhem, rapazes, foi então que me deram os primeiros duzentos...

– Rublos? – observou um dos curiosos e até deu um pulo ao ouvir falar em tanto dinheiro.

– Não, homem, qual rublos! Vergastadas! Ah Luká, Luká!

– Que Luká vem a ser esse? É Luká Kuzmitch, não? – exclamou involuntariamente um preso baixinho e magro, de nariz muito afilado.

– Deixa-te lá de Luká Kuzmitch. O diabo te carregue, que eu, cá por mim...

– Sou Luká Kuzmitch[21], mas não é para ti; tu deves mas é chamar-me tio Kuzmitch.

Vai para o diabo que te carregue, tu mais o teu tio! Não vale a pena contar-te nada. Mas eu queria dizer-vos uma coisa engraçada. Ora, ouçam, meus amigos: depois daquilo ter acontecido, já não fiquei muito tempo em Moscou; deram-me mais cinquenta açoites e mandaram-me para aqui. Eu, então...

– Que terias tu feito para te mandarem para aqui? – interrompeu um que seguia atentamente a história.

– Era proibido ter patente, beber pelo gargalo e fazer de bobo; por isso, meus amigos, eu não podia ficar em Moscou. E eu, que tinha tanta vontade, tanta, de enriquecer! Uma vontade tão grande que nem sei como hei de dizer!

Alguns riram-se. Pelo visto Skurátov era um desses homens de bom humor ou, para melhor dizer, apalhaçados, que parecem sentir a obrigação de alegrar os seus companheiros tristes e, é claro, sem receber outra recompensa senão insultos.

---

21. Chamar alguém apenas pelo seu nome de batismo constitui uma grave indelicadeza na Rússia, sobretudo entre o povo. Deve-se sempre acrescentar-se o nome do pai. (N.T.)

Pertencia a uma especial e interessante categoria de indivíduos, sobre a qual talvez ainda torne a falar.

– Pode ser que, de repente, te acossem como a uma zibelina! – observou Luká Kuzmitch. – Olhem, o trajo dele já valia uns cem rublos.

Skurátov trazia uma pele de carneiro extremamente velha e remendada, na qual se viam buracos por todos os lados. Olhou-a de alto a baixo, com indiferença mas fixamente.

– É verdade – respondeu ele. – Mas em compensação a minha cabeça vale quanto pesa em ouro! Quando me despedi de Moscou, a minha única consolação era que trazia a cabeça no seu lugar. Adeus, Moscou, fica-te com os teus belos banhos e os teus bons ares; bem me tocaram lá a pavana... Quanto à pele, não te importes, meu amigo. Se não olhares para ela, já não te incomoda!

– Talvez queiras que olhe para a tua cabeça?

– A cabeça que ele traz nem sequer é a dele, foi um presente! – disse Luká. – Deram-na por esmola, quando a caravana passou por Tiumien.

– Bem, mas continua lá com a tua história, Skurátov. Tinhas algum ofício, não?

– Um ofício, ele? Era carregador; acarretava cascalho, empurrava pedras – observou um dos mal-humorados. – Era esse o ofício dele.

– Sim, de fato, experimentei coser sapatos –, respondeu Skurátov, sem compreender a maliciosa observação – mas não cheguei a coser senão um par.

– O quê? E compraram-nos?

– Sim, apareceu-me um tipo que não temia a Deus nem tinha respeito aos pais... e Deus castigou-o: ele me comprou os sapatos.

Todos os que estavam à volta de Skurátov se torceram de rir.

– Sim, mas depois voltei a trabalhar outra vez, mas aqui – continuou Skurátov imperturbável –; fiz, para Stiepan Fiódorovitch Pomórtsev, outro par.

– E então, agradou-lhe?

– Não, meu amigo, não lhe agradou. Atirou-me insultos que chegavam para a vida toda e até me deu um pontapé no traseiro. Ficou tão furioso! Ah, triste vida é a dum presidiário!

Passado um momento voltou
O marido de Akulina.

Pôs-se a cantar isto inesperadamente e a dar saltinhos no chão.
— Que tipo tão inútil! — exclamou um que estava próximo de mim, num tom que não admitia réplica.
— Que tipo tão maluco! — resmungou o da Ucrânia quando passou a meu lado, com uma expressão maldosa nos olhos.
— É um ordinário! — observou outro num tom de voz seguro e sério.

Eu não conseguia perceber por que é que queriam tão mal a Skurátov e, de maneira geral, a todos os indivíduos de bom humor, conforme pude observar naqueles primeiros dias, e pareciam até desprezá-los. O aborrecimento do ucraniano e dos outros parecia provir de qualquer ressentimento. Mas não se tratava disso; simplesmente, esse aborrecimento era devido ao fato de Skurátov não ser um homem metido consigo próprio e não afetar essa seriedade, esse aspecto de especial dignidade que impunha a todos os do presídio um cunho de pedanteria; enfim, por ser, segundo diziam, um homem inútil. No entanto não viam com maus olhos a todos os bem-humorados, nem tratavam todos como a Skurátov e seus congêneres. Tudo dependia da maneira como o homem se portasse. A um indivíduo simplório, ainda que não fizesse palhaçadas, condenavam-no ao desprezo. O que também me admirou. Mas havia alguns desses tipos alegres que sabiam responder e gozavam com isso, e os outros viam-se assim obrigados a respeitarem-nos. Nesse mesmo grupo de presos que ia para o rio, havia um desses descarados, um tipo na verdade muito divertido e simpático, o qual cheguei a conhecer a fundo, mais tarde, sob este aspecto; um rapagão forte e jeitoso, com um grande sinal numa face e uma cara com expressão muito cômica, embora fosse realmente bonito e muito alegre. Chamavam-lhe o Explorador, porque servira antes como tal; mas agora pertencia à seção especial. Hei de falar dele mais adiante.

Mas nem todos os sérios eram tão expansivos como aquele da Ucrânia, inimigo da alegria. Havia alguns homens no presídio que aspiravam à preeminência, que queriam tornar-se notados em tudo: em saber, em caráter, em inteligência. Alguns eram, efetivamente, homens inteligentes e de caráter e, com efeito, alcançavam o que pretendiam, isto é, a superioridade, e uma notável força moral sobre os companheiros. Estes espertalhões costumavam ter grandes inimigos e cada um deles tinha muitos que o invejavam. Mas olhavam os outros presos com dignidade e até com benevolência, não armavam confusões inúteis, mostravam-se ativos no trabalho e nenhum deles se teria aborrecido, por exemplo, por causa de umas simples canções; não se rebaixavam por causa de tais insignificâncias. Comigo eram todos muito afáveis; durante todo o tempo que estive no presídio nunca me dirigiram a palavra, mas apenas por dignidade. Hei de ter ocasião de voltar a falar deles mais pormenorizadamente.

Chegamos à margem. Aí, no rio, havia na água gelada uma barca velha que era preciso desmontar. Para além do rio via-se a estepe azulada; a paisagem era severa e desértica. Eu esperava que os outros começassem a trabalhar; mas eles nem de longe pensavam em tal coisa. Alguns sentaram-se numas tábuas que estavam por ali espalhadas; quase todos tiraram das botas umas bolsinhas com tabaco da Sibéria, comprado no bazar, em folhas, a três copeques a libra, uns cachimbos de madeira de salgueiro feitos à mão. Acenderam os cachimbos; os soldados da escolta formaram círculo à nossa volta e puseram-se a olhar para nós com a cara mais aborrecida deste mundo.

– A quem é que incumbe desmontar a barca? – murmurou um, como se falasse consigo mesmo e sem dirigir-se a ninguém.
– É cão, aquele que o fizer.

– Aquele que o fizer é porque não tem medo de nós – observou outro.

– Onde, diabo, irão todos esses gajos? – perguntou o primeiro a meia-voz, fingindo não ter ouvido a resposta à sua anterior pergunta e apontando um grupo de camponeses, ao longe, que se dirigia, em fila, sobre a neve maciça, não sabíamos para onde. Um dos camponeses, o último, era um pouco ridículo: abria muito os braços e levava na cabeça um gorro alto em forma de cone truncado. Toda a sua figura se destacava inteira e nítida sobre a neve branca.

– Ó compadre, olha como anda o amigo Pietróvitch – observou um, chamando assim o camponês, por troça.

É de notar que os presos olhavam sempre os camponeses com um certo desprezo, de maneira geral, apesar de metade serem camponeses.

– O de trás caminha como se estivesse plantando nabos.

– Pesa-lhe a cabeça; com certeza tem muito dinheiro! – observou outro.

Todos se puseram a rir, mas com certa indolência, como de má vontade. Nisto apareceu por ali uma vendedeira de bolos, uma mulherzinha alegre e viva.

Compraram-lhe bolos com os cinco copeques de há pouco e repartiram-nos entre si.

Um rapaz novo, que negociava com bolos no presídio, comprou-lhe vinte; mas pôs-se a discutir com ela para que lhe desse na venda três e não dois bolos, de comissão, como era costume, com o que a mulher não concordava.

– Bem, e isso, também vendes?

– Isso, quê?

– Isso que os ratos não querem!

Até que finalmente apareceu o suboficial, encarregado de inspecionar os trabalhos, com uma vara.

– Então, de que estão à espera? Vamos começar!

– Bem, Ivan Matviéievitch, dê-nos a tarefa – exclamou um dos chefes de grupo, levantando-se imediatamente.

– Por que não a pediram a mim antes de saírem? Desmontem a barca, é essa a tarefa.

Finalmente alguns se levantaram e encaminharam-se para o rio, quase sem mexer os pés. Surgiram então imediatamente, no grupo, os ativos, pelo menos de garganta. Parecia que a barca não devia ser destruída às cegas, mas sim poupando o mais possível as tábuas e, sobretudo, as de reforço. Estas estavam seguras com grandes cunhas ao fundo da barca, e por isso tratava-se de uma tarefa demorada e delicada.

– Olha, a primeira coisa a fazer é tirar as tábuas, vamos, rapazes – observou um que não se tinha na conta nem de ativo nem de entendido, mas que era simplesmente um mocinho dos trabalhos forçados, calado e sossegado, que não tinha dito nada até então; e, metendo mãos à obra, puxou por uma grossa tábua, pedindo auxílio. Mas ninguém o ajudou.

— Não és capaz de arrancá-la! Mesmo que o teu avô, que devia ser um urso, te viesse ajudar, não serias capaz de a arrancar! — resmungou um deles por entre os dentes.

— Mas como é que se há de começar? Eu não sei — exclamou o outro, um tanto perplexo, largando a tábua e levantando-se.

— Não vais fazer o trabalho todo sozinho... Por que tens tanta pressa?

— Não és capaz de atirar milho às galinhas e agora queres ser o primeiro...

— Eu, meu amigo, eu só... — repetiu o moço indeciso.

— Ó rapazes, vocês querem que eu os guarde num estojo? Ou que vos mande pôr de salmoura para o inverno? — gritou de novo o inspetor, olhando com aborrecimento aquele bando de doze homens que não sabiam como começar o trabalho. — Vamos começar! E depressa!

— Mais depressa do que depressa não pode ser, Ivan Matviéievitch.

— Mas tu não fazes nada, diacho! Vamos, Saviéliev... digo, Pietróvitch, é contigo que estou falando: que fazes aí parado, com esse olhar de pateta? Vamos, despacha-te!

— Sim, mas que posso eu fazer sozinho?

— Marque-nos o trabalho, Ivan Matviéievitch.

— Já lhes disse. Não posso marcar o trabalho. Desmanchem a barca e, em seguida, vamos para casa. Vamos, mãos à obra!

Dispuseram-se finalmente a fazer qualquer coisa, mas sem vontade, desajeitados. Na verdade era revoltante olhar aquele grupo de trabalhadores sãos e rijos que, segundo parecia, não sabiam decididamente por onde começar o trabalho. Assim que tentaram arrancar a primeira cunha, pequeníssima, partiu-se, "partia-se sozinha", como eles explicaram ao inspetor, à guisa de desculpa: por isso, assim não se podia trabalhar, e era preciso experimentar de outra maneira. Seguiu-se uma longa discussão acerca da nova maneira como poderia realizar-se aquele trabalho. Escusado será dizer que, pouco a pouco, acabaram por se insultar, por dizer bravatas e qualquer coisa mais... O inspetor tornou a aguilhoá-los e brandiu a chibata no ar; mas a cunha tornou a partir-se. Concluiu-se por fim que não havia ali machados suficientes e que era preciso ir buscar algumas ferramentas. Partiram imediatamente em direção ao forte dois indivíduos com escolta, em busca das ferramentas, e, entretanto, os outros sentaram-se tranquilamente na barcaça, puxaram dois cachimbos e puseram-se a fumar.

O inspetor, finalmente, cuspiu:

– Bem. É desnecessário contar convosco para o trabalho! Que gente, que gente! – resmungou, colérico, deixando cair os braços e encaminhando-se para o forte, zurzindo a vara no ar.

Passada uma hora apareceu outro capataz. Depois de escutar os presos com muita calma, declarou-lhes que lhes dava como tarefa tirarem quatro cunhas, de maneira que não se partissem e saíssem inteiras, e que, além disso, tinham de desmontar uma parte considerável da barcaça, após o que já podiam voltar para o presídio. A tarefa era grande; mas como eles a despacharam! Para onde foi a preguiça? Para onde foi a indecisão? Os machados batiam, as cunhas de madeira começaram a girar. Os outros meteram uns paus grossos por debaixo daquelas e, aplicando-lhes doze mãos, simples e magistralmente, extraíram as cunhas que, com grande assombro meu, saíram completamente intactas, sem se partir. O trabalho avançava rapidamente. Parecia que todos, como por encanto, se tinham tornado habilidosos. Nem palavras supérfluas, nem insultos; cada um sabia o que havia de dizer e de fazer, onde ir e o que aconselhar. Precisamente meia hora antes de soar o tambor a tarefa estava concluída, e os presos voltaram para o presídio cansados mas muito satisfeitos, apesar de não terem conseguido ganhar senão uma meia hora de tempo livre. Quanto a mim mesmo, reparei numa coisa: aonde quer que eu me dirigisse, durante o trabalho, para ajudá-los, estava sempre fora do meu lugar, estorvava sempre, e pouco faltava para que me injuriassem.

Até o último de todos, que era um péssimo trabalhador e não se atrevia a levantar a voz diante dos outros presos, que era o mais desajeitado e desocupado, até esse se sentia com direito a descompor-me quando eu me punha junto dele, alegando que o estorvava. Até que por fim um dos ativos me disse com mau modo:

– Vá para outro lugar! Para que se mete onde não é chamado?

– Já viveste bem – lançou imediatamente outro.

– Mais vale pegares num mealheiro – disse-me um terceiro – e te pores a pedir esmola, para que levantem igrejas e deitem abaixo as tabernas, porque aqui não tens nada que fazer.

Por isso via-me obrigado a ir para um canto e a ficar observando, no ócio, como os outros trabalhavam, o que me punha um peso na consciência. Mas quando o fiz e me afastei, e fui para a outra ponta da barcaça, começaram então a gritar-me:

– Sempre nos deram uns ajudantes... Que havemos de fazer deles? Não sabes fazer nada?

É claro que diziam tudo isto intencionalmente e para se divertirem. Era preciso aproveitarem a ocasião para se porem a rir de um ex-nobre, e não havia dúvida nenhuma de que a agarravam pelos cabelos.

Isso era muito compreensível, agora, porque, como já antes disse, a minha primeira pergunta quando entrei no presídio foi esta: "Como conduzir-me, que atitude devo adotar perante estes homens?" Calculava que devia ter frequentemente choques com eles, como este, de agora, no trabalho. Mas apesar de tais choques resolvi não alterar o meu plano de conduta, nesse tempo já meio amadurecido no meu espírito; sabia que estava certo. E assim era; decidi que era preciso conduzir-me com toda a naturalidade e sem mostrar aborrecimento, não deixar transparecer o menor indício de aproximar-me deles, mas sem desprezar a aproximação que eles próprios me oferecessem. Não intimidar-me de maneira nenhuma perante as suas ameaças e sinais de hostilidade e, se fosse possível, fazer-me desentendido. Não concordar com eles, de maneira alguma, em certos pontos já conhecidos, e não contrariar nenhum dos seus hábitos e costumes; em suma: não me entregar por completo à sua camaradagem. Adivinhei, ao primeiro olhar, que eles, a princípio, me desprezariam por causa disso. Mas em seu entender (tive depois ocasião de sabê-lo a fundo) eu estava de certa maneira obrigado a fazer acreditar e a respeitar, na sua presença, a minha nobre linhagem, isto é, a dar ares de pessoa fina, a fazer espavento, a aparentar importância, a resmungar a cada passo e a fazer trejeitos. Era assim que eles pensavam que os nobres se conduziam. Naturalmente ter-me-iam insultado por isso... mas, ao mesmo tempo, ter-me-iam respeitado. Mas isso não era para mim; eu nunca seria um nobre como eles imaginavam; mas em compensação prometi a mim próprio não rebaixar, com nenhuma concessão perante eles, nem a minha cultura nem a minha ideologia. Se eu, para os lisonjear, me tivesse rebaixado a seus olhos, concordando com as suas ideias, dando-lhes confiança e adquirindo as suas qualidades com o fim de ganhar a sua simpatia... teriam imediatamente suposto que fazia tudo isso pelo medo que lhes tinha e ter-me-iam voltado as costas com desprezo... A...v não era um exemplo a seguir: denunciava-os ao major e todos o temiam. Por outro lado, também não queria proceder para com eles com a frieza e a evasiva cortesia com que os polacos os tratavam. Eu bem via agora que eles me desprezavam porque desejava trabalhar como eles e não andava com espaventos nem melindres; e embora soubesse muito bem que, com o tempo, haviam de mudar de opinião a meu respeito, apesar da ideia de que entretanto se julgassem com direito a desprezar-me, pensando que eu, com o trabalho, procurava as suas simpatias... só essa ideia me pesava de um modo terrível.

Quando à tarde, ao terminarmos o trabalho do meio-dia, regressei ao presídio, cansado e esgotado, uma tristeza espantosa tornou a invadir-me. "Quantos milhares de dias como este me esperavam ainda", pensava eu, "todos como este, todos iguais, parecidos!" Em silêncio, já à tarde, pus-me a andar sozinho, para além dos alojamentos, ao longo do pátio, e de repente vi o nosso Chárik, que corria para mim como uma flecha. Chárik era o nosso cão do presídio, da mesma maneira que há cães de companhias militares, de batalhão e de esquadrão. Vivia no presídio desde tempos imemoriais, não tinha dono certo, considerava todos como tais e alimentava-se com as sobras da cozinha. Era um canzarrão preto com malhas brancas, um mastim ainda não muito velho, com uns olhos muito vivos e uma cauda muito espessa. Ninguém o acariciava, ninguém lhe dava importância. Eu o afaguei no primeiro dia e dei-lhe pão à mão. Quando eu o olhava punha-se muito quieto, contemplando-me com amizade e, em sinal de alegria, agitava brandamente a cauda. Agora, que havia já algum tempo não me via... a mim, o primeiro que no decurso de alguns anos se dignara fazer-lhe uma carícia, corria e procurava-me por todos os lados, e quando eu saía do alojamento ladrava e corria logo ao meu encontro. Não sei o que me aconteceu, mas pus-me a beijá-lo e abracei-lhe a cabeça; ele se endireitou, pôs-me as patas dianteiras sobre os ombros e começou a lamber-me a cara. "Eis aqui um amigo que o destino me envia!", pensei eu, e sempre que, naqueles primeiros tempos lúgubres e duros, voltava do trabalho, a primeira coisa que fazia, antes de entrar em algum lugar, era correr para trás dos alojamentos com Chárik, que saltava na minha frente e ladrava alvoroçado, pegar-lhe na cabeça e pôr-me a dar-lhe beijos e mais beijos, e alguma guloseima, e, entretanto, um sentimento torturante, amargo, me trespassava a alma. E como me era agradável pensar, valorizando perante mim próprio o meu martírio, que no mundo apenas me restava então um único ser que me amasse e me fosse dedicado: o meu amigo, o meu único amigo... o meu fiel Chárik.

CAPÍTULO VII

Novos conhecimentos. Pietrov

Mas o tempo corria e eu, pouco a pouco, ia-me acostumando. Cada dia me afligiam menos as cotidianas manifestações da minha nova vida. Os acontecimentos, o ambiente, os homens... tudo se ia tornando indiferente a meus olhos. Reconciliar-me com aquela vida era impossível, mas já era tempo de aceitá-la como um fato perfeitamente consumado. Todas as incompreensões que ainda conservava, guardava-as para mim. Não vagueava pelo presídio como um desgraçado, nem deixava transparecer o meu desgosto. Já não se fixavam em mim olhares de curiosidade selvagem com a mesma frequência, nem me seguiam com um descaramento tão intencional. Eu também me ia tornando indiferente para eles, o que me agradava bastante. Sentia-me já no presídio como em casa, sabia o meu lugar nas esteiras e, pelo visto, tinha-me acostumado já a coisas às quais nunca pensei poder acostumar-me na vida. Apresentava-me todas as semanas para que me rapassem metade da cabeça.

Faziam-nos sair do presídio, por turnos, todos os sábados e nas vésperas dos dias festivos, e levavam-nos ao corpo da guarda (aquele que não estivesse rapado devia declará-lo), e aí, os barbeiros do Exército ensaboavam-nos a cabeça e rapavam-nos sem dó nem piedade com as navalhas rombudas, de tal maneira que ainda hoje me corre um calafrio pelo corpo quando me recordo dessa operação. Aliás, tínhamos o remédio à mão: Akim Akímitch indicou-me um preso da tropa, o qual rapava com uma navalha sua, por um copeque, todos aqueles que o desejassem. Muitos presos, apesar de serem gente rude, se valiam dele para escapar aos barbeiros do presídio. Chamavam "major" ao nosso barbeiro-recluso... por motivos que ignoro, assim como também não poderia dizer em que se parecia ele com o major da praça. Agora, ao escrever isto, lembro-me da figura do tal major, um rapagão seco, alto, e taciturno, pouco esperto, eternamente entregue às suas ocupações e sempre com o afiador na mão, afiando dia e noite a navalha, já muito gasta, e, segundo parecia, completamente absorvido nessa tarefa, que constituía para ele, segundo parecia, a missão de toda a sua vida. De fato, mostrava-se extremamente satisfeito quando a navalha estava boa e quando alguém ia barbear-se; ensaboava o freguês, tinha a mão leve e a navalha parecia de veludo. Era evidente que sentia prazer e se envaidecia do seu ofício, e recebia desdenhosamente o copeque ganho, como se trabalhasse por amor à arte e não por causa do dinheiro. Em maus lençóis se viu uma vez A...v com o major da praça, quando foi para ele com ditos e contos e, ao referir-se uma vez ao nome do nosso barbeiro-recluso imprudentemente, lhe chamou "major". O major do presídio ficou furioso e altamente ressentido: "Saberás tu, velhaco, o que é um major?", exclamou lançando espuma pela boca e tratando A...v à sua maneira. "Como te atreves a chamar major a qualquer palhaço e prisioneiro, e mesmo nas minhas barbas, na minha presença?" Só A...v era capaz de entender-se com aquele homem.

Logo no meu primeiro dia de vida no presídio comecei a sonhar com a liberdade. Calcular quando terminariam os meus anos de prisão, pensar em mil coisas diversas, constituía a minha ocupação predileta. Por mais que desejasse não podia pensar noutra coisa e tenho a certeza de que outro tanto há de acontecer a todo aquele que se veja por uns tempos privado da sua liberdade. "Não sei", pensava eu, "se acontece o mesmo com todos os presos"; mas a assombrosa leviandade das suas ilusões chocou-me desde o primeiro momento. A esperança do preso privado de liberdade é de outro gênero, completamente diferente da do homem que vive no mundo comum. Não há dúvida de que o homem livre espera qualquer coisa (por exemplo, uma mudança de sorte, a realização de algum empreendimento); mas vive e movimenta-se; a vida real arrebata-o totalmente no seu torvelinho. Não se passa o mesmo com o preso. Concordemos que esta também é vida... presidiária; mas seja qual for o preso e qualquer também a duração da sua pena, ele não pode decidida e instintivamente considerar a sua sorte como algo de definitivo, de resolvido, como fazendo parte da vida ativa. Todo preso sente que não está em sua casa, mas assim como se estivesse de visita. Vinte anos afiguram-se a ele como dois, e está perfeitamente convencido de que, aos cinquenta, quando sair do presídio, será ainda o mesmo homem novo que é agora, aos trinta. "Enquanto há vida, há esperança!", cogita, e afugenta resolutamente da sua mente todo pensamento aborrecido. Até os condenados à perpétua, os da seção especial, até esses pensavam às vezes que aquilo não podia ser e que de repente havia de chegar uma ordem de Píter[22], transferindo-os para Niertchinsk, nas minas de metais, e marcando-lhes um fim à condenação. E então, que mais poderiam desejar? Em primeiro lugar, para chegar a Niertchinsk demora-se quase meio ano, e depois, é preferível qualquer outra coisa a estar no presídio. Depois de cumprida a pena em Niertchinsk, então... E dizer que esses cálculos eram feitos por um homem já de cabelos brancos!

Vi em Tobolsk os presos que estão acorrentados às paredes. Mantêm-nos com cadeias de dois metros de comprimento, ao lado da sua esteira. Mandaram acorrentá-los por causa de algum crime totalmente inaudito que cometeram já na Sibéria. Tem-nos assim por cinco anos e até por dez. São, na sua maioria, salteadores de estradas. Somente um, que tinha tido um emprego não sei onde, é que tinha melhor aparência. Falava com muita fleuma, quase a meia-voz, e com um leve sorriso. Mostrou-nos a grilheta e demonstrou-nos como lhe era possível estender-se comodamente

---

22. Abreviatura popular de Petersburgo. (N.T.)

com ela na esteira. Devia ser um bom patife! De maneira geral, todos eles se portam com muita mansidão e parecem contentes, mas todos anseiam cumprir o quanto antes a sua pena. "Para quê?", dirão. Pois vão já saber para que: para deixarem aquele cubículo abafado, lôbrego, de teto baixo e abobadado, sair para o pátio do presídio e... nada mais. Para além do presídio nunca poderá sair. Sabe perfeitamente que os que se libertam finalmente daquelas cadeias hão de permanecer forçosamente até a morte no presídio e com grilhetas. Sabe-o perfeitamente e, no entanto, sente uma ânsia enorme de cumprir o prazo da pena de estar acorrentado às paredes. Mas, se não fosse esta ilusão, poderia suportar as cadeias por cinco ou seis anos, sem morrer ou enlouquecer? A quem é que não sucederia o mesmo?

Eu sentia que o trabalho podia salvar-me, fortalecer a minha saúde, o meu corpo. Uma verdadeira inquietação, um desassossego nervoso, o ar nocivo dos alojamentos podiam arrasar-me completamente. "Sair com frequência para o ar livre, cansar-me todos os dias, aprender a suportar pesos... e, pelo menos salvar-me-ei", pensava eu, "robustecer-me-ei e sairei daqui um dia são, forte e com um ar juvenil." Não me enganava: o trabalho e o movimento foram-me muito proveitosos. Eu olhava com horror para um dos meus companheiros (de família nobre), que se foi apagando no presídio, como uma luz. Entrou ao mesmo tempo que eu, novo ainda, bonito, forte, e saiu dali acabado e asmático. "Não", pensava eu quando olhava para ele, "eu quero viver e viverei." E por isso, os presos, a princípio, censuravam-me pelo meu amor ao trabalho e durante muito tempo olharam-me com desprezo e troça. Mas eu me fazia de desentendido e aplicava-me com firmeza a todas as coisas, ainda que fosse, por exemplo, a queimar e a britar calcário – um dos primeiros trabalhos que me tinham ensinado. Era um trabalho fácil. Os nossos chefes, os engenheiros, estavam dispostos a adoçarem o trabalho dos presos nobres, o que, aliás, não era nenhum privilégio, mas simplesmente uma justiça. Estranho seria exigir de um homem com metade das forças, e que nunca trabalhou, o mesmo rendimento que de um verdadeiro trabalhador de profissão. Mas essa graça nem sempre se torna um fato, e concedia-se até um pouco às escondidas, pois os outros presos tê-la-iam levado a mal. Era necessário, com muita frequência, realizar trabalhos duros, e para os nobres tornavam-se duplamente pesados, muito mais do que para os outros trabalhadores. Para o mármore costumavam designar geralmente três ou quatro homens, velhos ou fracos, de poucas forças, no número dos quais, naturalmente, nos contavam a nós; e além disso tínhamos como chefe um verdadeiro operário, que sabia do ofício. Designavam quase sempre para isso o mesmo indivíduo, durante alguns anos consecutivos, um tal Almázov, homem grave, moreno e pequeno, já entrado em anos, pouco sociável e muito obstinado. Desprezava-nos profundamente. Além disso era tão pouco falador que chegava até o extremo de sentir preguiça para nos ralhar. O alpendre, no qual se queimava e britava o calcário, ficava num lugar despovoado e não longe das margens do rio. No inverno, sobretudo nos dias nublados, olhar para o rio e para a outra margem, afastada, causava tristeza. Havia qualquer coisa de árido e de nostálgico, naquela paisagem desértica, que partia o coração. Mas a tristeza tornava-se ainda maior quando, sobre o branco e interminável sudário da neve, brilhava o sol; oh, quem tivesse podido voar por sobre aquela estepe que começava na outra margem e se estendia para o sul, num grande espaço ininterrupto, num espaço de 1.500 verstas! Almázov entregava-se ao trabalho, geralmente em silêncio e com um ar severo; nós sentíamos uma vergonha enorme por não podermos ajudá-lo de maneira positiva, mas ele, intencionalmente, governava-se sozinho; não pedia o nosso auxílio, propositadamente, para que nos sentíssemos culpados perante ele e sofrêssemos com a nossa própria inutilidade. Mas o trabalho reduzia-se a acender o forno onde devia ser queimado o calcário que nós íamos metendo nele. No dia seguinte, quando o calcário já estava completamente queimado, tirávamo-lo do forno. Cada um de nós pegava num pesado martelo, colocava-se diante da respectiva caixa de calcário e começava a parti-lo. Era um trabalho muito agradável. Não tardava que o duro calcário se desfizesse num pó branco e brilhante. Brandíamos alegremente os nossos pesados martelos e batíamos com tal algazarra, que era um gosto. Embora acabássemos por ter de suspender a faina, as nossas faces ficavam afogueadas e o sangue corria-nos mais rápido. Almázov punha-se então a olhar-nos com benevolência, como olharia para umas criancinhas; acendia o cachimbo com um ar condescendente e, no entanto, havia sempre de resmungar quando lhe dirigíamos a palavra. Aliás, é assim que se porta para com todos; mas, na realidade, era, segundo parecia, uma boa pessoa.

O outro trabalho que me destinaram... realizava-se na oficina e consistia em fazer girar a roda de um torno. Era preciso muita força para a fazer andar, sobretudo quando o torneiro (um sapador de engenharia) torneava qualquer coisa, por exemplo, uma balaustrada para uma escada ou uns pés para uma mesa grande, destinadas à casa de algum funcionário; para os tais pés de mesa era preciso até uma viga inteira. Um homem só não tinha força para fazer girar a roda em tais ocasiões; por isso designavam geralmente dois: a mim e a outro preso nobre, B***. E foi esse o nosso trabalho durante alguns anos, sempre que era preciso tornear qualquer coisa. B*** era aquele homem frágil, a que já me referi, ainda novo, e que sofria do peito. Tinha entrado para o presídio um ano antes de mim, juntamente com dois companheiros: um, um velho, que passou todo o tempo da sua vida de presidiário rezando, de dia e de noite (pelo que os presos o respeitavam muito), e que morreu um pouco antes da minha entrada no presídio; o outro era um rapazinho loução, saudável, forte, jovial, que a meia jornada de caminho trouxe B*** às costas, pois estava esgotado, e assim o levou durante um trajeto de setenta verstas seguidas. Era digna de admiração a amizade que existia entre os dois. B*** era um homem muito bem-educado, de nobre condição, de um caráter generoso, mas azedo e irritado pela doença. Trabalhávamos os dois juntos na roda, e nisso consistia a nossa ocupação. Para mim, esse trabalho constituía um ótimo exercício.

Também me agradava especialmente apanhar neve com a pá. Fazia-se isso, geralmente, depois dos furacões, e com muita frequência no inverno. Depois de um furacão de vinte e quatro horas, várias casas ficavam com neve até quase metade da altura das janelas e outras ficavam mesmo completamente cobertas. Então, logo que o temporal amainava e o sol saía, mandavam-nos em grandes grupos, e às vezes a todos os do presídio... tirar os montões de neve dos edifícios públicos. Marcavam o trabalho de cada um, às vezes de natureza tal, que era para admirar como podíamos realizá-lo, embora nos deitássemos todos à obra com a maior atividade. Leve, pouco compacta e gelada só por cima, a neve escorregava facilmente para as pás em grandes montes, espalhava-se a toda a volta e voava pelos ares, transformada em pó brilhante. A pá enterrava-se naquela massa branca, que brilhava ao sol. Os presos entregavam-se a este trabalho quase sempre com gosto. O fresco ar de inverno, o exercício, fortaleciam-nos. Todos ficavam contentes; ouviam-se risos, vozes, gracejos. Punham-se a brincar com a neve, apesar de que, passado um minuto, já os pacatos e insensíveis aos risos e ao bom humor se punham a protestar, terminando o divertimento geral quase sempre em insultos.

Pouco a pouco fui alargando o círculo das minhas amizades. Aliás, eu nem sequer pensava em amizades; sentia-me ainda inquieto, pesaroso e receoso. Os meus conhecimentos começaram por si. O recluso Pietrov foi dos primeiros a visitar-me. Digo "visitar" e insisto especialmente na palavra. Pietrov vivia na seção especial e na caserna mais afastada da minha. É claro que, entre nós, não podiam existir relações; não existia absolutamente nada de comum entre nós. E, no entanto, nos primeiros tempos, Pietrov vinha ver-me quase todos os dias no alojamento ou fazia-me parar nas tardes de folga, como se sentisse essa obrigação, quando eu ia passear longe dos alojamentos e o mais longe possível de todos os olhares. A princípio isso não me agradava. Mas ele percebeu pouco a pouco que as suas visitas não tardaram a servir-me de distração, apesar de ele não ser tagarela nem pessoa comunicativa. Quanto ao seu aspecto exterior era baixo, de compleição robusta, ágil, nervoso, com uma cara muito simpática, pálida, largo de ombros, e com uma expressão risonha nos dentes brancos, pequenos e bem juntos, e com uma eterna dose de rapé no lábio inferior. Era costume de muitos presos trazerem o tabaco aí. Parecia mais novo do que era. Tinha quarenta anos e aparentava apenas trinta. Falava sempre comigo com muita desenvoltura, mantinha-se perfeitamente ao mesmo nível, isto é, com muitíssimo tato e delicadeza. Se notava, por exemplo, que eu estava ansioso por solidão, deixava-me, depois de me ter entretido uns dois minutos, agradecia-me sempre a atenção que eu lhe dispensara, o que não fazia com mais ninguém do presídio. Curioso é que essa nossa amizade não só se tivesse prolongado durante os primeiros dias como no decurso de vários anos seguidos, sem que nunca se tornasse mais íntima, embora ele me fosse efetivamente muito dedicado. Ainda hoje não percebo por que me teria ele tomado aquele afeto e por que viria ver-me todos os dias. No entanto, um dia roubou-me. É que ele roubava inconscientemente; mas era raro que me pedisse dinheiro. Por isso, não era pelo dinheiro nem por nenhum grande interesse que se aproximava de mim.

Também não sei a razão, mas parecia-me sempre que ele não vivia juntamente comigo no presídio, mas sim longe, noutra casa, na cidade, e que apenas visitava o presídio de passagem, para recolher notícias, visitar-me e ver a vida que levávamos. Estava sempre com pressa de ir para qualquer parte, tal como se tivesse deixado alguém à espera ou tivesse um trabalho para acabar em qualquer lugar. E, entretanto, nunca parecia apressar-se muito. O seu olhar era também um pouco estranho: atento, fixo, com assomos de velhacaria e de zombaria, mas projetado sempre na distância, para além daquilo que tinha na sua frente. Isto lhe dava um aspecto de pessoa distraída. Algumas vezes ficava pensando para onde iria Pietrov quando se despedia de mim. Onde estariam à sua espera? Mas ele desaparecia rapidamente da minha vista em qualquer lugar, nos alojamentos ou na cozinha; sentava-se junto dos que falavam, punha-se a escutar atentamente, às vezes metia-se na conversa com certo entusiasmo, e depois, de repente, interrompia-se e ficava calado. Mas, quer falasse quer permanecesse em silêncio, era evidente que estava ali de passagem, que tinha algo que fazer em qualquer parte e que o esperavam. O mais curioso é que ele nunca tinha nada para fazer, absolutamente nada; vivia numa preguiça total (não contando com os trabalhos forçados, é claro). Ofício, não tinha nenhum, e por isso quase nunca tinha dinheiro. Mas não se preocupava com o dinheiro. E de que falava ele comigo? As suas conversas eram tão estranhas como ele próprio. Via, por exemplo, que eu andava sozinho por detrás dos alojamentos e aparecia de repente ao meu lado. Andava sempre muito ligeiro e dava umas voltas bruscas; mesmo que viesse a passo lento parecia sempre que corria.

– Boa tarde.
– Boa tarde.

– Não o incomodo?
– Não.
– Queria fazer-lhe uma pergunta sobre Napoleão Terceiro. Ainda é parente daquele que esteve na Rússia em 1812?

(Pietrov era filho de soldado e sabia ler e escrever.)

– Sim, era sobrinho dele.
– Por que lhe chamavam presidente?

Perguntava sempre apressadamente, por hábito, como se tivesse grande urgência em informar-se. Tal como se necessitasse de aclarar algum assunto importantíssimo que não admitisse a menor dilação.

Expliquei a ele que, de fato, era presidente, acrescentando que talvez não tardasse que fosse imperador.

– Como?

Expliquei como pude. Pietrov escutava atentamente, inclinando um pouco o ouvido para mim, e compreendia as coisas rapidamente.

– Hum! Ora, bem, agora, Alieksandr Pietróvitch, eu queria perguntar-lhe uma coisa. É verdade isso que dizem de haver uns macacos com uns braços tão compridos que lhes chegam aos tornozelos e que são tão altos como os homens mais altos?

– É verdade, sim.
– E que macacos são esses?

Expliquei a ele conforme pude.

– E onde vivem?
– Nos países quentes. Na ilha de Sumatra, por exemplo, existem.

– Isso fica na América, não? Também dizem que as pessoas, aí, andam de cabeça para baixo; isso é verdade?

– De cabeça para baixo, não. O senhor está a falar dos antípodas.

Expliquei-lhe o que era a América e, conforme pude, o que eram os antípodas. Ele me escutava com tanta atenção que parecia exatamente que tinha vindo ter comigo só por causa dos antípodas.

– Ah! Quer saber? O ano passado li a história da Duquesa de Lavallière, num livro que o ajudante Ariéfiev me emprestou. Será verdade tudo aquilo, ou apenas ficção? Era uma obra de Dumas.

– É claro que é ficção.
– Bem. Adeus, passe muito bem!

Pietrov desaparecia e, na verdade, era sempre desta maneira que nós falávamos.

Comecei a procurar pormenores acerca da sua pessoa. M***, que sabia das nossas relações, deu-me algumas informações. Disse-me que, no princípio, nos primeiros dias da sua estada no presídio, muitos dos reclusos lhe tinham inspirado horror, mas nenhum deles, nem o próprio Gázin, lhe causara uma impressão tão horrorosa como esse tal Pietrov.

– É o mais refinado, o mais desalmado de todos os presos – dizia M***. – É capaz de tudo; não recua perante nada, contanto que faça a sua vontade. Se isso se meter na cabeça, corta-lhe o pescoço, mata-o, muito simplesmente, sem dó nem piedade. Eu até penso que ele não deve ter o juízo perfeito.

Essa opinião interessou-me muitíssimo. Mas M*** não foi capaz de explicar-me a razão dessa opinião sua. E, coisa estranha, durante alguns anos convivi com Pietrov, falava quase todos os dias com ele, e durante todo esse tempo foi-me sinceramente dedicado (embora não perceba por que), e, durante todos esses anos, embora vivesse discretamente no presídio e nada fizesse de horrível, todos os dias, quando lhe olhava para a cara e falava com ele pressentia que M*** tinha razão, que Pietrov devia ser talvez o mais intrépido, terrível e o mais difícil de dominar de todos os presos, e não reconhecia qualquer autoridade sobre a sua pessoa. E eu também não era capaz de explicar por que é que... pensava também a mesma coisa.

Reparei, além disso, que esse tal Pietrov era o mesmo que quisera matar o major do presídio quando o chamaram para lhe aplicar um castigo. Já disse que o major "se salvou por milagre", como diziam os outros presos, retirando-se um minuto antes da execução da pena. Uma vez, antes de ter vindo para o presídio, sucedeu que o coronel lhe bateu durante a instrução. Provavelmente já não devia ser a primeira vez que lhe batia; mas dessa vez não quis dominar-se e deu, com a baioneta, uma pancada ao coronel, às claras, diante de toda a tropa. Aliás, não conheço a história em seus pormenores e ele nunca a contou para mim. Não há dúvida de que se tratava de arrebatamentos nos quais a sua natureza se mostrava toda. No entanto eram muito raros nele. Vulgarmente era sensato e até pacífico. Palpitavam no seu peito forte paixões ardentes; mas as brasas candentes estavam continuamente cobertas de cinza e ardiam devagar. Nunca pude observar nele uma ponta de fanfarronice nem de jactância, como, por exemplo, noutros. Raramente se zangava com alguém, embora não mantivesse amizade particular com ninguém, a não ser talvez com Sirótkin, e ainda somente quando lhe era necessária. Uma vez, no entanto, tive ocasião de vê-lo seriamente enfurecido. Havia qualquer coisa que não lhe queriam dar, qualquer coisa que lhe tinham tirado. Quem questionava com ele era um preso muito forte, corpulento, mau, brigão, chocarreiro e destemido, Vassíli Antônov, da classe dos presos civis. Havia já muito tempo que vociferavam, e eu pensava que a coisa havia de terminar pelo menos em pancadaria, como era costume; mas Pietrov, embora raramente, às vezes também se encolerizava e desfazia em impropérios como o último dos condenados. Mas dessa vez não foi assim; de repente Pietrov empalideceu e os lábios roxos empalideceram-lhe; respirava afanosamente. Levantou-se do seu lugar e, devagarinho, muito devagarinho, com os seus passos silenciosos, descalço (gostava muito de andar descalço no verão), dirigiu-se para Antônov. De súbito e de chofre, todos emudeceram naquele alojamento ruidoso e vociferante; ter-se-ia ouvido uma mosca. Estavam todos atentos ao que ia passar-se. Antônov caminhou ao encontro de Pietrov, que parecia ter perdido a aparência humana... Eu não pude mais e saí do alojamento. Esperava que, antes de eu ter tido tempo de transpor a porta, se teria já ouvido o grito dum homem assassinado. Mas dessa vez também o caso acabou em paz; Antônov não deu oportunidade a que Pietrov se aproximasse e entregou-lhe o objeto disputado, em silêncio e apressadamente (tudo isso por qualquer insignificância desprezível, por um farrapo qualquer). É claro que depois Antônov ficou ainda a insultá-lo em voz mais baixa, para tranquilizar a sua consciência e por decoro, para mostrar que não era assim com tanta facilidade que lhe metiam medo. Mas Pietrov nem sequer reparou já nesses insultos, nem lhes respondeu; a coisa não estava no insultar, mas apenas nas conveniências; estava muito satisfeito, já tinha o que era seu. Passado um quarto de hora, já andava como antes, vagabundeando pelo presídio, com o aspecto dum homem muito tranquilo que apenas andava a farejar onde é que se falaria de qualquer coisa interessante para meter também a sua colher e saber de novas. Dir-se-ia que tudo o interessava; no entanto acontecia-lhe às vezes permanecer indiferente a tudo e ficar às voltas pelo presídio sem objetivo algum, pavoneando-se para um lado e para outro. Poder-se-ia comparar com um operário, com um bom operário ao qual não dão trabalho e que, enquanto não lho dão, se senta e se põe a brincar com as crianças. Eu também não compreendia por que se mantinha ele no presídio, por que não fugia. Com certeza que ele não teria medo de fugir, contanto que o tivesse verdadeiramente desejado. Nos indivíduos como Pietrov a razão só impera até o momento em que o desejo não os tenta. Não há freio possível que possa detê-los neste mundo. E eu estou convencido de que ele seria facilmente capaz de fugir, e que a ele não teria importância alguma estar uma semana inteira sem pão na floresta ou na margem do rio, numa cabana. Mas era evidente que essa ideia não lhe tinha ocorrido e que de maneira nenhuma sentia esse desejo. Uma razão sã, um juízo especialmente são, nunca descobri nele. Parece que estas criaturas nasceram já com uma só ideia que, sem que eles próprios reparem nisso, enquanto vivem, os vai impelindo de um lado a outro, e assim desperdiçam toda a sua vida até que se não lhes apresente qualquer coisa com força que os faça então perder completamente a cabeça. Às vezes admirava-me de que aquele homem, que tinha matado o chefe para se vingar de uma correção, se prestasse tão docilmente a ser açoitado no presídio. E sofria esse castigo todas as vezes que era apanhado fazendo contrabando de aguardente. Como todos os presos sem ofício, costumava dedicar-se a esse negócio. Mas quando lhe aplicavam o castigo, prestava-se a isso como em virtude de uma concordância especial, isto é, como se reconhecesse que havia motivo para isso; caso contrário, se não houvesse, ainda que o matassem não se prestaria a tal; era o que parecia. Também me espantava que, apesar da notória dedicação que me tinha, não reparasse que me roubava. Foi ele quem me roubou a Bíblia que um dia lhe entreguei unicamente para que a levasse de um lugar a outro. O trajeto era apenas de alguns passos; mas arranjou no caminho um comprador, ao qual a vendeu, gastando depois o dinheiro na bebida. Na verdade a bebida agradava-lhe muito e, quando desejava muito uma coisa, não tinha outro remédio senão consegui-la. Há homens capazes de matar uma pessoa por 25 copeques, para beber um copo desse vinho, enquanto cem mil o deixariam indiferente noutra ocasião. Nessa mesma noite confessou-me ele o roubo, mas sem a menor comoção nem arrependimento, com a maior indiferença, como se se tratasse da coisa mais vulgar. Tentei dar-lhe uma boa repreensão, porque me custava muito ter perdido a Bíblia. Ele me escutou sem se perturbar, muito tranquilo; concordou comigo que a Bíblia era um livro muito útil; lamentou sinceramente que eu a tivesse perdido, mas não se mostrou absolutamente nada pesaroso por tê-la roubado; mostrava uma tal serenidade que suspendi imediatamente a repreensão. Provavelmente devia suportar as minhas recriminações, pensando que era uma coisa inevitável o censurarem-lhe a sua conduta; que as injúrias aliviam a alma mas que, no fundo, tudo aquilo era uma bagatela, tão insignificante que nem valia a pena falar no caso. Tenho a impressão de que ele me tomava por uma criança grande, um rapazinho que não compreendia as coisas mais simples deste mundo. Se, por exemplo, eu lhe falava de qualquer coisa que não fosse ciência e livros, é verdade que ele me respondia, mas como se fosse apenas por respeito, limitando-se a respostas muito lacônicas. Costumava perguntar a mim próprio com frequência: "Que interesse terão para ele essas coisas de livros acerca das quais me interroga tantas vezes?" Acontecia que, durante esses diálogos, eu, olhando de soslaio, dizia para comigo: "Não estará ele troçando de mim?" De maneira geral, escutava-me com seriedade, embora com uma atenção pouco concentrada, e isto me contrariava. Fazia as perguntas de maneira precisa, concreta; mas não parecia ficar muito admirado com as informações que eu lhe dava, escutando-as distraidamente... Parecia-me também que chegara à conclusão, sem quebrar muito a cabeça, de que era impossível falar comigo da mesma maneira que com as outras pessoas; que, à parte às questões literárias, eu não sabia nada de nada, nem era capaz de compreender nada, e que por isso não valia a pena incomodar-me.

    Estou convencido de que, apesar de tudo, me tinha afeição; e isto desconcertava-me muitíssimo. Considerar-me-ia um homem atrasado no seu desenvolvimento, incompleto; sentiria por mim essa espécie de piedade especial que instintivamente sente todo ser vigoroso em presença de outro mais fraco, considerando-me a mim também assim? Não sei. E embora tudo isto não o tivesse impedido de roubar-me, estou certo de que, ao mesmo tempo que me roubava, devia ter pena de mim. "Que diabo!, pode ser que aprenda a defender o que é seu!", diria para consigo. "Que homem será este que nem sequer sabe defender o que lhe pertence?" E talvez me tivesse afeição precisamente por causa disso. Ele próprio me disse uma vez, como se o fizesse contra a vontade, que eu era "uma alma boa demais" e que "eu era tão ingênuo, tão ingênuo, que até causava piedade. Mas não se ofenda com isto, Alieksandr Pietróvitch, não tome isto como ofensa", acrescentou um momento depois. "Eu estou a falar-lhe com o coração."

Sucede às vezes que esses indivíduos se revelam de repente e fazem notar de um modo enérgico no momento de alguma ação ou revolução gerais. Como não têm o dom da palavra, não podem ser os principais inspiradores e promotores dos acontecimentos; mas são os principais executores e os que primeiro os põem em prática. Começam simplesmente, sem despertar uma expectativa especial; mas são geralmente os primeiros a arremeter contra o principal obstáculo, sem reflexão, sem medo, a se lançar diretamente contra as baionetas, e todos os seguem, e caminham com persistência, vão até à última barreira contra a qual acabam geralmente por perder a vida. Penso que Pietrov não deve ter acabado bem; bastaria um minuto para ele acabar consigo, e se ainda não sucumbiu, deve ser porque ainda não chegou a sua vez. Embora, no fim de contas, quem sabe? Pode ser que viva até a idade dos cabelos brancos e que morra de velhice, tranquilamente, e continue andando sem finalidade alguma, de um lado a outro. Mas parece-me que M*** tinha razão quando dizia que esse homem era o mais temível de todo o presídio.

CAPÍTULO VIII

HOMENS TEMÍVEIS. LUKÁ

É DIFÍCIL FALAR DOS homens temíveis; eram raros no presídio, como em toda parte. Uma pessoa vê um homem de aspecto feroz; lembrando-se dos horrores que se dizem dele, afasta-se.

A princípio havia um sentimento indefinível que me impelia, na medida do possível, a afastar-me destes homens. Depois, havia de vir a mudar muito a minha opinião a respeito até dos mais ferozes assassinos; verifiquei que havia quem nunca tivesse matado ninguém e fosse mais feroz do que outros que tinham sete mortes sobre as costas. Era difícil formar uma ideia, por mais simples, acerca de alguns crimes, a tal ponto algo de estranho devia ter intervindo na sua realização. Falo assim precisamente, porque entre nós, entre as pessoas do povo, se cometem alguns homicídios pelas mais espantosas razões. Existe, por exemplo, um certo tipo de homicida que leva uma vida tranquila e plácida. Sofre um revés da sorte. Suponhamos que seja um camponês, um servo, um burguês ou um soldado. De repente, surge qualquer coisa que o contraria; não se contém e arremessa-se de faca em punho contra o seu inimigo e opressor. É neste momento que se torna um ser invulgar, a partir do momento em que o homem sacode o jugo. Começou por matar o seu inimigo, o seu opressor; trata-se de um crime compreensível; havia uma causa; mas depois continua a matar e não já os inimigos; mata o primeiro que encontra, mata por prazer, por uma palavra forte, por um olhar, para fazer um certo número, ou diz simplesmente: "Não te atravesses no meu caminho, senão...", tal como se estivesse bêbado ou delirante de febre. Exatamente como se, ao ter infringido uma vez o mandamento da lei de Deus, começasse depois a gabar-se de que para ele já nada existe de sagrado; como se tivesse metido na cabeça saltar de uma vez por cima de todo direito e poder e se refestelasse na mais desenfreada e licenciosa liberdade; de uma liberdade tão desenfreada que a si mesmo espanta. Sabe, além disso, que o espera um castigo severo. Tudo isto se podia comparar com a dor de um homem que se lança duma alta torre para uma cova a seus pés, e se sente feliz por ir assim de cabeça para baixo e acabar o mais depressa possível! E tudo isto pode acontecer aos homens que até então foram pacíficos e mansos. Alguns dos que se lançaram nesta via ainda por cima se vangloriam. Quanto mais mansos foram antes mais fortemente desejam meter medo aos outros. Sentem prazer com este medo e gozam com a repugnância que inspiram. Fingem um certo desespero e esses desesperados anseiam às vezes a que o castigo venha o mais depressa possível, desejam que o despachem logo a seguir, porque acaba por se tornar difícil pararem finalmente naquele desespero aparente. É curioso que, em parte, toda esta audácia, toda essa aparência só dura até o patíbulo, mas depois sucumbem; tal como se isto fosse um prazo formal, determinado de antemão, em relação às suas próprias leis. Aí, de repente, esses homens sucumbem e tornam-se uns farrapos. No cadafalso, choramingam... pedem perdão ao público. Entrai no presídio e olhai: aí está esse homem tão manso, tão submisso, tão medroso que até chama a vossa atenção: será possível que seja o mesmo que praticou cinco ou seis mortes?

Não há dúvida de que há alguns que não amansam assim tão depressa no presídio. Conservam certas fanfarronices, certas audácias; "Eu não sou aquilo que vocês pensam; fui condenado por seis!" Mas, apesar de tudo, acaba por amansar. Às vezes só se desforra recordando as suas antigas proezas, as brigas que teve na sua vida, quando estava desesperado, e compraz-se grandemente, quando se encontra com um novato, em gabar-se, dizer fanfarronadas e pavonear-se na sua frente, dando-se ares e contando as suas façanhas, sem no entanto dar a entender, pelo seu aspecto, que tenha vontade de contar essas coisas. "Vejam o homem que eu fui!"

E com que refinamento observam esta vã precaução, que indiferença e negligência se percebem às vezes na sua história! Que estudada leviandade se revela no tom, em cada palavra do narrador! Mas onde aprendeu essa gente tudo isso?

Uma vez, nesses primeiros dias, numa longa tarde, estava eu estendido sobre a esteira, ocioso e triste, e escutava um desses diálogos. Devido à minha inexperiência tomei aquele que falava por um criminoso extraordinário, ferocíssimo, por um caráter de descomunal dureza; de tal maneira que nesse momento estive a ponto de referir-me a Pietrov. O argumento da narrativa era a descrição da maneira como ele, Luká Kuzmitch, tinha derrubado um major, apenas por prazer, por mais nada. O tal Luká Kuzmitch era aquele mesmo condenado, pequenino, magricela, de nariz bicudo, que pertencia ao nosso alojamento, que era da Ucrânia, e do qual falei já noutra ocasião. De fato, era russo, mas nascera no Sul, na condição de servo. Tinha efetivamente qualquer coisa de contundente, de altivo: pequeno é o pássaro, mas tem garras. Mas os presos, instintivamente, compreendiam-no. Não tinham grande estima por ele, como dizem no presídio; apreciavam-no muito pouco. Era muito presumido. Nessa tarde estava sentado na esteira, cosendo uma camisa. O seu ofício era costurar roupa branca. Junto dele estava um rapazote estúpido e pateta, mas bom e afetuoso, forte e alto, seu vizinho de esteira, o preso Kobílin Luchka. Por causa dessa vizinhança brigava muitas vezes com ele e tratava-o geralmente com soberbia, trocista e despótico, o que Kobílin nem sequer notava, às vezes por causa da sua ingenuidade. Nesse momento tricotava e escutava Luká com indiferença. Este falava em voz alta e clara. Queria que todos os ouvissem, embora fizesse o possível por dar a entender que só contava aquelas coisas a Kobílin.

– Pois eu fui despachado da minha terra – começou, limpando a agulha – para K...v, por causa de umas rixas entre camponeses.

– Há muito tempo? – perguntou Kobílin.

– Quando as ervilhas amadurecerem... já fez mais um ano. Bem; quando cheguei a K...v, tiveram-me algum tempo no presídio. Olho para aquilo: vejo a meu lado um grupo de vinte homens. Circassianos, altos, sãos, fortes como touros. E além disso tão mansinhos... A comida era má, e o major manejava-os como queria – Luká atropelava as palavras de propósito. – Fico ali um dia, outro; vejo... Que gente tão covarde! "Por que", disse-lhes eu, "aguentam vocês esse burro?" "Anta, vai tu falar com ele!" e riam-se de mim. Eu me calo. E havia lá um circassiano muito trocista, rapazes – acrescentou de repente encarando com Kobílin e dirigindo-se a todos em geral. – Contava como o tinham condenado e como tinha falado no Tribunal e chorado; dizia que tinha filhos e mulher na terra. Era um homenzarrão grisalho e gordo. "Eu", disse ele, "falei-lhe: 'Não! Estou inocente!' Mas ele, o filho do diabo, sempre escrevendo. Fui e gritei-lhe: 'Assim tu te arrebentes, se eu não estou inocente!'. E ele sempre escrevendo... Então perdi a cabeça."

– Vássia, dá-me linha, a do presídio está podre.

– Esta é da loja – respondeu Vássia dando-lhe a linha.

– O nosso novelo, o que temos na oficina, é melhor. Os daqui é o inválido que compra e sabe-se lá de que comadre é que ele os compra! – continuou Luká, enfiando a agulha, virado para a luz.

– A dele, com certeza.

– Sim, é claro.

– Bem. E que foi feito do major? – perguntou, muito solícito, Kobílin.

Foi o que Luká quis ouvir. No entanto não retomou imediatamente a sua narrativa e fingiu até não reparar em Kobílin. Enfiou a agulha com muita fleuma; mudou a posição das pernas, com calma e indolência, e por fim continuou:

– Até que por fim sublevei os meus ucranianos e tive de ocupar-me do major. Mas já de manhã eu pedira uma faca ao meu companheiro; fiquei com ela e guardei-a, muito naturalmente, como se fosse por acaso. O major apareceu correndo, furioso. Então eu lhes disse: "Não se assustem, russinhos!" Mas parecia que lhes tinha caído a alma aos pés. Chega o major, furioso, bêbado: "Que se passa aqui? Que aconteceu? Eu sou o czar e também sou Deus!" Quando ele disse isso de "Eu sou o czar e também sou Deus!" – continuou Luká –, puxei um pouco a faca para fora da manga. "Não", disse eu e, pouco a pouco, ia-me aproximando dele, "não. Como, pode Vossa Senhoria dizer que é ao mesmo tempo o nosso czar e o nosso Deus?" "Ah! Mas quem és tu? Quem és tu?", exclamou o major. "És o causador do motim?" "Não", disse eu, e cada vez me ia aproximando mais, "não; como Vossa Senhoria sabe perfeitamente, o nosso Deus onipotente, e que está em toda parte, é um só", disse eu. "E o nosso czar também é um só, que Deus colocou acima de todos nós. É ele, saiba Vossa Senhoria, o monarca. Mas o senhor", disse eu, "é apenas Vossa Senhoria, ou simplesmente, o major... o nosso chefe, por graça do czar e pelos seus serviços." "O quê? O quê? O quê?" E já não sabia o que havia de dizer, e entaramelava-se todo. Ficou estupefato. "Pois é assim mesmo", disse eu e, arremetendo contra ele, fui e, de repente, enterrei-lhe a faca nas tripas, até o cabo. Entrou com muita suavidade. Ele caiu, pesado, e apenas mexeu um pouco os pés. Depois guardei a faca. "Olhem, russinhos", disse eu, "agora levantem-no."

Neste ponto, vou fazer uma digressão. Infelizmente, expressões como essa de "Eu sou o czar e também sou Deus", e muitas outras do gênero, empregavam-se dantes, frequentemente, entre muitos dos nossos superiores. É necessário reconhecer que restam já poucos desses superiores, se é que todos já não morreram. Reparei também que aqueles que mais gostavam de se gabar e de empregar essas expressões eram os chefes que provinham das camadas inferiores. Parece que o grau de oficial lhes transtorna a cabeça. Depois de terem estado muito tempo sob as ordens de outros e percorrido todos os graus subalternos, veem-se de repente feitos oficiais, chefes, enobrecidos e, como não estão acostumados, fazem, dentro dessa embriaguez, uma ideia exagerada do seu poder e significado; claro que apenas em relação aos seus subordinados, aos funcionários de categoria inferior. Perante os superiores continuam observando a antiga submissão, já completamente desnecessária e até aborrecida para muitos desses. Alguns bajuladores procuram até, com uma solicitude especial, fazer notar aos superiores hierárquicos que procedem das categorias inferiores, embora agora sejam oficiais, e sabem ocupar sempre o seu ponto. Mas empregam um despotismo ilimitado para com os funcionários inferiores. É claro que agora já não é provável que haja, nem é fácil que se encontre quem diga: "Eu sou o czar e também sou Deus". Apesar disso, direi entretanto que nada revolta tanto os presos, e em geral também todos os funcionários das categorias inferiores, como essas expressões na boca dos chefes. Felizmente que quase tudo isso pertence ao passado, mas até nesses velhos tempos isso tinha consequências graves para esses chefes. Conheço alguns exemplos.

 De maneira geral, também é revoltante para o funcionário inferior toda negligência altiva, todo desdém nas relações com eles. Alguns pensam, por exemplo, que os alimentando bem e cuidando bem do preso, já cumpriram as leis, e o caso está encerrado. Mas isto é um erro. Todos os homens, sejam quem forem, ainda mesmo inferiores, precisam, ainda que seja uma necessidade só instintiva, inconsciente, de que respeitem a sua dignidade de homem. O próprio preso sabe que é um preso, um réprobo, e conhece a sua condição perante o superior; mas nenhum estigma, nenhuma cadeia consegue fazê-lo esquecer que é um homem. E como é de fato um homem, necessário se torna, e por isso, tratá-lo humanamente. Meu Deus! Se um tratamento humano pode humanizar até aquele no qual a imagem de Deus parece já se ter apagado! A estes desgraçados é preciso tratá-los ainda mais humanamente. É nisto que está para eles a salvação e a alegria. Tive oportunidade de conhecer alguns chefes bons e generosos. Vi bem o efeito que produziam nesses degradados algumas palavras afetuosas, e os presos quase ressuscitavam moralmente. Alvoroçavam-se como crianças e, como crianças, começavam a amar. No entanto observei uma coisa estranha: esses mesmos presos não gostam do trato demasiado familiar e demasiado benévolo dos superiores. Querem respeitar o chefe e assim perdem-lhe o respeito. O preso deseja que o seu superior possua condecorações, que tenha boa apresentação e goze também das boas graças de algum chefe mais elevado; que seja severo e grave, e reto, e vele pela sua dignidade. São estes os superiores que mais agradam aos presos, aqueles que velam pela sua dignidade e não o vexam, e assim tudo correrá bem, às mil maravilhas.

– Bom. Por causa disso deviam ter-te assado a pele, não é verdade? – observou Kobílin tranquilamente.

– Hum! Assaram-na, lá isso é verdade, meu amigo, assaram-na. Ali, dá-me cá a tesoura. Então, meus amigos, temos hoje *maidan* ou não?

– Já gastaste tudo na bebida – observou Vássia. – Se não o tivesses gasto, terias tido *maidan*.

– Sim, sim, pelo sim dão em Moscou cem rublos – respondeu Luká.

– E a ti, Luká, quanto te deram por aquilo? – tornou a perguntar Kobílin.

– Deram-me 105, meu caro. Sabem que mais? Por um pouco que não me matavam – encareceu Luká, dirigindo-se de novo a Kobílin. – Depois de me terem condenado a esses 105, exibiram-me em público. Até essa data eu nunca soubera o que era o chicote. Tinha-se juntado uma multidão enorme, lá estava a cidade toda: vai ser punido um bandido, um assassino. E que gente tão estúpida, aquela! Tanto, que nem se pode dizer! Tínotchka[23] despiu-me, estendeu-me e gritou: "Coragem, que queimas!" Fico à espera. Como será? Quando me deu a primeira

---

23. Diminutivo de Tina, neste local utilizado para aludir ao carrasco, assim apelidado numa canção de presos. (N.T.)

chicotada estive quase a ponto de gritar e cheguei até a abrir a boca; mas não gritei. Faltava-me a voz. Quando me bateu pela segunda vez, queres crer que já não o ouvi dizer dois? Quando volto a mim, ouço-o contar: "Sessenta!" Por quatro vezes me tiraram depois do estrado e deixaram-me respirar por uma meia hora. Borrifavam-me com água. Eu olhava para todos com uns olhos exorbitados e pensava: "Vou morrer aqui...".

– E não morreste? – perguntou Kobílin ingenuamente.

Luká lançou-lhe um olhar cheio de desprezo; ouviram-se risos.

– Que anjinho tu és!

– Há uma aranha no teto – observou Luká, como se estivesse arrependido de se ter posto a falar com aquele indivíduo.

– És um homem terrível – exclamou Vássia.

Embora Luká tivesse matado sete homens, nunca meteu medo a ninguém, no presídio, apesar de querer talvez passar diante de todos por um homem terrível...

CAPÍTULO IX

Issai Fomitch. Vânia. A história de Baklúkhin

Chegou o natal. Os presos esperavam-no com certa solenidade e, quando eu olhava para eles, também esperava qualquer coisa de insólito. Quatro dias antes da data festiva, levaram-nos ao banho. No meu tempo, sobretudo nos meus primeiros anos, raras vezes levavam os presos para tomar banho. Todos ficaram alvoroçados e começaram a reunir-se. A saída estava marcada para depois do rancho e nessa tarde não se trabalharia. De todos os de nosso alojamento, o que ficou mais contente foi Issai Fomitch Blumstein, um preso judeu, do qual falei já no quarto capítulo desta minha narrativa. Gostava loucamente dos banhos de vapor, e cada vez que me acodem antigas recordações me vem à ideia a do banho dos presidiários (o que era digno de ser lembrado), imediatamente se me apresenta no primeiro plano da memória a figura de Issai Fomitch, inesquecível companheiro de presídio e meu vizinho de alojamento. Meu Deus, que ridículo e excêntrico era aquele homem! Já disse algo acerca da sua figura:

cinquentão, enfermiço, engelhadinho, com uns sinais enormes nas faces e na testa, magro, débil e com o corpo branco como o de uma galinha. A expressão do seu rosto deixava transparecer uma firme e refratária suficiência e até felicidade. Parecia que não lhe custava absolutamente nada ver-se num presídio. Fosse como fosse, era joalheiro e, como não havia joalheiro na cidade, trabalhava constantemente para os senhores e para as autoridades da cidade, visto que era o único joalheiro. Embora não fosse muito, sempre lhe pagavam qualquer coisa. Não tinha necessidades, vivia até com riqueza; mas amealhava dinheiro e emprestava-o a juros a todo o presídio. Tinha o seu samovar, o seu bom colchão, chávenas e uma baixela completa. Os judeus da cidade não lhe negavam a sua amizade e confiança. Ia todos os sábados, debaixo de escolta, à sinagoga da cidade (o que era permitido por lei); e vivia muito feliz, embora sempre à espera do fim dos doze anos da sua pena, para casar. Tinha um cômico sorriso de ingenuidade, estupidez, velhacaria, astúcia, candidez, timidez, arrogância e franca grosseria. A mim parecia-me estranho que os presos não se rissem todos dele, sem ser apenas nas ocasiões em que lhe diziam alguns gracejos para se divertirem. Pelo visto, Issai Fomitch servia-lhes de entretimento e constante divertir-se. Não tínhamos outro como ele; "Deixem Issai Fomitch em paz", diziam os presos, e percebia-se perfeitamente que Issai Fomitch, embora percebesse por que diziam eles aquilo, se sentia muito ufano da sua notoriedade, o que muito divertia os presos. Entrara no presídio da maneira mais ridícula (entrou antes de mim, mas contaram-me). Um dia, no fim duma tarde de sábado, espalhou-se de repente pelo presídio o boato de que chegara um judeu, que já tinha passado pelo corpo da guarda e que não tardaria a aparecer. Ainda não havia hebreus no presídio, nessa altura. Os presos esperavam-no com impaciência e, assim que ele surgiu à porta, juntaram-se numa roda. O suboficial do presídio levou-o à guarda civil e apontou-lhe o seu lugar nas esteiras. Issai Fomitch trazia a roupa nas mãos, os objetos do regulamento que lhe tinham entregue e os seus pessoais. Deixou a roupa no chão, trepou de gatinhas para as esteiras e sentou-se, encolhendo as pernas, sem se atrever a levantar os olhos. Ouviram-se risos e motejos, à volta, provocados pela observação acerca das excelências. hebraicas.

De súbito saiu do cubículo dos presos um rapaz que trazia nas mãos umas calças muito velhas e sujíssimas, um autêntico farrapo, e um par de sapatos, daqueles que eram fornecidos pela administração. Sentou-se junto de Issai Fomitch e deu-lhe uma palmadinha no ombro:

– Olá, meu caro amigo! Já há sete anos que estava à tua espera. Vamos lá a ver quanto é que me dás por isto.

Issai Fomitch, que, no momento da sua entrada no presídio, estava tão perturbado que nem sequer se atrevia a levantar os olhos para aquela roda de trocistas, marcadas e ferozes, que o rodeavam, e nem sequer por delicadeza ousava abrir a boca, quando viu aqueles farrapos ergueu-se de repente e começou a revolvê-los com as mãos. Todos aguardavam o que ele iria dizer.

– O quê? Não dás nem sequer um rublo de prata por isto tudo? Mas vê bem o que valem! – continuou o preso piscando o olho a Issai Fomitch.

– Um rublo de prata não posso dar. Sete copeques é o máximo.

E foram essas as primeiras palavras que Issai Fomitch pronunciou no presídio. Todos se riram.

– Sete... Bem, dá-mos. Sempre tens uma sorte! Olha, vê se tratas bem dessas coisas, és responsável por elas.

– Ao juro de três copeques são dez copeques – continuou o judeu com uma voz entrecortada e chorona, levando a mão ao bolso em busca de dinheiro e olhando timidamente para os presos. Tinha um medo espantoso e queria resolver o assunto o mais depressa possível.

– Três copeques por ano, hein?

– Não, por ano, não; por mês.

– Sempre me saíste um espertalhão, judeu! Como te chamas?

– Issai Fomitch.

– Muito bem, Issai Fomitch; hás de prosperar aqui. Adeus!

Issai Fomitch tornou a olhar para os trapos e depois guardou-os cuidadosamente no saco, por entre as prolongadas risadas dos presos.

De fato, todos pareciam gostar dele e ninguém o ofendia, embora lhe devessem dinheiro. Era inofensivo como uma galinha e, ao ver qual era a disposição de espírito em que os outros se encontravam para com ele, chegava até a pavonear-se com ares de importância, simplesmente fazia-o de uma maneira tão ingenuamente ridícula que todos o perdoavam. Luká, que conhecera muitos judeus, costumava meter-se com ele, não com má intenção, mas apenas para passar o tempo, do mesmo modo que se atiça um cãozinho fraldiqueiro, um papagaio ou uma ferazinha amestrada. Issai Fomitch percebia isso muito bem, mas nunca se aborrecia e às vezes até lhe respondia à letra.

– Ah, judeu, olha que eu te mato!

– Se me deres uma, levas dez – respondia-lhe Issai Fomitch, destemido.

– Maldito piolhento!

– E que tem que eu seja piolhento?

– Piolhento e judeu

– Por que não havia de sê-lo? Sou piolhento mas sou rico. Desde que não me faltem os cobres!

– Vendeste Cristo!

– Essa também não me impressiona!

– Bem, Issai Fomitch! Não lhe façam mal que não temos outro! – gritavam os presos a rir.

– Ah, judeu, mereces o chicote! Vieste para a Sibéria.

– Já estou aqui, isso é verdade.

– Mas ainda hás de ir para mais longe.

– E então? Deus não está em toda parte?

– Lá isso está..

– Então, pronto. Em tendo Deus e dinheiro, em toda parte se está bem.

– Bravo, Issai Fomitch, bem se vê que és um valente! – gritavam à volta.

Mas embora Issai Fomitch visse muito bem que estavam zombando dele, não deixava de se pavonear; os elogios gerais davam-lhe um prazer evidente e punha-se a cantar por todo o alojamento com uma vozinha de falsete:

Lia... lia... lia... lia... lia!

Um motivo absurdo e ridículo, sempre na mesma toada, sem letra, que ia cantarolando por todo o presídio. Quando ganhou mais confiança comigo, afirmou-me, sob juramento, que essa toada e esse motivo eram os que cantavam os setecentos mil hebreus, desde o primeiro ao último, ao atravessarem o Mar Vermelho, e todos os judeus tinham o dever de cantar esse motivo nos instantes solenes e de triunfo sobre os seus inimigos.

Nas vésperas dos sábados, às cinco da tarde, vinham presos de outros alojamentos para o nosso, para verem como Issai Fomitch celebrava o seu sábado. Fomitch era presunçoso e vaidoso a tal ponto que também essa curiosidade geral lhe dava grande satisfação. Arrumava num canto a sua mesinha insignificante, com pedantaria e com uma gravidade postiça, abria o livro de orações, acendia duas velas e, murmurando não sei que misteriosas palavras, envolvia-se na sua estola ritual ("essola", dizia ele). Era uma espécie de mantelete de lã colorida, que guardava com muito cuidado na sua mala. Punha um bracelete em cada pulso, e fixava a meio da testa, por meio de uma fita, uma caixinha de madeira, o que fazia parecer que saía um ridículo cornicho[24] da testa de Issai Fomitch. Depois disso começava a oração. Punha-se a ler muito depressa, a gritar, a cuspir, a dar voltas sobre si mesmo e a fazer uma quantidade de gestos violentos e extremamente cômicos. Não havia dúvida alguma de que tudo aquilo era prescrito pelo ritual das preces e que não tinha em si nada de ridículo; o ridículo estava em ele pavonear-se na nossa frente e em tomar uns ares importantes ao fazer esses gestos. De súbito, eis que ele cobre a cabeça com as duas mãos e começa a ler com uma voz entrecortada pelos soluços. Estes vão aumentando de intensidade, até que, como num arrebatamento e fora de si, deixa cair sobre o livro, uivando, a cabeça adornada com aquele corno; mas de súbito, no meio daqueles soluços, desata a rir e continua a ler muito depressa, com voz solene e como que alterada pelo excesso de felicidade. "É capaz de se desmanchar!", diziam os presos.

Eu perguntei uma vez a Issai Fomitch o que significavam aqueles soluços e, depois, aqueles risos repentinos e triunfantes de felicidade e de glória. Issai Fomitch gostava imensamente destas minhas perguntas. Explicou-me imediatamente que o

---

24. Os filactérios, que os observadores rigorosos da Lei Judaica prendem na testa e no braço esquerdo durante as suas preces, seguindo as prescrições do *Êxodo* e do *Deuteronômio*. Representam o Templo de Salomão, onde estão inseridos os Dez Mandamentos da Lei de Moisés. (N.T.)

pranto e os uivos simbolizavam a ideia da perda de Jerusalém, e que a Lei mandava que, perante esse pensamento, se irrompesse no maior alarido e as pessoas se sentissem compungidas. Mas que, no meio de tal alarido etc., Issai Fomitch devia lembrar-se de repente, como se fosse de um momento para o outro (esse de repente era também prescrito pela Lei), de que há uma profecia acerca do regresso dos hebreus a Jerusalém. De maneira que tinha a obrigação de pôr-se imediatamente muito alegre, de cantar e de rir às gargalhadas e de continuar recitando a sua oração de tal forma que exprimisse o melhor possível, no tom da voz e na expressão do rosto, a felicidade, a solenidade e o triunfo. Essa repentina transição e a obrigação de fazê-la eram muito do agrado de Issai Fomitch, que via em tudo isso algo de especial, uma obra de arte engenhosa, e era com uma cara muito vaidosa que ele me comunicava essa sutil prescrição da Lei. Uma vez, o major, com a sua escolta de soldados, entrou no alojamento, no ponto culminante da oração. Todos os presos formaram imediatamente junto das suas esteiras e somente Issai Fomitch continuou gritando e gesticulando como um possesso. Sabia que as orações eram permitidas, que não era possível interrompê-las e que não corria risco algum por gritar diante do major. E agradava-lhe muito bambolear-se perante o major e tornar-se importante a nossos olhos. O major avançou e ficou apenas a um passo dele. Issai Fomitch recuou para junto da sua mesinha e pôs-se a ler rapidamente a sua triunfante profecia, mesmo na cara do major, agitando os braços. Era isso o que lhe era ordenado e, nesse momento, o seu rosto exprimia uma felicidade e um orgulho extraordinários, e cumpria escrupulosamente o mandamento, piscando os olhos de maneira especial, rindo e olhando para o major com desdém. O major estava atônito mas, por fim, desatou a rir, fez também uma expressão desdenhosa e afastou-se, redobrando então Issai Fomitch a sua gritaria. Uma hora depois, quando ele estava jantando, perguntei-lhe:

– E se o major, bruto como é, tivesse levado aquilo a mal?
– Que disse o senhor do major?
– Que disse eu do major? Mas então não o viu?
– Não.
– Pois esteve a dois passos da sua pessoa, quase em cima do seu nariz.

E Issai Fomitch pôs-se a afirmar-me, com toda a seriedade, que não tinha visto nem a sombra do major, e que, nas ocasiões em que recitava aquelas preces, costumava mergulhar numa espécie de êxtase, de tal maneira que nada via nem ouvia de tudo o que à sua volta se passasse.

Parece-me que estou ainda vendo-o passeando aos sábados por todo o presídio, sem fazer nada, esforçando-se o mais que lhe era possível por não fazer nada, conforme a Lei lhe ordenava. Que anedotas tão inverossímeis ele me contava sempre, quando voltava da sinagoga, que notícias e boatos tão disparatados, acerca de Petersburgo, ele me trazia, afirmando-me que os ouvira dos judeus, mas que estes os tinham ouvido diretamente!

Mas já falei demasiado de Issai Fomitch.

Em toda a cidade havia apenas dois balneários públicos. O primeiro, que era mantido por um hebreu, estava dividido em compartimentos, por cada um dos quais se pagava cinquenta copeques e destinava-se a pessoas de elevada categoria. O outro era para as pessoas inferiores, e era velho, sujo, escuro; neste iam os do presídio. Fazia frio e havia sol; os presos alegravam-se, mais não fosse senão por saírem do forte e poderem deitar uma vista d'olhos à cidade. Íamos escoltados por um piquete completo de soldados, de espingardas carregadas, e as pessoas da povoação ficavam admiradas quando nos viam passar. No balneário distribuíam-nos por dois turnos; o segundo esperava no frígido vestíbulo que o primeiro se lavasse, o que era necessário devido às dimensões exíguas do balneário. E ainda assim chegava a ser difícil compreender como é que essa mesma metade conseguia lá ficar. Pietrov não se afastou do meu lado; sem que eu pedisse a ele, ajudou-me a despir e ofereceu-se para me lavar. Ao mesmo tempo que Pietrov, também Baklúkhin se ofereceu para me ajudar; era um preso da seção especial, a que os outros chamavam o Sapador e do qual já falei como do mais jovial e simpático de todos os presos, que na verdade era. Eu tinha tido já algum convívio com ele. Pietrov ajudou-me a despir, pois eu demorava muito a fazê-lo, por não estar acostumado, e no vestíbulo do balneário fazia quase tanto frio como na rua. De fato, enquanto não o aprende, é muito difícil a um preso despir-se. Em primeiro lugar, é preciso saber tirar depressa as palmilhas, que são de couro, de quatro *viérchki* de comprimento e se colocam sobre a roupa interior, imediatamente abaixo do largo anel de ferro que apanha o pé. Um par destas palmilhas custa nada mais nada menos do que sessenta copeques de prata e dizem que os presos têm de arranjá-las, à sua custa, é claro, pois sem elas não lhes será possível caminhar. O anel da cadeia não abrange perfeitamente o pé, e entre o anel e o pé pode passar um dedo; de maneira que o ferro bate no pé, magoa-o e, basta um só dia para que o preso que não usa palmilhas fique com os pés feridos. Mas não é difícil tirar estas palmilhas. Mais difícil é aprender a tirar as ceroulas por debaixo das cadeias. Isso é uma verdadeira obra de arte. Depois de se tirarem as ceroulas, suponhamos, do pé esquerdo, é preciso puxá-las por entre o pé e o anel da cadeia; depois, uma vez posto o pé em liberdade, vão-se puxando as ceroulas para cima, até o anel; depois, já descalço o pé esquerdo, passa-se o pé direito através do anel, por debaixo; e depois puxa-se tudo para cima, através do mesmo anel. Para vestir roupa lavada, repete-se a mesma cerimônia. Para um novato é difícil adivinhar como é que se faz isto; o primeiro que me ensinou tudo isto foi um preso, um tal Koriêniev, em Tobolsk, que fora chefe de bandoleiros e havia já cinco anos que estava acorrentado à parede. Mas os presidiários estão acostumados e se despem com a maior facilidade. Dei alguns copeques a Pietrov para sabão e para tília; é verdade que no presídio forneciam sabão aos presos, mas davam somente a cada um um pedacinho do tamanho de dois copeques, da grossura dessa fatia de queijo que costumam saborear à tarde as pessoas da classe média. Também vendiam sabão no vestíbulo do balneário, juntamente com hidromel, tortas e água quente. Davam apenas a cada preso, em virtude de contrato com o dono do balneário, a água quente necessária para um jarro; o que desejasse lavar-se melhor podia conseguir por um *groch* outro jarro, o qual introduziam no balneário por uma janelinha aberta, na parede do próprio vestíbulo, para tal. Depois de me despir, Pietrov segurou-me pelos sovacos, pois viu como me era difícil caminhar com as cadeias. "Puxe por elas para cima, puxe-as para as ancas – disse-me, segurando-me como se eu fosse uma criança –, mas cuidado, agora, que é o princípio!" Eu sentia um certo remorso, queria convencer Pietrov de que podia andar muito bem sozinho; mas ele não fazia caso do que eu dizia. Tratava-me, convictamente, como uma criancinha inválida, à qual toda a gente tem obrigação de ajudar. Pietrov não era, de maneira nenhuma, um criado; se eu o tivesse ofendido, ele bem sabia como havia de proceder. Não lhe ofereci dinheiro pelos seus serviços, nem ele o pediu a mim. Por que seria então que tinha tantos cuidados comigo?

Quando se abriram as portas do balneário, pensei que tínhamos entrado no inferno. Imaginem uma sala de vinte passos de comprimento, e de outros tantos de largura, na qual estariam reunidos talvez uns cem homens ao mesmo tempo, ou pelo menos uns oitenta, visto que tinham distribuído os presos todos em dois turnos e ao todo teriam ido ao banho uns duzentos. Havia ali uma tal quantidade de vapor que se nos invadia os olhos, tanto suor e sujidade, um aperto tão grande, que uma pessoa nem sequer sabia onde havia de pôr os pés. Fiquei atemorizado e quis recuar, mas Pietrov deteve-me imediatamente. Com muito custo, com enorme trabalho, abrimos passagem até um banco, por entre cabeças de indivíduos sentados no chão, pedindo-lhes que abrissem um intervalo para podermos passar. Mas os bancos estavam todos ocupados. Pietrov explicou-me que era preciso comprar o lugar e entrou imediatamente em contato com um preso que estava sentado junto de uma janela. Cedeu o seu posto por um copeque; em seguida Pietrov entregou-lhe o dinheiro que tivera até aí apertado na mão; ele o aceitou e meteu-se imediatamente debaixo do banco, precisamente debaixo do meu lugar, onde tudo estava escuro, sujo, e havia por todos os lados uma umidade escorregadia que atingia quase meio dedo de altura. Mas até os lugares debaixo dos bancos estavam tomados; também aí havia homens apinhados. Não havia em todo o chão um palmo onde não se tivessem acomodado presos às escondidas, curvados e vertendo sobre si a água dos jarros. Outros estavam de pé, no meio deles, segurando o jarro na mão, e assim se lavavam; a água suja corria dos seus corpos diretamente sobre as cabeças meio rapadas[25] dos que estavam sentados no chão. Havia homens sentados, encolhidos e comprimidos no banco de suar e em todos os degraus que a ele conduziam. As pessoas do povo

---

25. Na Rússia do século XVII os pequenos russos eram distinguidos por um topete, que ao mesmo tempo lhes era alcunha, dada pelos grandes russos, de cabelos sobre o occipúcio e o resto da cabeça rapada. (N.T.)

lavam-se pouco com sabão e água quente; o que fazem é suar muito e depois borrifarem-se com água fria... é desnecessário dizer mais. O banco de suar devia ter umas cinquenta filas; todos se fustigavam até ao paroxismo. Forneciam-lhes vapor a todos os momentos. Aquilo já não era calor, era fogo. Tudo vibrava e retumbava com a vozearia e o barulho de cem cadeias que se arrastavam pelo chão. Alguns, ansiosos por se despacharem, enredavam-se nas cadeias dos outros, seguravam-se às cabeças dos que estavam sentados mais abaixo, caíam, insultavam-se e puxavam pelos outros. A água suja esguichava por todos os lados. Estavam todos embriagados a tal ponto, em tal estado de embevecimento, que irrompiam em gemidos e em gritos. Junto da janelinha do vestíbulo por onde passavam a água, havia insultos, apertões, uma verdadeira batalha. A água quente acabava por se entornar sobre as cabeças dos que estavam sentados no chão, ainda antes de chegar ao seu destino. De vez em quando, a cara dum soldado, de grandes bigodes, surgia na janela ou na porta aberta, de espingarda no braço, velando pela ordem. As cabeças rapadas e os corpos dos presos, avermelhados pelas vaporizações, pareciam ainda mais espantosos. Nas suas costas, banhadas pelo vapor, ressaltavam, de maneira geral, as cicatrizes das chicotadas e das vergastadas anteriormente recebidas, de maneira que pareciam ter acabado naquele momento de ser flagelados. Terríveis cicatrizes! Corria-me um calafrio pela pele, quando olhava para elas.

Tornam a deitar água sobre a pedra quente do forno e o vapor enche tudo de uma nuvem densa, ardente; todos guincham e gritam. Por entre as nuvens de vapor sobressaem as costas magoadas, as cabeças rapadas, as mãos e os pés torcidos; e, para completar o quadro, Issai Fomitch, gritando a plenos pulmões, no alto do banco. Transpirava até ficar quase desmaiado; mas, por fim, dir-se-ia que já não há calor que lhe pareça suficientemente quente; contratou entre os presos um banhista por um copeque, mas, por fim, este já não pode suportar mais, larga a vassoura e corre a borrifar-se com água fria. Issai Fomitch não desiste e contrata um segundo, um terceiro; está resolvido a não atender a gastos, nestas circunstâncias, e chega a contratar até cinco banhistas. "É bem bom o banho de vapor! Bravo, Issai Fomitch!", gritam-lhe os presos, embaixo. Issai Fomitch sente-se nesse momento superior a todos; toma um ar triunfal e, com uma voz estranha, como de louco, entoa a sua canção: "Lia... lia... lia... lia... lia!", agitando a cabeça. Cheguei a pensar que se todos nós juntos estivéssemos num inferno, havia de parecer-se muito com aquele lugar. Não pude deixar de comunicar este pensamento a Pietrov, mas ele se limitou a olhar à volta e não disse nada.

Era meu desejo comprar-lhe também um lugar junto do meu; mas ele me disse que se sentia muito bem. Entretanto Baklúkhin comprou-nos água e trouxe-a em quantidade suficiente. Pietrov disse-me que me ia lavar dos pés à cabeça, para que eu ficasse todo limpo, e obrigou-me a tomar o banho de vapor. Eu não me atrevia a vaporizar-me. Pietrov ensaboou-me todo o corpo cuidadosamente. "E agora vou lavar-lhe os pezinhos", acrescentou como conclusão. Ia para responder-lhe que podia perfeitamente lavar-me sozinho, mas não quis contradizê-lo e entreguei-me à sua vontade. Não havia o menor acento de servilismo nesse diminutivo; tratava-se simplesmente de que Pietrov não podia chamar pés aos meus pés, provavelmente porque os outros, a gente verdadeiramente adulta, tinha pés e não apenas pezinhos.

Depois de me ter lavado com essas cerimônias, isto é, com solicitude, cuidado e advertências contínuas, tal como se eu fosse de louça e pudesse quebrar-me, levou-me ao vestíbulo e ajudou-me a vestir a roupa interior, e só quando já me não era necessário para mais nada é que voltou para o balneário, para tomar o seu banho de vapor.

De regresso à casa, ofereci-lhe uma chávena de chá. O chá não lhe desagradava, bebia-o e agradecia-me. Lembrei-me de abrir a minha bolsa e de dar-lhe meio litro de aguardente. Havia sempre aguardente no alojamento. Pietrov ficou muito contente: bebeu, resfolegou, e depois de dizer-me que eu lhe dera vida nova, dirigiu-se para a cozinha, pressuroso, como se se tratasse ali de um assunto que não pudesse resolver-se sem ele. Em sua substituição aproximou-se outro, Baklúkhin, o Sapador, que eu convidara também no banho para uma chávena de chá.

Não conheço caráter mais doce do que o de Baklúkhin. Não tinha, verdadeiramente, medo dos outros, e até provocava desordens com frequência; não gostava que ninguém se metesse nas suas coisas; em suma: sabia velar pelos seus interesses. Mas as suas zangas duravam pouco e, pelo menos na aparência, todos gostavam dele. Quando entrava, todos o acolhiam com benevolência. Até na cidade o conheciam como o homem mais divertido do mundo e que nunca perdia a boa disposição. Era um homenzarrão de uns trinta anos, de rosto ameninado e brincalhão, bastante engraçado e com um sinal. Sabia fazer caretas tão cômicas, imitando os outros, que os que o rodeavam não podiam conter o riso. Era também um dos apalhaçados, mas nunca transigia com os nossos tristonhos inimigos do riso, de maneira que nenhum se atrevia a chamar-lhe fútil e inútil. Transbordava de energia e vitalidade. Estabeleceu amizade comigo desde os primeiros dias, confessou-me que era filho dum soldado que tinha servido nos sapadores, e que havia altas personalidades que o distinguiam e estimavam e sentia-se muito ufano por isso, quando o recordava. Pôs-se logo a fazer-me perguntas acerca de Petersburgo. Também lia uns livrinhos. Quando veio tomar o chá comigo, começou por fazer rir todo o alojamento, contando como o tenente Sch*** maltratara o nosso major nessa manhã e, depois de se ter sentado a meu lado, anunciou-me, com uma cara muito alegre, que se ia armar o teatro. No presídio havia representações teatrais nos dias festivos. Planejavam-se as decorações, que se iam fazendo pouco a pouco. Algumas pessoas da cidade tinham-se oferecido para nos emprestar os trajos para os vários papéis, inclusive para os papéis femininos; e também contavam poder conseguir um uniforme de oficial, com dragonas e tudo, por meio de um impedido. A única coisa que poderia obstaculizar era o major, se se lembrasse de proibi-lo, como fizera no ano anterior. Mas no ano anterior, pelo Natal, o major não estava em seu juízo perfeito; tinha perdido no jogo e além disso não se portaram muito bem no presídio e por isso o proibira. Mas, agora, esperavam que ele não fosse estragar a festa. Em suma, Baklúkhin estava num estado de grande excitação. Via-se claramente que era um dos principais colaboradores do teatro, e eu, então, lhe prometi assistir sem falta à representação. Comoveu-me profundamente o ingênuo entusiasmo de Baklúkhin por causa da festa. Palavra puxa palavra, entabulamos uma longa conversa. Contou-me, entre outras coisas, que não tinha feito o serviço militar todo, em Petersburgo; que tinha cometido aí uma certa falta e por isso o tinham mandado a R***, embora como suboficial, para um batalhão de guarnição.

— E foi daí que me deportaram para aqui — observou Baklúkhin.

— E por quê? — perguntei-lhe eu.

— Por quê? Quer saber por que foi, Alieksandr Pietróvitch? Pois foi por me ter apaixonado.

— O quê? Foi por isso que te mandaram para aqui? — exclamei eu a rir.

— É verdade — acrescentou Baklúkhin —, é verdade que por causa disso acabei por dar um tiro de pistola num alemão que havia lá; já pode ver!

— Mas como foi isso? Conta-me, que deve ser curioso.

— É uma história ridícula, Alieksandr Pietróvitch.

— Tanto melhor. Conta-a.

— Quer que a conte? Então ouça.

Eu escutei a história de um homicídio, que não era ridícula e até, pelo contrário, bem invulgar...

— A coisa passou-se assim — começou Baklúkhin. — Quando me transferiram para R***, vi que a povoação era boa, grande, simplesmente, estava cheia de alemães. Bom; eu, é claro, ainda era novo e tinha boa reputação entre o comando. Ia de vez em quando até a cidade de gorro caído para o lado, para matar o tempo, como se costuma dizer, e piscava o olho às alemãs. Ora, aconteceu que me apaixonei por uma alemãzinha que se chamava Luísa. Ela e a tia eram as duas costureiras de roupa branca. A tia era velha, parecia um papagaio; mas vivia honestamente. Eu, a princípio, rondava por debaixo da sua janela, de um lado para o outro; mas depois cheguei a falar com ela. Luísa falava bem o russo, embora gaguejasse um bocadinho... e era tão bonita como nunca vi outra igual. Primeiro, comecei por ver se podia levar alguma coisa... mas ela me respondeu: "Não, isso não pode ser, Sacha; porque eu quero conservar toda a minha inocência para poder um dia ser tua esposa", e fazia-me rapapés e sorria com tal graça... Era tão pura como nunca vi outra. Incitava-me a casar-me. Bem. E por que não havia de casar-me? Já estava decidido a ir procurar o tenente-coronel e expor-lhe o meu desejo de casar-me... Mas depois, que seria?

Uma vez, Luísa falta à entrevista combinada, à segunda não aparece, à terceira não acode... Escrevo-lhe uma carta e não tenho resposta. "Que é isto?", digo para comigo. "Se me enganasse, seria mais esperta, responderia à carta e viria às entrevistas marcadas. Mas ela não se atrevia a mentir; desligar-se-ia, simplesmente. Deve ser a tia", pensei. A tia não me atrevia eu a procurá-la; embora ela estivesse a par de tudo, costumávamos ter os nossos encontros às escondidas. Fiquei num alvoroço; escrevo-lhe uma última carta e digo-lhe: "Se vieres, irei falar com a tua tia". Pois sim, vai falando. Um certo Schulz, alemão, seu parente afastado, relojoeiro, rico e já velho, declarou a sua intenção de casar com ela "Para tornar-me feliz", dizia, "e não se ver sozinho na velhice; diz também que gosta de mim e que havia já algum tempo que tinha esta intenção, simplesmente, estava calado e preparava-se. E olha, Sacha, dizem que é muito rico e que fará a minha felicidade. Será possível que tu queiras privar-me da minha felicidade?" Eu a olho: ela está chorando e abraça-me... "Ah! Os outros é que dizem a verdade", penso eu. Para que casar com um soldado, ainda que seja suboficial? "Bem", digo, "adeus, Luísa. Por nada deste mundo te privaria da felicidade. Mas diz-me: ele é jeitoso?" "Não", disse ela, "já é quase velho e tem um nariz muito comprido..." Ela própria se ria. Deixei-a. "Tenho a impressão", disse para comigo, "de que não vai haver casamento." No dia seguinte de manhã, encaminho-me para a loja dele, na rua que ela me tinha dito. Olho através da vitrina: lá estava o alemão, trabalhando nos seus relógios; aparentava uns 45 anos; tinha o nariz comprido, uns olhos vivos, estava de fraque e colarinho alto. Escarrei e senti ganas de partir o vidro da vitrina. "Para quê?", pensei. "O melhor é ficar quieto. Caiu, caiu numa armadilha!" Ao entardecer fui ao quartel, estendi-me na tarimba e, acredite, Alieksandr Pietróvitch, pus-me a chorar...

Bem. Esse dia passou, e outro, e o terceiro. A Luísa, não a tinha visto. Entretanto, uma alcoviteira (uma velha, também costureira, que às vezes visitava Luísa) veio contar-me que o alemão estava a par dos nossos amores e por isso decidira apressar as coisas. Se não fosse isso ainda teria esperado dois anos. E que tinha feito jurar a Luísa que não voltaria a ver-me; e que tinha as duas na mão, Luísa e a tia; e que ele ainda não pensara em tudo, que ainda não estava completamente decidido. Disse-me também que convidara as duas para tomar café em sua casa, daí a dois dias, no domingo, reunião a que devia assistir também certo parente velho que fora comerciante e que agora se encontrava na maior miséria, ganhando a vida servindo de guarda a umas tabernas. Quando ouvi dizer que podia ser que tudo ficasse decidido no domingo, senti uma tal ira que só com muito custo consegui dominar-me. E nesse dia e no seguinte não fiz outra coisa senão pensar no mesmo. "De boa vontade comeria esse alemão", pensava eu.

No domingo de manhã ainda estava numa indecisão; mas quando saí da missa... tomei uma resolução, embrulhei-me no capote e dirigi-me à loja do alemão. Pensava que ia ali encontrá-los todos. Mas nem eu próprio sabia qual o motivo por que me encaminhava para a loja do alemão nem o que tencionava dizer. Entretanto meti uma pistola no bolso, uma pistola velha, de gatilho antiquado, com a qual brincava em pequeno e que agora já não servia para nada. Mesmo assim meti-lhe uma bala. Pensei: "Hão de tentar correr comigo, armar-se-á barulho e então eu puxo da pistola e meto um susto a todos." Cheguei. Na loja, ninguém; mas estavam todos reunidos atrás da loja. Em redor, nem vivalma, nem um criado. Ele tinha uma alemã que lhe fazia todo o serviço e lhe preparava também a comida. Entro na loja, olho; a porta estava fechada mas era uma porta velha, com uma aldraba. Sinto que o meu coração tem um sobressalto; paro, escuto: falavam em alemão. Dou um pontapé na porta com todas as minhas forças e ela se abre imediatamente. Olho: a mesa está posta, com uma grande cafeteira e o café fervendo na lamparina de álcool; biscoitos; noutra bandeja uma garrafa de aguardente, arenques e salsichas e também uma garrafa de vinho. Luísa e a tia, muito janotas, sentadas no divã. Em frente delas, sentado à mesa, o alemão, o noivo, de trajo domingueiro, de fraque e colarinho engomado, de bicos muito tesos. Na ponta da mesa o outro alemão, homem já velho, gordo, de cabelos brancos, muito calado. Quando eu entrei, Luísa pôs-se muito pálida. A tia deu um pulo do seu lugar. Mas o alemão franziu o sobrolho, ficou sério, levantou-se e saiu ao meu encontro.

– Que deseja? – disse-me.

Fiquei um pouco desconcertado, mas de novo a cólera se apoderou de mim.

– Que desejo? – digo. – Que recebas o teu hóspede como deve ser e lhe ofereças vodca. Vim de propósito para que me convides.

O alemão refletiu um momento e depois disse:

– Sente-se.

Sentei-me.

– Dá-me – disse-lhe eu – um pouco de aguardente.

– Aqui está – disse ele – a aguardente. Se gosta, beba.

– Boa aguardente me deste tu! – disse eu, já completamente enfurecido.

– É verdade, é bem boa.

Sentia-me ofendido porque ele fizesse tão pouco caso de mim. E o pior de tudo era Luísa estar presente. Bebi e disse-lhe:

– Por que me tratas tão mal, alemão? Tu devias ser meu amigo. Eu vim para que ficássemos amigos.

– Eu não posso ser seu amigo – disse ele. – O senhor é um simples soldado.

Quando ouvi aquilo perdi a cabeça.

– E tu és um espantalho – disse-lhe eu –, um salsicheiro! Não sabes que eu posso fazer de ti o que quiser? Queres que te meta uma bala?

Puxo da pistola, levanto o gatilho e encosto-lhe o cano na cabeça, numa fronte. Os outros estavam mais mortos do que vivos, não se atreviam a abrir a boca; mas o velho tremia como a folha duma árvore, calava-se e estava lívido.

A princípio, o alemão assustou-se; mas depois reanimou-se.

– Eu não tenho medo do senhor – disse –, e peço-lhe, como homem educado que é, que acabe com esta brincadeira, embora não me meta medo.

– Oh! Estás mentindo – disse eu. – Tu tens medo! Senão, olhem: com a pistola na fronte, não se atreve sequer a mover-se e deixa-se estar muito quietinho.

– Não. O senhor não se atreve a fazer uma coisa dessas.

– Por que não havia de atrever-me? – disse eu.

– Porque isso não é permitido e, se o fizesse, teria um castigo severo.

Parecia que o diabo queria fazer pouco daquele imbecil alemão. Se ele não me tivesse irritado daquela maneira, a estas horas ainda estaria vivo, porque tudo se teria limitado a uma contenda.

– Com que então não me atrevo, dizes tu?
– Não!
– Não me atrevo?
– De maneira nenhuma se atreverá a fazer uma coisa dessas comigo...
– Ah, não? Então toma lá, salsicheiro!

Mal apertei o gatilho tombou logo na cadeira. Os outros deram um grito. Eu, com a pistola no bolso, escapei-me e, quando cheguei ao forte, atirei a pistola para entre as urtigas, à beira do fosso.

Voltei para casa, estendi-me na cama e disse para comigo: "Hão de vir buscar-me de um momento para o outro". Passam uma hora e outra hora... e não vêm. Mas ao escurecer senti uma tal tristeza que saí; tinha absoluta necessidade de ver Luísa. Passei em frente da relojoaria. Olho: gente e polícias. Então disse à velha: "Vá chamar a Luísa". Espero um momento, olho: Luísa aparece correndo, atira-se-me ao pescoço e desata a chorar: "A culpada de tudo", diz ela, "sou eu, por ter obedecido à tia". Informou-me também que a tia voltara para casa, depois do sucedido, e que ficara tão assustada que até adoecera... mas que não diria uma palavra. "Não disse nada a ninguém e me proibiu de falar; tem medo." Façam o que quiserem! Ninguém nos viu lá, a nós duas. Ele tinha mandado sair a criada porque tinha medo dela. Ela até lhe furaria os olhos se viesse a saber da sua intenção de se casar! Também não estava lá nenhum dos empregados da loja, mandara sair toda a gente. Foi ele próprio quem fez o café e preparou o pequeno almoço. Quanto ao parente, toda a vida se conserva calado e nunca disse nada, e por isso, agora, também não falará; a primeira coisa que fez quando aquilo se passou foi pegar no chapéu e desaparecer. Naturalmente também calará o bico...", disse Luísa.

Assim foi. Durante duas semanas ninguém me veio prender nem ninguém suspeitou de mim. E nessas duas semanas, talvez não acredite, Alieksandr Pietróvitch, fui absolutamente feliz. Todos os dias via Luísa. E ela, agora, tomara uma afeição tão grande por mim! Chorava. "Irei atrás de ti para onde quer que vás. Deixarei tudo por ti!", dizia ela. Eu pensava que já tinha a vida resolvida, ao vê-la assim tão louca por mim. Bem. Mas passadas duas semanas fui preso. O velho e a tia tinham-se posto de acordo e denunciaram-me...

– Mas dê-me licença – disse eu interrompendo Baklúkhin. – Por tudo isso, só devia ter sido condenado a uns doze anos no máximo, com direito a passar, depois desse tempo, para a categoria civil; mas o senhor está na seção especial. Como foi isso arranjado?

– Isso é outro assunto – disse Baklúkhin. – Quando eu compareci diante do Tribunal, o capitão se pôs a insultar-me com as palavras mais feias, diante dos juízes. Eu não pude conter-me e disse-lhe: "Por que me insultas dessa maneira? Então não vês, velhaco, que estás defronte do espelho da justiça?" A partir desse momento a coisa tomou outro aspecto. Fui julgado de novo e ao todo condenaram-me a quatro mil açoites e depois à seção especial. Mas quando me enviaram para aqui para cumprir a pena, enviaram também o capitão; a mim, pela rua verde[26], e a ele, rebaixado na sua hierarquia, para o Cáucaso, como soldado raso. Até a vista, Alieksandr Pietróvitch. Não deixe de assistir à nossa representação.

CAPÍTULO X

A FESTA DO NATAL

FINALMENTE CHEGARAM as festas. Já na véspera de Natal os presos quase não foram ao trabalho. Entraram os da alfaiataria e das oficinas; os outros, se apareceram, foi apenas em pequeno número, e embora houvesse aquém e além alguns isolados, quase todos, sós ou em grupos, voltaram ao presídio, de onde nenhum saiu depois do jantar. E de manhã, a maioria só saiu para tratar dos seus assuntos particulares e não do presídio; mas para tratar da entrada de aguardente e encomendá-la de novo; outros, pediam permissão para ver seus amigos e familiares, ou então para cobrar pequenas somas por trabalhos já executados.

---

26. Metáfora presidiária para designar as filas das vergastas verdes, por entre as quais deviam passar os que tinham que ser supliciados. (N.A.)

Baklúkhin e os que deviam tomar parte na representação teatral... para visitar alguns conhecidos, principalmente impedidos, e receber deles os trajos imprescindíveis. Alguns iam com um aspecto muito alegre e vaidoso, só por verem os outros também contentes e satisfeitos e, embora alguns não tivessem a receber dinheiro em parte nenhuma, parecia que iam também recebê-lo. Em suma: parecia que todos esperavam para o dia seguinte alguma transformação, alguma coisa extraordinária. À tarde, os inválidos que iam ao mercado buscar as encomendas dos presos voltavam carregados com uma quantidade de víveres de todas as espécies: carne de vaca, leitõezinhos e até gansos. Muitos dos presos, até os mais reservados e econômicos, que amealhavam durante todo o ano os seus copeques, consideravam um dever fazer gastos nesse dia, de maneira a celebrarem condignamente a festa. No dia seguinte havia festa verdadeira, rigorosa, formalmente prescrita pela lei. Nesse dia os presos não podiam ser enviados para o trabalho e, dias iguais a esses, só havia três por ano.

E, em última análise, quem sabe quantas recordações não se agitariam na alma daqueles réprobos, naquele dia! Os dias das grandes festas gravam-se profundamente na memória das pessoas simples e logo a partir da infância. São os dias em que se suspendem os trabalhos rudes e em que se reúnem as famílias. Deviam ser recordados com dor e com desgosto, no presídio. O respeito pelo dia solene manifesta-se também entre os presos por certos pormenores; poucos se embebedavam, todos andavam sérios e como que preocupados, embora muitos não tivessem motivo algum para o estarem. Mas até os bêbados se esforçavam por conservar, apesar de tudo, uma certa gravidade... Parecia que o riso estava proibido. A atitude geral era a de uma certa meticulosidade e irritante impaciência e aquele que destoasse do tom geral, embora sem intenção, era imediatamente advertido com gritos e descomposturas, e ficavam aborrecidos com ele como se fosse culpado de irreverência perante a festa. Essa disposição de espírito dos presos era interessante e até comovedora. Além da inata veneração pelo grande dia, os presos pressentiam inconscientemente que, com esse respeito às festas, se uniam assim a todo mundo, que não eram completamente uns réprobos, uns perdidos, uns farrapos abandonados, e que, embora estivessem no presídio, também eram homens. Era evidente e compreensível que era isso o que eles sentiam.

Akim Akímitch fazia também grandes preparativos para a festa. Não tinha relações familiares porque fora criado como órfão numa casa alheia, e entrara para o serviço militar assim que fizera quinze anos, e não tinha havido na sua existência alegrias extraordinárias, pois sempre vivera de modo regular, monótono, sem se desviar nunca dos deveres que lhe tinham prescrito. Também não era muito religioso, porque a moral, segundo parecia, absorvia nele todas as outras qualidades e particularidades humanas, toda paixão e todo desejo, tanto os maus como os bons. E por isso preparava-se para acolher o dia solene não com frivolidade, sem comoção, sem afligir-se com recordações tristes e perfeitamente inúteis, mas antes com essa moral tranquila, metódica, que era afinal apenas a estritamente necessária para o cumprimento do dever e da norma adotados de uma vez para sempre. De maneira geral não gostava de perder muito tempo pensando. Parecia que o significado dos fatos não era para ele o importante, mas cumpria com um escrúpulo sagrado a regra que uma vez lhe ordenavam. Se no dia seguinte o mandassem fazer o contrário, fazia-o com o mesmo esmero e meticulosidade com que realizara o oposto no dia anterior. Uma vez, apenas uma vez na vida, ousara atuar por conta própria... e tinha ido parar no presídio. A lição não lhe foi inútil. E embora o destino não o tivesse feito capaz de compreender, pouco que fosse, aquilo em que podia ser culpado, deduziu da sua aventura a regra salvadora de... não raciocinar nunca, e em caso algum, já que raciocinar não era da sua incumbência, como diziam para si os presos. Cegamente submisso à regra, inclusive ao seu leitãozinho natalício que recheava de *kacha* e depois assava (por suas próprias mãos, pois sabia assar), olhava-o com o devido respeito, como se não fosse um leitãozinho como os outros, que também se podem comprar e assar, mas sim outro especial, festivo. É possível que estivesse desde pequeno acostumado a ver na mesa, nesse dia, um leitãozinho e pensasse que ele era indispensável em tal dia, e estou convencido de que, se alguma vez não tivesse comido leitão nesse dia, havia de conservar durante toda a vida remorsos de consciência por não ter cumprido o seu dever.

Ia à festa metido no seu velho capote e nas suas velhas calças, ainda decentemente remendados mas já completamente puídos. Dir-se-ia que guardava cuidadosamente na sua arca o novo uniforme que lhe tinham entregue quatro meses antes, e que ainda nem sequer lhe tocara, com a risonha ideia de estreá-lo solenemente na festa. E assim foi, de fato. Foi buscá-lo na véspera, desdobrou-o, mirou-o e remirou-o, limpou-o, alisou-o com a mão e depois experimentou-o. Na verdade o sobretudo ficava-lhe muito bem, estava muito bem-feito e podia-se abotoar todo até acima; a gola, como se fosse de cartão, mantinha a barba elevada; o corte tinha qualquer coisa de militar e Akim Akímitch até ria de gosto e pavoneava-se, todo vaidoso, em frente do seu espelhinho, ao qual ele mesmo tinha já posto uma moldura de papel dourado havia já muito tempo. Apenas uma rugazinha junto da gola da jaqueta parecia extemporânea. Assim que a viu, Akim Akímitch decidiu corrigi-la; desfê-la, tornou a provar o sobretudo e finalmente achou-o bem. Tornou então a dobrar tudo, como dantes estava e, com o espírito tranquilo, guardou-o na pequena arca para o outro dia. A cabeça estava satisfatoriamente semirrapada; mas quando se olhou com atenção ao espelho, reparou que não estava toda por igual: havia alguns cabelos espetados e foi imediatamente ter com o major para que o rapasse bem, como devia ser. E ainda que ninguém chegasse a vê-lo no dia seguinte, fez-se rapar só para tranquilizar a sua consciência, para cumprir assim, nesse dia, todos os seus deveres. Veneração perante um pequeno botão, uma botoeira, um nó, tudo isso se lhe gravara no espírito de um modo indelével, sob a forma de um dever indiscutível, e no coração... como a imagem do mais alto grau de beleza a que pode chegar um homem ordenado. Depois de completos todos os seus preparativos, como decano do alojamento, mandou que todos trouxessem feno e esteve observando cuidadosamente como é que o espalhavam pelo chão. O mesmo fazia também nos outros alojamentos. Não sei por que, mas pelo Natal espalhavam sempre feno pelo chão dos alojamentos[27]. Depois, acabadas todas as suas tarefas, Akim Akímitch pôs-se a rezar a Deus; estendeu-se na sua esteira e afundou-se

---

27. Provavelmente para recordar aos fiéis que Jesus Cristo nasceu num estábulo. (N.T.)

imediatamente no sonho duma criança inocente, para levantar-se no dia seguinte o mais cedo possível. Aconteceu depois o mesmo a todos os outros presos. Em todos os alojamentos se deitaram muito mais cedo do que de costume. Suspenderam-se os habituais trabalhos noturnos; de *maidan*, nem falar. Todos esperavam pela manhã seguinte.

Até que ela chegou. Muito cedo, ainda antes de ter nascido o sol, assim que clareou um pouco, abriram os alojamentos e o suboficial de serviço, que entrava para contar os presos, felicitou-os a todos pela festa. Eles lhe responderam com toda a cortesia e amabilidade. Depois de despachar à pressa as suas orações, Akim Akímitch e muitos outros que tinham os seus gansos e leitões na cozinha correram até lá para ver o que faziam deles, como os assavam e como ia isto, aquilo e mais aquilo. Através da escuridão, pelos estreitos janelos salpicados de neve e de gelo, podia-se ver do nosso alojamento que em ambas as cozinhas ardia um fogo claro, que tinha sido aceso ainda antes do amanhecer, em todos os seis fornos. Pelo pátio, na obscuridade, andavam já os presos com os seus pelicos curtos, que alguns traziam no braço; dirigiam-se todos para a cozinha. Mas alguns, poucos, por sinal, se apressavam já a visitar os taberneiros. Eram os mais impacientes. De maneira geral, portavam-se todos com muita dignidade, com muita calma e com um decoro desusado. Não se ouviam nem os insultos habituais nem as costumadas disputas. Todos compreendiam que era aquele um dia grande e uma grande festa. Havia alguns que entravam nos outros alojamentos para felicitar os das suas relações. Revelava-se qualquer coisa parecida com amizade. Tive ocasião de reparar que, entre os presos, não havia amizades; não falo da amizade geral; esta existia, e forte; falo da amizade particular, que podia unir dois presos. Esta quase não existia entre nós, e isto é digno de nota, pois não acontece o mesmo em liberdade. Ali, de maneira geral, eram todos duros uns para com os outros, secos, a não ser com raras exceções, e isto era uma espécie de tom formal, adotado e convencionado de uma vez para sempre. Eu também saí do alojamento, assim que começou a alvorecer; as estrelas empalideciam; uma bruma tênue se elevava nos ares. Das chaminés dos fornos da cozinha subiam densas espirais. Alguns dos presos, com os quais me encontrava no caminho, me felicitavam pela festa, muito afetuosos e amáveis. Eu lhes agradecia e correspondia. Havia alguns deles que, durante todo aquele mês, nem sequer me tinham ainda dirigido uma palavra. Foi já quase na cozinha que me alcançou um preso do alojamento militar, com o pelico ao ombro. Antes de chegar à porta, assim que me viu, gritou: "Alieksandr Pietróvitch! Alieksandr Pietróvitch!" Corria para a cozinha apressadamente. Eu parei e esperei-o. Era um rapaz de cara redonda e com uma expressão agradável nos olhos, muito falador com os outros, mas que, a mim, nem uma só vez sequer me dirigira a palavra, nem ligado a menor importância, desde a data da minha entrada no presídio; eu também não o conhecia nem sabia como se chamava. Aproximou-se de mim, ofegante, e sem mais nem menos colocou-se na minha frente, olhando-me com um sorriso estúpido e, ao mesmo tempo, beatífico.

– Então que há? – perguntei-lhe eu, espantado, ao ver que ele se postava diante de mim, sorria e me olhava com uns olhos muito abertos, mas sem se decidir a falar.

– É que há festa... – murmurou e, adivinhando ao mesmo tempo que não tínhamos mais nada a dizer, afastou-se e dirigiu-se ansioso para a cozinha.

É de notar que, depois disto, quase nunca mais voltei a encontrá-lo e mal trocamos uma palavra até a minha saída do presídio.

Na cozinha, em volta dos fornos que ardiam com uma chama viva, agitava-se um bando, empurrando-se uns aos outros. Cada qual cuidava daquilo que lhe pertencia: os cozinheiros ocupavam-se do rancho, pois nesse dia o almoço começava mais cedo. No entanto, ninguém começara a comer, embora alguns de boa vontade o tivessem feito, mas guardavam as conveniências perante os outros. Esperavam o padre e só depois começariam a quebrar o jejum. Mal acabara de amanhecer quando começaram a ouvir-se, às portas do presídio, os gritos estentórios do cabo da guarda: "Cozinheiros!". Esses gritos soavam a cada momento e prolongaram-se quase por duas horas. Chamavam os cozinheiros para que fossem aceitar os donativos chegados de todas as partes da cidade para o presídio. Afluíam em enorme quantidade, e eram tortas, pão, queijinhos, bolos, massas e outras iguarias de forno. Penso que não devia ter havido nenhuma dona de casa, mulher de comerciante ou burguesa, que não tivesse enviado do seu pão para felicitar pela festa os desgraçados presos. Havia presentes ricos: massas da melhor farinha, enviadas em grande quantidade. E havia também presentes muito pobres, como por exemplo um bolinho de um *groch* e duas tortinhas ordinárias, mal salpicadas de creme; era o presente dum pobre para outro pobre. Eram todos recebidos com a mesma gratidão, sem se fazer distinção entre os presentes e os seus doadores. Quando os recebiam, os presos tiravam os gorros, saudavam, felicitavam pela data festiva e levavam os donativos para a cozinha. Quando se tinham já reunido montões do pão oferecido, chamavam os decanos respectivos e estes distribuíam-no todo em partes iguais, pelos alojamentos. Não havia disputas nem brigas. A divisão fazia-se por igual e honestamente; no que toca ao nosso alojamento, a distribuição foi feita por Akim Akímitch e por outro preso; fizeram-no por sua própria mão, deram a cada um a sua parte. Não houve a mais pequena discussão nem a menor inveja da parte de ninguém; todos ficaram contentes; não podia existir nenhuma suspeita de que tivessem ocultado parte dos donativos ou não reparti-los equitativamente. Depois de ter resolvido os seus problemas na cozinha, Akim Akímitch foi buscar o seu sobretudo, vestiu-o com toda a dignidade e solenidade, alisando a mais pequena ruga e, uma vez vestido, começou a fazer as suas orações. Esteve rezando bastante tempo. Havia já muitos outros que rezavam também, sobretudo velhos. Os novos, de maneira geral, não rezavam; quando muito persignavam-se quando se levantavam e isso só em dias festivos. Depois de ter feito as suas orações, Akim Akímitch dirigiu-se a mim com certa solenidade e felicitou-me pela festa. Convidei-o para o chá e ele a mim, para o leitão. Passado um momento, Pietrov aproximou-se também de mim para felicitar-me. Parecia que já tinha bebido e, embora viesse ofegante, quase não disse nada e ficou diante de mim um momento, numa certa expectativa, e depois encaminhou-se para a cozinha. Entretanto, no presídio militar preparavam-se para receber o padre. Esse presídio tinha uma planta diferente das outras; aí, nos alojamentos, as esteiras estavam alinhadas ao longo das paredes e não no meio do aposento, como em todas as outras, e era o único compartimento do presídio que não tinha coisas a estorvar no centro. Provavelmente deviam tê-lo construído dessa maneira para concentrarem nele os presos, em caso de necessidade. No meio da sala puseram uma mesinha, cobriram-na com um pano branco, colocaram nela uma imagem e acenderam uma lamparina. Por fim chegou o padre com a cruz e a água benta. Depois de rezar e cantar diante da imagem, pôs-se diante dos presos e todos se foram aproximando e beijando a cruz com devoção sincera. Depois disto, o padre foi percorrendo todos os alojamentos e espargiu-os com água benta. Na cozinha gabou o nosso pão de rancho, célebre na cidade pelo seu ótimo sabor, e imediatamente os presos lhe prometeram enviar dois pães acabados de sair do forno; ficou encarregado de os levar um dos inválidos. Despediram-se da cruz com a mesma veneração com que a acolheram e logo depois chegaram o major do presídio e o comandante. Os presos gostavam e apreciavam o comandante. Percorreu todos os alojamentos escoltado pelo major, felicitou-os a todos pela festa, entrou na cozinha e provou a sopa de couves do rancho. Essa sopa era célebre, pois nesse dia destinavam quase uma libra de carne de vitela para cada preso. Além disso havia *kacha* e manteiga à vontade. Depois de o comandante ter provado o rancho, o major deu a ordem para comer. Os presos esforçavam-se por não chamar a sua atenção. Não lhes agradava aquele seu olhar maldoso por debaixo dos óculos, à direita e à esquerda, como se encontrasse qualquer coisa em desordem, como se descobrisse algo que não estivesse em regra.

Começaram a comer. O leitão de Akim Akímitch estava esplêndido. O que não consigo explicar foi isto: assim que o major se retirou, uns cinco minutos depois, apareceu um extraordinário número de bêbados, embora cinco minutos antes todos estivessem completamente serenos. Apareceram muitos rostos corados e reluzentes e surgiram algumas balalaicas. O polaco do violino entrou imediatamente atrás de um bêbado, completamente ébrio, tocando-lhe músicas alegres. A conversa tornou-se mais jocosa e espirituosa. Mas levantamo-nos da mesa sem grande alvoroço. Estavam todos saciados. Muitos dos velhos e dos sérios iam dormir, em seguida, o que Akim Akímitch fez também, supondo, segundo parecia, que nas festas principais não há outro remédio senão fazer uma sestazinha depois do almoço. O velhinho dos "antigos crentes" de Staradúvobo, depois de dormitar também um pouco, encarrapitou-se em cima do fogão, pegou no seu livro e ficou rezando até alta noite, numa oração quase ininterrupta. Custava-lhe ver aquela vergonha, como dizia referindo-se à bebedeira geral dos presos. Todos os cherqueses se tinham sentado no degrau da porta e contemplavam os bêbados com curiosidade mas também com certa repugnância. Aconteceu-me encontrar-me com Nurra: "*Iaman, Iaman!*"[28], disse-me, meneando a cabeça com um desgosto sincero, "Ah, *iaman*! Alá vai ficar zanzado". Issai Fomitch, indiferente e altivo, acendeu uma vela no seu cantinho e pôs-se a trabalhar, dando a entender de maneira evidente que, para ele, aquilo não era uma festa. Em várias partes, pelos cantos, começaram os *maidani*. Não tinham medo dos inválidos, mas puseram sentinelas por causa do suboficial que, apesar disso, procurava fazer vista grossa. O suboficial de guarda revistou três vezes o presídio neste dia. Mas os bêbados escondiam-se, os *maidani* desapareciam antes de ele surgir, e ele parecia também ter a intenção de não reparar nas infrações leves. A embriaguez, nesse dia, era considerada como uma falta leve. Pouco a pouco foram-se embebedando todos. E começaram também as disputas. Entretanto, na maioria mantinham-se lúcidos. De maneira que havia sempre quem reparasse nos bêbados. Em compensação, os que já estavam bêbados continuavam bebendo sem parar. Gázin estava triunfante. Passeava com um ar fanfarrão à volta do seu lugar nas esteiras, debaixo das quais tinha posto a aguardente, escondida até então, Deus sabe onde, entre a neve, para lá dos alojamentos, e sorria ladinamente, olhando os fregueses costumados. Estava sereno e não bebia nem uma gota. Pelo menos não se embebedaria senão no fim da festa, depois de ter esvaziado os bolsos dos presos. Ouviam-se canções pelos alojamentos. Mas a embriaguez degenerava já em bebedeira sufocante e pouco faltava para passarem das canções às lágrimas. Muitos tocavam nas suas próprias balalaicas, de pelicos ao ombro, e tangiam as cordas dos instrumentos ruma atitude fanfarrona. Na seção especial tinha-se formado também um coro, composto de oito homens. Cantavam baixo, com acompanhamento de guitarras e

---

28. Mal! Mal! Exclamação tártara. (N.T.)

balalaicas. Canções honestamente populares, poucas. Lembro-me apenas de uma modinha alegre.

Eu, quando era novo,
Fui a muitas festas...

E aqui escutei também novas variantes dessa canção, que dantes não conhecia. No fim, acrescentavam alguns versos:

Se eu fosse novo,
Levar-me-iam a casa:
Limpavam-me a colher,
Regalavam-me com sopa de couves,
Livravam-me da bebedeira
E ofereciam-me bolachas.

Na sua maior parte cantavam cantigas a que nós chamávamos "de presos", e que todos conhecíamos. Uma delas, *Era...*, tinha carácter humorístico e descrevia como um homem dantes se divertia e vivia senhor de si próprio, em liberdade, ao passo que agora se encontrava no presídio. Referia como dantes bebia champanha, e em compensação, agora...

Dão-me couves com água
E as orelhas gelam-me...

Também era muito conhecida a xácara:

Quando era pequeno, divertia-me,
E tinha o meu capital
Mas ai, o capital voou
E agora estou no presídio...

etc. Simplesmente, não diziam capital, mas "copital", derivando-o da palavra *kopit* (reunir); também cantavam canções sérias. Uma era própria dos presos e, segundo parecia, também era conhecida:

A luz do céu refulge,
O tambor toca a alvorada,
A velha porta abre-se,
O escriba já nos chama.
Por detrás dos muros ninguém vê
Como vivemos aqui;
Mas Deus está conosco,
Ainda que nos mantenha assim etc.

Cantava-se também outra canção mais melancólica, aliás lindíssima, escrita provavelmente por algum preso de falas mansas e inculto. Agora só me lembro de alguns versos:

Os meus olhos não veem a terra
Em que vim ao mundo;
É horrível ser inocente,
E estar condenado ao martírio.
Sobre o telhado a coruja pia
E esvoaça pelos bosques;
Também o meu coração sofre e chora
Por não estar aí.

Esta canção cantavam com muita frequência, não em coro mas a uma só voz. Acontecia às vezes que um preso, em dia de festa, subia para o degrau do alojamento, sentava-se, punha-se a meditar, acariciava a face com a mão e entoava essa canção num falsete agudo. Quando o ouvíamos parecia que o nosso coração se dilacerava. Havia boas vozes entre os presos.

Entretanto começara já a escurecer. Através da tristeza, da melancolia e de um vago pesar infantil, aparecia a embriaguez e o aturdimento. Aqueles que se riam, havia ainda uma hora, choravam agora em qualquer canto, completamente bêbados. Outros tinham tido já oportunidade para brigar. Outros ainda, pálidos, mal se sustendo nas pernas, vagueavam pelos alojamentos e armavam confusão. Até aqueles nos quais a aguardente produzia um efeito pacífico, procuravam em vão amigos a quem abrir a sua alma e chorar com eles a sua amarga embriaguez. Toda essa pobre gente desejava animar-se, celebrar alegremente a grande festa... mas, santo Deus, que duro e triste era aquele dia para quase todos! Cada um passava-o o melhor que podia, aferrando-se a alguma ilusão. Pietrov aproximou-se de mim ainda por mais duas vezes. Tinha bebido pouco durante o dia e estava quase completamente lúcido. Mas até a última hora daquele dia esteve sempre à espera de que havia de acontecer infalivelmente qualquer coisa, qualquer coisa extraordinária, festiva e alegre. Embora não tivesse falado acerca disso, podia ler-se nos seus olhos. Andava sem descanso de alojamento para alojamento. Mas não chegou a acontecer nada de extraordinário nem houve mais nada senão bebedeiras, tagarelice incoerente de bêbados e cabeças esquentadas pela aguardente. Sirótkin passeou também com uma blusa vermelha nova por todos os alojamentos, bonito, lavado, e também calmo e simples, como se esperasse alguma coisa. Pouco a pouco tornou-se intolerável e repugnante permanecer nos alojamentos. Não há dúvida de que havia ali muitas coisas ridículas, mas eu tinha uma certa pena e dó de todos eles, e então me invadiam a dor e a tristeza. Eis que, de súbito, dois presos começam a discutir sobre qual deles há de convidar o outro. Vê-se que discutem já há muito tempo e que antes disto já deviam ter brigado por mais de uma vez. Um deles, sobretudo, parece ter uma velha embirração contra o outro. Este se queixa e procura demonstrar por palavras que foi injustamente tratado; houve não sei quem que comprou um pelico, não se sabe quando, alguém guardou uns dinheiros, mas tudo isso foi no ano anterior, na semana da manteiga. No entanto havia qualquer coisa, além disso... O queixoso... um rapagão alto e forte, nada tolo, amável mas bêbado, tem agora o desejo de travar amizades e desabafar a sua amargura. Insulta também e depois mostra o intento de reconciliar-se sinceramente com o seu adversário. O outro é forte, de estatura mediana, cara redonda, astuto. Talvez tivesse bebido mais que o seu companheiro, mas só se embriagou levemente. Tem personalidade e fama de endinheirado; mas agora não lhe convém irritar o seu expansivo amigo por alguma razão e leva-o para a taberna; o amigo afirma que tem a obrigação e se comprometeu a levá-lo a ela, se é que é um homem honrado.

    O taberneiro, com algum respeito pelo freguês e com as suas mostras de desdém para com o amigo expansivo, por não beber do seu, mas sim à custa alheia, puxa da garrafa e serve-lhe um copo de aguardente.

— Não, Stiopka, tu tens a obrigação – disse o amigo expansivo ao ver que não faz caso dele –, porque é a tua obrigação.

— Não vale a pena estar gastando saliva por tua causa! – responde Stiopka.

— Não, Stiopka, tu mentes – afirma o primeiro, tirando o copo das mãos do taberneiro –, porque tu me deves dinheiro ou então não tens consciência e falta-te um olho, porque também o emprestaste! És um velhaco, Stiopka, um velhaco é o que tu és, sem tirar nem pôr!

— Bem, deixa-te de insultos, senão entornas a aguardente! Já que te fazem a honra de convidar-te, bebe! – grita o taberneiro para o amigo expansivo. – Ou tenho de estar à espera que bebas, até amanhã?

— Já bebo. Mas por que gritas? Hoje é dia de festa, Stiepan Dorofiéietch – e com uma reverência, voltou-se para o outro, para Stiopka, ao qual havia pouco chamara velhaco. – Que vivas com saúde por cem anos, sem contar os que já viveste! – bebeu, pigarreou e limpou a boca com as costas da mão. – Dantes, meus amigos, eu aguentava muita aguardente – observou com seriedade, como se se dirigisse a todos e não a algum em particular –, mas agora começo já a sentir o peso dos anos. Muito obrigado, Stiepan Dorofiéietch.

— Não tem de quê.

— Mas sempre te vou dizendo, Stiopka, que, à parte isto, tu és um grande velhaco para mim, sempre te digo...

— E eu, a ti, digo que és um bêbado indecente – interrompeu-o Stiopka, perdendo já a paciência. – Escuta bem cada uma das minhas palavras; este é o mundo: metade é para ti, metade para mim. Vai-te e não tornes a aparecer-me. Estou farto!

— De maneira que não dás o dinheiro?

— Que dinheiro te hei de dar eu, meu cachaceiro?

— Ah, sim! Pois hás de ir ter ao outro mundo para o devolveres... Mas então eu não o aceito. O nosso dinheiro foi bem ganho, custou suor e calos. Hás de ir para o outro mundo por causa dos meus cinco copeques.

— Vai para o diabo que te carregue!

— Para que me acossas? Não sou nenhum cavalo.

— Puxa, puxa!

— Velhaco!

— Forçado!

E os insultos tornaram-se agora ainda mais fortes do que antes do copo de aguardente.

Nas esteiras estão sentados dois amigos perto um do outro; um é alto, forte, vigoroso, um verdadeiro magarefe, de rosto corado. Pouco lhe falta para chorar porque está muito comovido. O outro é muito fraco, magro, de nariz comprido, que parece pingar-lhe, e uns olhinhos de suíno fixos no chão. É um homem delicado e educado; noutro tempo foi escriturário e trata o amigo com um pouco de altivez, pois no íntimo não vai com ele. Passaram o dia todo bebendo juntos.

— Excedeu-se! — grita o gordo, virando com força a cabeça do escriturário, com a mão esquerda, e segurando-a. O amigo gordo, que veio da classe dos suboficiais, inveja em segredo o seu amigo magro, e por isso falam um ao outro num estilo muito rebuscado.

— Pois eu te afirmo que não tens razão — começa o escriturário, dogmático, sem levantar os olhos para ele e fitando o chão com teimosa gravidade.

— Excedeu-se, não o ouves? — vocifera o outro, sacudindo ainda mais o seu querido amigo. — Tu és a única pessoa que me resta no mundo, compreendes? Por isso é só contigo que me abro; faltou à promessa que me fez!

— Torno a dizer-te, querido amigo, que essa azeda justificação só representa uma vergonha para o teu cérebro — responde o escriturário numa voz fraca e leve —, e farias melhor em reconhecer, querido amigo, que toda essa bebedeira é efeito da tua inconstância pessoal.

O amigo gordo deita-se um pouco para trás, fica olhando estupidamente com os seus olhinhos de bêbado para o vaidoso escriturário e, de repente, de maneira completamente inesperada, descarrega com toda a força o seu enorme punho sobre a cara daquele. Assim termina a sua amizade nesse dia. O caro amigo jaz de sentidos perdidos sobre a esteira.

Mas eis que entra no nosso alojamento um amigo meu, da seção especial, um rapaz muitíssimo jovial, bonacheirão, esperto, gracejador inocente e muito ingênuo. É o mesmo que no primeiro dia da minha estada no presídio, na cozinha, depois do rancho, perguntava onde é que vivia algum ricaço, afirmando que era ambicioso, e ao qual convidei para o meu chá. Devia ter quarenta anos, lábio inferior muitíssimo grosso, e nariz grande e gordo, marcado de pústulas. Tinha uma balalaica nas mãos, na qual tocava com indolência. Atrás dele vinha, como que a reboque, um condenado muito pequenino, com cabeça enorme, que eu só conhecia de vista. Aliás, ninguém reparava nunca nele. Era um indivíduo um pouco estranho, desconfiado, sempre calado e sério; trabalhava na alfaiataria e se esforçava visivelmente por viver retraído e não se relacionar com ninguém. Agora, bêbado também, pegava-se a Varlámov como a sua sombra. Seguia-o com uma terrível comoção, magoava os próprios braços, dava punhadas na parede, nas esteiras e quase choramingava. Segundo parecia, Varlámov não reparava nele nem por um momento, como se não o tivesse ao seu lado. É de notar que, até então, nunca esses dois homens tinham andado juntos; nem pela sua profissão nem pelo seu caráter havia nada de comum entre eles. Além disso pertenciam a seções diferentes e viviam também em alojamentos diferentes. O preso pequenino chamava-se... Búlkin.

Quando me viu, Varlámov riu-se francamente. Eu estava sentado na minha esteira, perto do fogão. Ele se plantou na minha frente; pareceu refletir um momento, depois voltou-se e, aproximando-se com passos hesitantes e arranhando levemente as cordas da sua balalaica, começou a recitar, batendo o compasso com os pés:

Rosto redondo, rosto branco,
Canta como o rouxinol.
Minha querida,
Com o seu vestidinho de cetim,
Com o seu lindo folho
Tão bonita.

Dir-se-ia que Búlkin tirara essa canção da sua cabeça; e movimentava os braços e, encarando com todos, gritou:

– É tudo mentira, meu amigos, tudo mentira! Não diz nem uma palavra verdadeira; tudo mentira!

– Velhinho Alieksandr Pietróvitch! – exclamou Varlámov com um sorriso ambíguo, olhando-me na cara e como se estivesse disposto a dar-me um beijo. Estava bêbado. A expressão Velhinho Fulano equivalia a Fulano, os meus respeitos, e empregava-se em toda a Sibéria, até em referência a um jovem de vinte anos. A palavra velhinho significava qualquer coisa de respeitável, digno de referência e lisonjeiro.

– Então, Varlámov, então, que tal?

– Vai-se andando. Mas quem celebra a festa começa por embebedar-se. Queira desculpar-me! – Varlámov falava com uma certa ênfase.

– É tudo mentira, tudo mentira! – gritou Búlkin desancando as esteiras com desespero. Mas, por mais que gritasse, não conseguia que lhe dessem um mínimo de atenção, o que era muito cômico, pois Búlkin atrelara-se a Varlámov desde a manhã, não por isto ou por aquilo, mas sim precisamente porque Varlámov não fazia outra coisa senão mentir, como, não sei por que razão, lhe parecia. Seguia-o como uma sombra; investia com ele a cada palavra, gesticulava; esmurrava as esteiras e as paredes com os punhos, até se ferir; parecia sofrer, no seu íntimo, por Varlámov mentir sempre. É muito provável que, se tivesse cabelos na cara, os tivesse arrancado de tão furioso que estava. Parecia que a si próprio se tinha imposto a obrigação de responder por todas as mentiras de Varlámov, nem mais nem menos, como se pesassem sobre a sua consciência todos os defeitos de Varlámov. Mas o mais engraçado é que este nem sequer olhava para ele.

– Tudo mentira, tudo mentira, tudo mentira! Nem uma sequer das suas palavras é verdade! – gritava Búlkin.

– E isso que te importa? – respondiam-lhe os presos rindo.

– Participo-lhe, Alieksandr Pietróvitch, que fui um rapaz muito jeitoso e que as moças eram doidas por mim... – começou Varlámov de repente, sem mais nem menos.

– Mentira! Outra mentira! – atalhou Búlkin num gemido. Os presos desataram a rir.

– E eu, fazia-me todo presumido diante delas: camisa encarnada, calças largas e pregueadas, num esmero, como o Conde Butílkin[29], isto é, bêbado como um sueco; numa palavra... Que mais podia eu desejar?

---

29. Nome simbólico para designar a garrafa. (N.T.)

– Mentira! – afirmou Búlkin energicamente.

– Mas nesse tempo tinha eu, pelo lado do meu pai, uma casa de pedra de dois andares. Pois em dois anos dei cabo de tudo, ficaram-me só as portas, sem falar nos gonzos. É que o dinheiro... é como as pombas, vem e vai-se!

– Mente! – afirmou Búlkin ainda mais energicamente.

– Por isso agora me lembrei e escrevi daqui a meus pais uma carta de partir o coração; talvez me mandem dinheiro. Andavam sempre dizendo que eu me portava mal com os meus pais, que não lhes tinha respeito! Já decorreram sete anos que lhes mandei essa cartinha.

– E não tiveste resposta? – perguntei-lhe eu sorrindo.

– Não – respondeu ele, sorrindo também de repente e aproximando ainda mais o seu nariz do meu rosto. – Mas eu, Alieksandr Pietróvitch, tenho uma noiva aqui...

– Você? Uma noiva?

– Ainda há pouco tempo Anúfriev dizia: "Pode ser que a minha garota seja picada das bexigas, feia; mas em compensação tem muitos vestidos, ao passo que a tua é pobre como uma mendiga e veste roupa grosseira".

– E isso é verdade?

– Certo que é uma mendiga! – respondeu ele e esboçou um leve sorriso; ouviram-se também gargalhadas no alojamento. De fato, todos sabiam que estava em relações com uma mendiga e que em meio ano lhe dera dez copeques.

– Bem, e que mais? – perguntei, desejando ver-me finalmente livre dele.

Calou-se, olhou-me, comovido, e disse com ternura:

– Por causa disso, o senhor podia convidar-me para um trago de aguardente? Olhe, Alieksandr Pietróvitch, eu, durante todo o dia, só bebi chá – acrescentou, melancólico, pegando no dinheiro –, e tomei tanto chá que me sinto sufocado e o chá me chocalha no estômago como numa garrafa...

Quando ele aceitou o dinheiro, a moral intempestiva de Búlkin pareceu ter atingido o paroxismo. Pôs-se a gesticular desoladamente e pouco lhe faltou para se pôr a chorar.

– Gente de Deus! – exclamou, dirigindo-se a todo o alojamento com estupefação. – Olhem para ele! Tudo quanto diz é mentira! Diga o que disser, tudo, tudo, tudo é mentira!

– Mas a ti que te importa? – gritavam-lhe os presos, admirados da sua veemência. – És um malcriado!

– Não consinto que minta! – exclamou Búlkin deitando chispas pelos olhos e descarregando punhadas com todas as suas forças nas esteiras. – Não quero que minta!

Deram todos uma gargalhada. Varlámov guarda o dinheiro, faz-me um gesto de agradecimento e, fazendo trejeitos, sai do alojamento em direção ao taberneiro, provavelmente. E parece então reparar nesse instante, pela primeira vez, em Búlkin.

– Vamos lá! – diz-lhe, parando à porta, como se realmente precisasse dele para alguma coisa. – Grande trambolho! – acrescenta com desdém, empurrando à sua frente o acalorado Búlkin e pondo-se outra vez a arranhar a balalaica. Mas como descrever aquele barulho! Até que por fim aquele dia opressivo acabou. Os presos deixam-se cair pesadamente nas esteiras. Durante o sono todos falam e deliram ainda mais do que nas outras noites. Jogam as cartas em qualquer canto. Há já algum tempo que o dia tão desejado passou. Amanhã recomeçará a rotina, o trabalho outra vez.

CAPÍTULO XI

O ESPETÁCULO

Três dias depois do Natal, certa noite realizou-se a primeira representação no nosso teatro. Os preparativos para a sua organização deviam ter sido muitos; mas os atores arranjaram-se de tal maneira que nós não percebíamos o caminho que as coisas iam levando nem do que faziam, ao certo. Também não sabíamos bem o que iam representar. Todos os atores, durante aqueles três dias, ao se dirigirem para o trabalho, esforçavam-se o mais que podiam por arranjar os trajos necessários. Baklúkhin, quando se encontrava comigo, limitava-se a fazer castanholar os dedos, de tão contente que andava. Parecia que o major do presídio também estava de bom humor. Aliás, nós ignorávamos completamente se ele sabia qualquer coisa do teatro. Se sabia, daria autorização formal ou decidiria simplesmente guardar silêncio, encolhendo os ombros perante aquela travessura dos presos e exigindo, naturalmente, que tudo se fizesse o mais ordenadamente possível. Penso que ele estava a par do teatro, que fatalmente havia de saber, mas que não queria imiscuir-se no assunto, compreendendo que talvez fosse pior proibi-lo; os presos costumavam fazer disparates, embebedarem-se, por isso era preferível que se ocupassem com qualquer coisa. Atribuo este pensamento ao major do presídio, unicamente por ser o mais natural, provável e santo. Também poderia acontecer que dissesse para consigo: "Se os presos não arranjassem teatro nos dias festivos ou alguma distração do gênero, seriam os próprios superiores que deviam encarregar-se de imaginá-lo". Mas como o nosso major se distinguia precisamente pela sua maneira de pensar diferentemente de todos os outros mortais, incorro em imprudência ao atribuir-lhe tamanha responsabilidade, supondo que estava informado da representação e que tinha o seu consentimento para ela. A um homem como o major era absolutamente necessário oprimir sempre alguém, tirar algo a qualquer outro, despojar um terceiro dos seus direitos; em suma, alterar a ordem de qualquer maneira. A este respeito era célebre em toda a cidade. Que lhe importava que, precisamente por causa da sua opressão, se produzissem atrevimentos no presídio? O castigo fez-se para a insolência (assim pensam os indivíduos da têmpera do nosso major); com esses patifes dos presos é preciso uma severidade rigorosa, aplicação estrita da lei... Isso é que é preciso e nada mais! Estes inflexíveis cumpridores da lei não compreendem que a sua aplicação estrita, sem discernimento, sem compreensão da sua alma, conduz diretamente à desordem e nada mais pode gerar senão desordem. "A lei é que o diz, portanto, que mais?", dizem eles e espantam-se sinceramente de que se exija como complemento, ao aplicar a lei, um juízo são e uma mente lúcida. Sobretudo isto parece a muitos deles um luxo supérfluo e irritante, uma opressão feita sobre a sua personalidade, uma intolerância.

Mas, fosse como fosse, o suboficial decano não foi desfavorável à pretensão dos presos e disto é que eles precisavam. Posso afirmar que o teatro e a gratidão por o terem consentido eram a causa de que, nos dias festivos, não se produzissem em todo o presídio uma desordem séria, nem um roubo. Fui testemunha de que os forçados faziam calar alguns bêbados e brigões, somente com o receio de que proibissem o teatro. O suboficial obteve a palavra dos presos de que tudo se faria com ordem e de que eles se portariam bem. Concordaram e cumpriram religiosamente a sua promessa; ficaram muito lisonjeados por terem confiado na sua palavra. É preciso dizer também que dar consentimento para a realização do teatro não implicava o menor sacrifício para os superiores. Não era necessário marcar previamente os lugares; o teatro armava-se e desarmava-se num quarto de hora. A representação devia durar uma hora e meia e, se se recebesse de repente indicação superior para suspender a representação... tudo seria recolhido num instante. Os trajos tinham-nos os presos escondidos nos seus baús. Mas, antes de mais, quero dizer como arranjaram o teatro e quais eram concretamente esses trajos, e falarei do programa do teatro; isto é, do espetáculo que se propunham representar.

Não havia um programa especial manuscrito. Para a segunda ou terceira representação apareceu um, redigido por Baklúkhin, destinado aos senhores oficiais e aos importantes visitantes que tinham honrado o teatro com a sua presença, na primeira representação, e que eram: dos senhores, assistiam geralmente o oficial de reserva, e uma vez assistiu também o próprio oficial encarregado do comando dos oficiais da guarda. Assistiu também uma vez o oficial engenheiro; nesses casos forneciam programas a esses espectadores. Os presos supunham que a fama do nosso teatro presidial se estendia até bem longe, pelo forte e até pela cidade, tanto mais que nela não havia teatro. Quando muito haveria algum espetáculo de amadores. Os presos ficavam contentes como crianças por menor que fosse o êxito e punham-se todos ufanos. "Quem sabe", pensavam e diziam no seu íntimo, para consigo, "se os chefes superiores virão a saber e virão assistir; então é que eles veriam o que são os presos!" Não se tratava de nenhum espetáculo de soldados, com espantalhos, barcos flutuantes e ursos e cabras que se põem de pé. Aqui são atores, verdadeiros atores, que representam uma comédia de "senhores"; um teatro assim não existe na cidade. Dizem que o general Abróssimov deu uma vez um espetáculo e que ainda há de dar mais; pois bem, pode ser que em matéria de guarda-roupa nos levem a palma, mas, quanto ao diálogo, devia ficar muito abaixo do nosso. A sua fama chegou até o governador e "Quem sabe" – o diabo tece-as – "é possível que sinta vontade de vir ver. Na cidade não há teatro..." Enfim, a fantasia dos presos, sobretudo quando do primeiro êxito, tocou o extremo nos dias festivos, chegaram até a imaginar recompensas ou abreviação do prazo dos trabalhos, embora ao mesmo tempo se pusessem logo depois a rir como crianças dos seus próprios sonhos. Eram umas crianças, completamente umas crianças, apesar de alguns dos que representavam terem já os seus quarenta anos.

Mas, apesar de não haver programas, eu conhecia já a grandes traços o programa do projetado espetáculo. A primeira peça era *Filatka e Mirochka, rivais*. Baklúkhin, uma semana antes do espetáculo, afirmou diante de mim que o papel de Filatka, que estava a seu cargo, havia de ser desempenhado de uma maneira como não o faziam no teatro em Petersburgo. E repetia isso pelos alojamentos, gabava-se de um modo descarado e sem ponta de vergonha, mas, ao mesmo tempo, com a mais completa bonacheirice: às vezes, de repente, dizia qualquer coisa de teatral, isto é, que pertencia ao seu papel, e todos desatavam a rir, tivesse ou não graça aquilo que ele dizia. Quanto ao mais, devo reconhecer que os presos souberam dominar-se e manter a sua dignidade; para admirar as tiradas de Baklúkhin e falar dos preparativos do teatro, era preciso ser, ou novato sem autodomínio, ou então um forçado cuja autoridade estivesse solidamente estabelecida e que pudesse exprimir os seus sentimentos sem rodeios, ainda os mais ingênuos (o que no presídio é o pior dos defeitos). Os outros escutavam os boatos e calavam-se; verdadeiramente não censuravam nem contradiziam; mas punham o maior empenho em receber os rumores acerca do teatro com indiferença e, em parte, também com desdém. Somente no fim, já quase no próprio dia do espetáculo, é que começaram todos a interessar-se. "Que será? Que farão eles? E o major? Sairá tudo tão bem como há dois anos?" etc. Baklúkhin afirmava-me que os atores tinham sido muito bem escolhidos, que cada um deles estava onde devia estar. E que já tinham o pano. Que o papel da noiva de Filatka seria feito por Sirótkin. "Há de ver como ele fica, vestido de mulher", dizia, piscando o olho e dando estalos com a língua. A "Caseira benfeitora" teria um vestido com folhos pregueados, uma capa e uma sombrinha na mão; e o "Caseiro benfeitor" usaria um sobretudo de oficial com dragonas e uma bengala de punho. Depois vinha a segunda peça dramática: *Kiedril, o glutão*. O título interessou-me bastante; mas, por mais que perguntasse pormenores da obra, nada pude saber antecipadamente. Sabia unicamente que não tinha sido tirada de nenhum livro, mas de uma cópia manuscrita; que a tinham obtido de certo oficial reformado que vivia nos arrabaldes e que provavelmente a teria visto representar alguma vez em algum teatro de quartel. Entre nós, em cidades e capitais remotas, há peças teatrais deste gênero que, segundo parece, não tem autor conhecido, que toda a gente conhece, que talvez nunca tivessem sido impressas e constituem e representam, só por si, o patrimônio indispensável de todo teatro popular na zona conhecida da Rússia. Disse teatro popular intencionalmente. Seria muito acertado que algum dos nossos eruditos se ocupasse nessas investigações, mais escrupulosos do que até aqui, acerca do nosso teatro popular, o qual existe e pode ser até que tenha algum valor. Não quero acreditar que tudo quanto vi depois entre nós, no nosso teatro presidial, fosse invenção dos nossos presos. Trata-se, sem dúvida, de uma herança da tradição, de ideias e conceitos estabelecidos de uma vez para sempre e que se vão transmitindo de geração em geração e desde tempos imemoriais. É preciso ir procurá-las entre os soldados e os operários das fábricas, nas cidades fabris e também em alguns ignorados e pobres vilórios, e entre a gente rica. Conservam-se também nas aldeolas e nas capitais dos distritos, entre os servos das grandes casas de proprietários. Penso também que muitas peças antigas se espalharam em cópias pela Rússia, por intermédio dos servos da classe senhorial. Os senhores e os nobres moscovitas de outrora tinham os seus teatros particulares a cargo de artistas servos. E foi nesses teatros que nasceu a nossa arte dramática popular, cujas características são inconfundíveis. Pelo que respeita a *Kiedril, o glutão*, por muito grande que fosse a minha vontade, nada pude saber com antecedência, a não ser que entravam em cena os espíritos do mal e levavam Kiedril para o inferno. Mas que significava isso de Kiedril e, finalmente, por que havia de ser Kiedril e não Kidril? Tratava-se de uma peça de origem nacional ou estrangeira? Nada disso consegui averiguar. Por último tornou-se público que iam representar uma pantomima com música. Não há dúvida de que tudo isso era muito curioso. Eram quinze os atores, todos gente esperta e hábil. Rebuliam, ensaiavam, às vezes por detrás dos alojamentos; ocultavam-se, escondiam-se. Em suma: queriam assombrar os outros com qualquer coisa de extraordinário e inesperado.

Nos dias de trabalho o presídio fechava cedo, assim que anoitecia. Mas durante a quadra do Natal faziam uma exceção; só fechava à hora de recolher. Esta exceção era especialmente favorável para o teatro. Durante a época festiva, todos os dias, antes de anoitecer, enviavam alguém do presídio a pedir humildemente ao oficial da guarda "que desse autorização para o teatro e não fechasse logo o presídio", acrescentando que à noite havia teatro e era preciso ele estar aberto; e que não se produziria nenhuma desordem. O oficial de guarda fazia este raciocínio: "De fato, ontem, não houve desordem e agora me dão eles a sua palavra que esta noite também não haverá; isto é, eles se encarregam de vigiar e isto é o melhor de tudo. Se não dou autorização para o espetáculo, não seria improvável (sabe-se lá, sempre são presidiários!) que provocassem intencionalmente alguma desordem e fizessem sair a guarda." E por fim este outro: "Isto aqui, no corpo da guarda, é um aborrecimento, ao passo que aí há um teatro, não um simples teatro de soldados, mas de presos, e os presos são gente curiosa; será uma distração ir vê-los". O oficial da guarda tinha sempre o direito de assistir.

Aparece o chefe de serviço e diz: "Onde está o oficial?" "Foi no presídio contar os presos e fechar os alojamentos." Primeira resposta e primeira desculpa. E assim, os oficiais da guarda, todas as noites, enquanto duraram as festas, deram a sua permissão para o teatro e só fecharam os alojamentos até a hora de recolher. Os presos sabiam de antemão que da parte do guarda não haveria obstáculo e estavam tranquilos.

Às sete horas Pietrov veio ter comigo e saímos juntos para assistir ao espetáculo. Do nosso alojamento vieram quase todos, exceto o velho crente e os polacos. Os polacos só na última representação, a quatro de janeiro, é que se decidiram a assistir ao teatro e isso apenas depois de se ter afirmado a eles muitas vezes que estava tudo muito bem, divertido e tranquilo. A altivez dos polacos fazia sofrer os presos; mas no dia quatro de janeiro tiveram um acolhimento muito amável. Até lhes guardaram os melhores lugares. Quanto aos circassianos, e sobretudo para Issai Fomitch, o nosso teatro foi um verdadeiro prazer. Issai Fomitch dava cada noite uns três copeques, e na última pôs dez na bandeja, e no seu rosto se refletia a felicidade. Os atores iam recolhendo da mão dos espectadores o que estes entendessem por bem dar, e os donativos se destinavam ao teatro e ao próprio conforto. Pietrov garantia que haviam de dar-me um dos primeiros lugares, por muito cheio que o teatro estivesse, fundamentando-se em que eu, por ser mais rico do que os outros, provavelmente daria mais, para não falar naquilo que eu sabia mais do que eles, daquelas coisas. Assim aconteceu. Mas descreverei em primeiro lugar a sala e a aparência do teatro.

O nosso alojamento militar, no qual armaram o teatro, tinha quinze passos de largura. Do pátio subia-se por uma escadinha; da escadinha passava-se para o andar e do andar para o alojamento. Este alojamento comprido, como já disse, tinha uma construção especial: as esteiras eram encostadas à parede, de maneira que o centro do compartimento ficava livre. A metade da sala mais próxima da entrada, com o degrau, foi deixada para os espectadores; a outra metade, que se comunicava com outro alojamento, foi destinada para cenário. Antes de mais, o que sobretudo me chocou foi o pano de fundo. Apanhava uns dez passos de todo o alojamento, à largura. Era um pano de tal luxo que, na verdade, causava admiração. Além disso era pintado a óleo; representava um campo com caramanchões, lagos e estrelas. Era de pano, novo e velho, conforme aquilo que cada um tinha dado e sacrificado; de batas e camisas velhas dos presos, cosidas umas às outras, para formar uma peça grande e, finalmente, parte dela, para a qual o pano não chegara, era simplesmente de papel, formado também da mesma maneira, às folhas, angariadas em várias oficinas e escritórios. Os nossos pintores, entre os quais se distinguia também "Briúlov" isto é, A...v, encarregaram-se de pintá-lo e decorá-lo. De fato, era surpreendente. Um tal luxo alegrava até aos presos mais severos e impassíveis, os quais, ao presenciarem o espetáculo, pareciam todos tão criançolas como os mais vivos e ruidosos. Estavam todos muito contentes, até exageradamente contentes. A iluminação consistia em algumas velas de sebo partidas em pedaços. Em frente do pano havia dois bancos da cozinha e, diante dos bancos, três ou quatro cadeiras que tinham vindo do quarto do suboficial. Essas cadeiras destinavam-se aos oficiais, mas pareciam ter sido colocadas ali por acaso. Os bancos eram para os suboficiais e para os escriturários dos serviços de Engenharia para os vigilantes e mais pessoal subalterno, assim como para os superiores que não tinham grau de oficial. E foi o que aconteceu: não faltaram visitantes de todas as categorias durante a festa; numas tardes foram mais, noutras menos; mas no último espetáculo não ficou desocupado nem um só dos bancos. E, por fim, os presos se colocaram atrás dos bancos de pé, por respeito para com os visitantes sem gorro, com as jaquetas e meios pelicos, apesar do ambiente, denso, da sala. Não há dúvida de que o lugar destinado aos presos era muito exíguo. Além de estarem literalmente sentados uns em cima dos outros, sobretudo nas últimas filas, também as esteiras e os entrebastidores estavam ocupados e, finalmente, havia entusiastas que afluíam sem cessar ao teatro, vindos do outro alojamento e, havia ainda, por detrás dos entrebastidores traseiros, quem assistisse ao espetáculo. A exiguidade da primeira metade do alojamento era extraordinária, comparável à exiguidade e aperto que havia pouco eu tinha visto no banho. A porta do vestíbulo estava aberta: nele, onde a temperatura era de vinte graus, havia também gente apinhada. Empurravam-nos para a frente, a mim e a Pietrov, quase para os bancos, onde se via muito melhor do que nos lugares de trás. Não há dúvida de que me tinham por um crítico, que já tinha visto outros espetáculos; sabiam que Baklúkhin durante todo aquele tempo se aconselhara comigo e me tratava com respeito; para mim tinham honras e um lugar. Não façamos reparo em que os presos eram gente vaidosa e aturdida; mas tudo isto era só na aparência. Os presos podiam rir-se de mim, ao ver que eu era o pior de todos os que os ajudavam no trabalho. Almázov podia olhar-nos, a nós, os nobres, com desdém, gabando-se diante de todos da sua habilidade para triturar o calcário. Para os seus vexames e troças contribuía também outra coisa: nós tínhamos sido nobres noutro tempo, pertencíamos à mesma classe que os seus antigos senhores, dos quais não podiam guardar boas recordações. Mas agora, no teatro, afastavam-se diante de mim. Reconheciam que, em assuntos teatrais, eu podia julgar melhor do que eles, que via e sabia mais. Até aqueles que não me encaravam com simpatia (eu sabia que assim era) desejavam agora os meus elogios para o seu teatro e, sem a menor humilhação, procuravam-me o melhor lugar. É o que penso agora, ao evocar as minhas impressões de então. Parecia-me que na sua justa opinião acerca de si mesmos não havia nada de baixeza e apenas o sentimento da dignidade pessoal. O traço característico mais elevado e enérgico do nosso povo é o sentimento da justiça e uma ânsia dela. O vaidoso costume de se pôr diante de toda a gente, nas primeiras filas, seja como for, mereça-se ou não se mereça, não existe no nosso povo. Basta somente levantarmos a casca exterior, artificial, e olhar para o miolo atentamente, mais de perto, sem preconceitos, para descobrirmos no povo propriedades de que não suspeitávamos. Os nossos sábios não podem ensinar grande coisa ao povo. E mais, afirmo decididamente que teriam até muito a aprender com ele.

Assim que entramos no teatro, Pietrov disse-me ingenuamente que me colocariam à frente pelo motivo de eu dar mais dinheiro. Não havia preço fixo: cada um dava o que podia e queria. Quase todos davam qualquer coisa, ainda que fosse só um *groch*, quando lhe apresentavam a bandeja. Mas a mim, se me colocaram à frente, foi em parte pelo dinheiro, pensando que eu daria mais que os outros, mas também um pouco por causa desse sentimento de dignidade pessoal: "Tu és mais rico do que eu, por isso vai para a frente, e embora aqui sejamos todos iguais, tu darás mais e, por isso, um espectador como tu é mais agradável para os atores; é para ti o primeiro lugar, porque todos nós não estamos aqui pelo dinheiro, mas sim por respeito; devemos classificar-nos a nós próprios". Quanto verdadeiro e nobre orgulho havia nisto! Não era respeito pelo dinheiro, mas respeito por si próprio. De maneira geral, não se conseguia respeito pela pessoa, com o dinheiro, com a riqueza, sobretudo se considerarmos os presos em conjunto, sem fazer distinção, em massa, em grupo. Também não me lembro que algum deles se rebaixasse seriamente pelo dinheiro, ainda que os considerássemos um a um. Comigo eram pedinchões, exploradores. Mas nisso havia mais fanfarronerice e velhacaria do que outra coisa, mais humor e ingenuidade. Não sei se consigo fazer-me entender... Mas já me esquecia do teatro. Vamos ao assunto.

Enquanto o pano não se erguia, toda a sala apresentava um estranho e animado quadro. Em primeiro lugar tínhamos um grupo de espectadores apertados, comprimidos, sacudidos por todos os lados, cheios de impaciência e com uma expressão de beatitude no rosto, à espera do começo do espetáculo. Nas últimas filas, indivíduos que se apinhavam uns sobre os outros. Muitos tinham trazido madeiros da cozinha; colocando um tronco grosso junto da cozinha, o sujeito empinava-se sobre ele com os pés, apoiava-se com as duas mãos sobre os ombros daquele que tinha na sua frente e, sem mudar de posição, ficava assim duas horas muito satisfeito consigo mesmo e com o seu lugar. Outros encarrapitavam-se sobre o fogão, nos rebordos salientes, e assim ficavam todo tempo, apoiando-se no da frente. Ao lado dessa, junto das esteiras, havia também um grosso grupo em cima dos músicos. Aí havia bons lugares. Cinco homens estavam empoleirados em cima do fogão, e aí, de bruços, olhavam para baixo. Que felizardos! Nos parapeitos das janelas, na outra parede, apinhavam-se também grupos de retardatários ou de indivíduos que não tinham conseguido um bom lugar. Todos se mantinham sossegados e com compostura. Todos queriam mostrar perante os senhores e os visitantes a sua melhor parte. Em todos os rostos se refletia a mesma expectativa ingênua. Todos os rostos estavam corados e banhados de suor, devido ao calor e à falta de ar. Que estranho reflexo de alegria pueril, de boa e honesta satisfação refulgia naquelas frontes e faces desfiguradas e marcadas, nos olhares daqueles homens, até ali retraídos e duros, naqueles olhares em que às vezes chispava um fogo estranho! Estavam todos de cabeça descoberta e na primeira fila, todas as cabeças se mostravam rapadas. Mas ouvem-se passos, ruídos, no palco. O pano sobe logo a seguir. A orquestra começa a tocar... É digna de recordar-se, esta orquestra. A um lado, junto das esteiras, estão reunidos oito músicos; dois violinos: um existia no presídio, outro foram buscar não sei onde, ao forte, mas aquele que o tocava era dos nossos; três balalaicas – todas obras dos presos –, duas guitarras e um tamborim, em vez de contrabaixo. Os violinos não faziam mais do que ranger e estalar; as guitarras eram péssimas; mas, em compensação, as balalaicas eram maravilhosas. A destreza no pulsar das cordas igualava decididamente a do mais hábil executante. Tocavam apenas motivos de dança. Nos passos mais próprios para serem dançados os tocadores batiam com as cabeças dos dedos na tampa das balalaicas; o tom, o gosto, a execução, a maneira de tratar o instrumento, o caráter da reprodução do motivo, tudo aquilo era seu, original, próprio do presídio. Um dos guitarristas sabia também tocar magistralmente o seu instrumento. Era aquele aristocrata que tinha matado o pai. Quanto ao tamborim, havia simplesmente milagres: tão depressa repicava com um só dedo, como passava o polegar pela pele; ora se ouviam pancadas seguidas, retumbantes e monótonas, ora, de repente, aquele dobre forte, cheio, parecia decompor-se numa saraivada, em um número incontável de pequenos, cantantes e claros sons. Finalmente ouviram-se também dois acordeões. Palavra de honra... Eu, até então, não fazia ideia do que se podia conseguir com esses instrumentos simples e populares; a harmonia entre os sons, a execução, mas, sobretudo, a alma, o caráter da ideia e a reprodução do motivo eram simplesmente admiráveis. Pela primeira vez compreendi então perfeitamente tudo quanto há de infinitamente indômito nas indômitas toadas do bailado russo. Até que o pano subiu. Todos se agitaram, todos mudaram o pé em que se apoiavam, os últimos puseram-se em pontas, outros subiram para o seu madeiro; todos, desde o primeiro ao último, abriram a boca e aguçaram o olhar, e reinou então o silêncio mais completo... O espetáculo ia começar...

Junto de mim estava Ali, de pé, no grupo dos irmãos, e os outros circassianos. Eram todos apaixonados pelo teatro e não faltavam nenhuma noite. Todos os muçulmanos e os tártaros são sempre muito apaixonados por todo gênero de espetáculo, segundo pude observar, não uma só vez, mas várias. Perto deles via-se também Issai Fomitch, o qual, desde que se levantou o pano, era todo olhos e ouvidos e estava possuído da mais ingênua e ávida expectativa de espanto e de gozo. Teria sido doloroso se viesse a ter uma decepção nas suas expectativas. O simpático rosto de Ali brilhava num júbilo tão infantil e belo, que, confesso, sentia uma alegria atroz em olhá-lo, e lembro-me de que, involuntariamente, a cada gesto cômico e acertado dos atores, quando se produzia uma gargalhada geral, eu me voltava imediatamente para olhar para Ali e divertir-me com a sua cara. Ele não me via, não me dava atenção. Muito próximo de mim, do lado esquerdo, encontrava-se de pé um preso já entrado em anos, sempre triste, sempre descontente e resmungando. Pois também ele reparou em Ali e tive oportunidade de observar como se voltava várias vezes para o olhar, com um meio sorriso, tão simpático era ele! Chamava-lhe Ali Siemiônitch, não sei por quê.

Principiou a peça *Filatka e Mirochka*; Filatka (Baklúkhin) tinha, de fato, muita habilidade. Representou o seu papel com admirável fidelidade. Era evidente que meditara cada palavra, cada gesto. Sabia dar intenção e significado a cada palavra e a cada gesto, perfeitamente de acordo com o caráter do seu papel. Acrescentai a esse esforço, a esse estudo admirável, uma alegria espontânea, uma simplicidade e uma naturalidade tais que, se tivésseis visto Baklúkhin, teríeis de reconhecer infalivelmente que era um verdadeiro ator, um ator nato e com muito talento. Tinha visto já *Filatka*, por mais de uma vez, nos teatros moscovitas e petersburgueses, e declaro terminantemente que os atores dessas capitais, que tinham desempenhado o papel de Filatka, o fizeram pior do que Baklúkhin. Comparados com ele eram artificiais e não uns autênticos camponeses. Punham demasiado empenho em imitá-los. Além disso Baklúkhin era espicaçado pela emulação: todos sabiam que na segunda peça o papel de Kiedril havia de ser desempenhado pelo preso Podsílkin, que todos os outros, não sei por que, consideravam com mais dotes, superior a Baklúkhin, o que muito fazia sofrer este. Quantas vezes se aproximara de mim naqueles últimos dias, comunicando-me os seus sentimentos! Duas horas antes do começo do espetáculo começara a sentir febre. Quando se punham a rir e o público lhe gritava: "Muito bem, Baklúkhin! Bravo!", todo o seu rosto resplandecia de felicidade e nos seus olhos chispava o fogo duma autêntica inspiração. A cena do beijo a Mirochka, quando Filatka grita previamente: "Limpa-te!", e ele se limpa, foi de grande comicidade. Houve uma gargalhada geral. Mas o mais interessante para mim eram os espectadores, que, descontraídos, se entregavam sem peias e sem reservas à sua alegria, à sua satisfação. As ovações repetiam-se cada vez com mais frequência. Aí tem um que dá uma cotovelada ao companheiro e lhe comunica apressadamente as suas impressões, sem saber nem ver quem tem a seu lado; outro, a cada cena cômica, volta-se de repente, entusiasmado, para o público, olha fixamente para todos, como incitando-os a rirem-se; agita a mão e logo a seguir volta-se avidamente para o palco. Um terceiro dá estalos com a língua e com os dedos e não pode estar quieto no seu lugar e, como não pode sair dali, limita-se a mudar de posição. No final da peça a alegria atingiu o cúmulo. Não exagero absolutamente nada. Imaginem um presídio, cadeias, cativeiro, a perspectiva de longos anos tristes à frente, uma vida monótona, num sombrio dia outonal, e que de repente permitem a tudo quanto tem reprimido, soterrado, desentorpecer, alegrar-se, esquecer o pesadelo, fazer um teatro. E de que maneira! Para se pavonearem diante de toda a cidade e deslumbrá-la... para que se saiba, que diabo!, quem são os nossos presos. Não há dúvida de que, para eles, tudo foi motivo de preocupações: os trajos, por exemplo. Para eles era extraordinariamente curioso verem, por exemplo, Vanhka Otpiéti[30], ou Nietsvietáiev, ou Baklúkhin, noutro trajo completamente diferente daquele com que durante tantos anos diariamente os viam: "Aí o tens: é um presidiário, nada mais do que um presidiário; rangem-lhe as cadeias e, no entanto, agora aparece de sobretudo, chapéu redondo, capa... exatamente como um conselheiro de Estado. Pôs uns bigodes e meia peruca postiços. Olha como tira um lencinho vermelho do bolso, como se abana e se dá ares de senhor; tal qual um senhor..." Todos se entusiasmam. O "Caseiro benfeitor" apareceu em cena vestindo uniforme de ajudante, já muito velho, com dragonas, um gorrozinho com borla, e fez um efeito extraordinário. Para esse papel havia dois amadores e – querem acreditar? – os dois, como autênticas crianças, brigaram um com o outro para ver qual dos dois havia de o fazer: queriam os dois ostentar aquele uniforme de oficial com dragonas. Tiveram os outros atores de separá-los e decidiram, por maioria de votos, confiar o papel

---

30. Morto, no sentido de fracassado, liquidado. Como tantos outros nomes de personagens inventados por Dostoiévski, aproveitando substantivos e adjetivos, e até mesmo verbos, este vem do substantivo *otipietvánie*, que significa o canto funerário, o responso religioso cantado diante do defunto antes de ser enterrado ou conduzido ao cemitério. (N.T.)

a Nietsvietáiev, não porque tivesse melhor apresentação que o outro e portanto se parecesse mais com um senhor, mas porque Nietsvietáiev assegurou a todos que apareceria em cena com bastãozinho e havia de atirá-lo ao chão e bater com ele, como um verdadeiro senhor, como o mais refinado peralvilho, coisa para que Vanhka Otpiéti não podia oferecer-se, pois jamais na sua vida tinha visto um senhor a valer. E de fato, Nietsvieláiev, ao apresentar-se perante o público no seu papel de senhor, não fez outra coisa senão bater rápida e levemente no chão com o seu fino bastãozinho de cana, que, sabe-se lá onde o teria ido arranjar, provavelmente por considerar isso como o sinal da soberania suprema, da elegância e distinção soberanas. Provavelmente, alguma vez, criança ainda, quando andaria descalço, tivera ocasião de admirar a elegância do vestuário do senhor, com o seu bastãozinho, e tê-lo-ia seduzido a sua habilidade para brincar com ele, ficando-lhe essa impressão para sempre bem gravada na alma, de maneira que agora, passados trinta anos, recordava tudo como vira, para completa admiração e gáudio de todo o presídio. Nietsvietáiev estava a tal ponto preocupado com o seu papel que não olhava para nenhum lado nem para ninguém, e até falava sem levantar a vista, e não fazia outra coisa senão seguir com o olhar a ponta da sua bengala. A "Caseira benfeitora" desempenhou também o seu papel de maneira notável; apareceu em cena com um vestido velho, usado, de musselina, que tinha o aspecto de um autêntico farrapo, sem mangas e de decote, com uma cara exageradamente empoada e pintada, uma touca branca de dormir, que se atava debaixo do queixo, uma sombrinha numa mão e na outra um leque de papel pintado, que abanava constantemente. Uma salva de risos acolheu a dama; e nem ela própria conseguia conter-se e por mais de uma vez desatou também a rir. Quem fazia o papel de senhora era o preso Ivanov Sirótkin; ficava muito engraçado, disfarçado de mulher. As cançonetas saíram-lhe muito bem. Em suma: a peça acabou com a mais completa e geral satisfação. Críticos não havia, pois não podia havê-los.

Tornaram depois a tocar a abertura – *Sombras, sombras minhas* – e outra vez o pano se ergueu. Era *Kiedril. Kiedril* era qualquer coisa de parecido com *Don Juan*; pelo menos, tanto o amo como o criado, no fim da peça, são conduzidos ao inferno.

Representaram um ato inteiro, mas, pelo visto, cortado: faltavam o princípio e o fim. Quanto a sentido e intenção, não tinha nenhuns. A ação se passava na Rússia, em alguma estação de postas. O estalajadeiro introduzia o amo no quarto, o qual ia metido numa capa e com chapéu redondo e revirado. Seguia-o seu criado Kiedril, com um baú e um frango assado embrulhado em papel azul. Kiedril trazia pelico curto e gorro de lacaio. Era o glutão. Quem representava esse papel era o preso Podsílkin, o rival de Baklúkhin; quem fazia de senhor era também o mesmo Ivanov, que tinha desempenhado o papel de "Caseira benfeitora" na primeira peça. A estalajadeira, Nietsviétáiev, anuncia ao hóspede que há demônios no quarto e retira-se. O hóspede, grave e preocupado, resmunga para consigo, dizendo que já sabe disso há muito tempo, e ordena a Kiedril que arrume as coisas e prepare a ceia. Kiedril é covarde e comilão. Ao ouvir falar de demônios, empalidece e treme como uma vara verde. De bom grado deitaria a correr, mas tem medo do patrão. Mas além disso tem apetite. É guloso, néscio e esperto à sua maneira; covarde, a cada passo engana o seu senhor e, ao mesmo tempo, teme-o. É um tipo curioso de criado, que apresenta uns traços vagos e longínquos de Leporello[31] e, de fato, representaram-no de uma maneira notável. Podsílkin tinha inegável talento e, a meu ver, era ainda melhor do que Baklúkhin. Eu, naturalmente, quando no dia seguinte me encontrei com Baklúkhin, não lhe exprimi completamente a minha opinião, pois ter-lhe-ia dado um grande desgosto. O preso que fazia o papel de senhor também não o fez mal: disse terríveis absurdos, mas a sua pronúncia era correta e insinuante; e o gesto, ponderado. Enquanto Kiedril deixa o baú no chão, o amo caminha no palco, preocupado, de um lado para o outro, e murmura, de maneira que todos possam ouvi-lo, que nessa noite hão de acabar todos os seus desregramentos. Kiedril, curioso, espevita o ouvido, faz caretas e diz apartes e dá assim ocasião a que os espectadores riam à gargalhada, a cada palavra sua. Não tem pena do patrão, mas como ouviu falar de demônios e queria saber que gênero de criaturas serão, começa a fazer observações e perguntas. O patrão explica-lhe por fim como, certa vez, que se encontrou em apuros, implorou a ajuda

---

31. Personagem de *Don Juan* de Wolfgang A. Mozart (1756-1794), e uma das diversas encarnações do astuto criado de Don Juan. (N.T.)

do inferno, e como os demônios o livraram de dificuldades; mas que termina naquele dia o prazo e que é muito possível que, obedecendo à combinação, venham buscar-lhe a alma. Kiedril começa a sentir medo. Mas o patrão não perde a cabeça e manda-o preparar a ceia. Assim que ouve falar de ceia, Kiedril reanima-se, puxa do frango, de vinho e, ainda antes de ter dado por isso, já ele meteu na boca e engoliu um pedaço de frango. O público ri. De repente a porta range e o vento bate nas janelas; Kiedril estremece, e depressa, quase inconscientemente, mete na boca um pedaço enorme de frango que não pode engolir. Novos risos. "Está pronto?", pergunta-lhe o senhor dando voltas pelo aposento. "Vai já, senhor... estou a prepará-lo", diz Kiedril, que está muito bem sentado à mesa e com a maior tranquilidade se dispõe a comer a ceia do amo. O público estava visivelmente encantado com a insolência e a astúcia do criado e com o fato de o senhor ser um palerma. É preciso reconhecer que, efetivamente, Podsílkin era digno de elogio. A frase "Vou já, senhor... estou a prepará-lo". Disse-a de uma maneira admirável. Sentado à mesa, põe-se a comer com sofreguidão, dá um pulo a cada passo do amo, não vá ele reparar no seu atrevimento; assim que ele dá meia volta, esconde-se debaixo da mesa e esconde também o frango. Até que saciou já um pouco o seu apetite; chegou o momento de atender o senhor. "Kiedril, isso está pronto?", grita o amo. "Já está!", responde descaradamente Kiedril, reparando que já pouco resta para o senhor. De fato, há apenas no prato um lombo de frango. O senhor, carrancudo e preocupado, senta-se à mesa sem reparar em nada e Kiedril coloca-se atrás da cadeira com a toalha. Cada palavra, cada gesto, cada careta de Kiedril, quando, voltado para o público, aponta o tolo do patrão, provoca nos espectadores gargalhadas irreprimíveis. Mas eis que, ainda mal o senhor provou o primeiro pedaço, se apresentam os demônios. Agora já não é possível compreender nada e nem os próprios diabos se apresentam na maneira como as pessoas imaginam: por uma abertura lateral abre-se uma porta e aparece nela um vulto branco, mas, em vez de cabeça, tem uma lanterna com velas; outro fantasma, também com uma lanterna na cabeça, segura nas mãos um gadanho. Por que as lanternas, por que o gadanho, por que os diabos de branco? Ninguém o pode explicar. Embora, afinal, ninguém pense nisso. Assim é e assim deve ser. O senhor volta-se para os diabinhos, com bastante coragem, e comunica-lhes que está disposto a ir com eles. Mas Kiedril tem medo; como uma lebre, esconde-se debaixo da mesa; mas, apesar do seu medo, não se esquece de pegar na garrafa que está em cima da mesa. Os diabos, passado um momento, desaparecem. Kiedril sai de debaixo da mesa; mas ainda mal o senhor começa a atirar-se de novo ao frango, logo três diabos penetram outra vez no quarto, o agarram por trás e carregam com ele. "Kiedril, salva-me!", grita o patrão. Mas Kiedril não pensa em tal coisa. Desta vez levou consigo para debaixo da mesa a garrafa, o prato e até o pão. Mas ei-lo agora sozinho, pois não estão nem os diabinhos nem o patrão. Kiedril sai do seu esconderijo, relanceia a vista à sua volta e um sorriso ilumina o seu rosto. Pisca o olho com malícia, senta-se no lugar do senhor e, fazendo um sinal para o público, murmura em voz baixa:

– Eia! Agora já estou sozinho... sem patrão!

Todos acolhem este dito com uma gargalhada. No entanto ele acrescenta a meia-voz, dirigindo-se confidencialmente ao público e piscando o olho cada vez com uma malícia mais divertida:

– O patrão foi para os diabos!

O entusiasmo dos espectadores não tem limites. Além daquilo de os diabos terem levado o patrão, a frase foi dita com tal intenção, com uma careta tão cômica e ao mesmo tempo tão solene que, de fato, era impossível não aplaudir. Mas a felicidade de Kiedril não durou muito. Mal acabara de segurar na garrafa, deitar vinho num copo e dispor-se a bebê-lo, quando, de repente, eis outra vez os demônios que se aproximam por trás, nas pontas dos pés, e começam a desancar-lhe as costas. Kiedril grita a plenos pulmões; o seu medo é tanto que não se atreve a voltar-se. Também mal pode defender-se: tem nas mãos a garrafa e o copo, dos quais não tem coragem de separar-se. Abrindo a boca de espanto, permanece sentado meio minuto, com os olhos fixos no público, com uma expressão tão cômica de medo e covardia, que decerto poderia servir de modelo para um quadro. Agarram-no por fim, levam-no com a garrafa e tudo, enquanto pateia no chão e grita. Os seus gritos são ouvidos para lá dos bastidores. Mas o pano cai e todos riem, todos estão entusiasmados. Então a orquestra começa a tocar a *kamárinskaia*.

Começa baixinho, de um modo quase inaudível, mas o motivo vai-se avolumando cada vez mais, o compasso acelera-se, e ouve-se o ritmo das pancadas nas tampas das balalaicas... A pantomima começa durante a *kamárinskaia*, no seu auge, e teria sido ótimo que Glinka pudesse tê-la ouvido no presídio.

O cenário representa o interior duma cabana, onde se veem o moleiro e a mulher. O moleiro, sentado num canto, prepara os arreios do cavalo; a mulher, noutro canto, fia linho. Quem faz o papel da mulher é Sirótkin; o do moleiro é Nietsviétaiev.

Devo dizer que as nossas decorações eram pobríssimas. Tanto nesta como na peça anterior e nas outras, chegávamos a compreender mais pela imaginação do que por aquilo que víamos com os olhos. O lugar da parede traseira estava coberto com uma espécie de tapete ou gualdrapa de cavalo; a frontaria da direita, por uma colcha velha. O lado esquerdo, descoberto, de maneira que víamos as esteiras. Mas os espectadores não eram exigentes e conseguiam compensar a imaginação com a realidade, tanto mais quanto os presos são bem capazes disso. "Dizem-lhe que é um jardim, e ele toma-o por tal; que é uma casa, será uma casa; que é uma cabana, será... Tanto faz e não é preciso estar com mais cerimônias." Sirótkin estava muito gracioso no seu disfarce de mulher. Entre os presos ouviram-se alguns galanteios em voz baixa. O moleiro termina o seu trabalho, pega no gorro e no chicote, aproxima-se da mulher e dá-lhe a entender por sinais que tem de sair, mas que, se na sua ausência acontece qualquer coisa... bom, para isso tem ali o chicote. A mulher ouve-o e concorda com um gesto afirmativo da cabeça. Provavelmente já conhece bem aquele chicote: a mulher costuma extraviar-se.

O marido sai. Ainda mal chegou à porta, já a mulher o ameaça com o punho. Decorrem alguns momentos; a porta abre-se e aparece um vizinho, moleiro também, um camponês que veste cafetã e usa barba. Traz um presente, um lenço vermelho. A mulher põe-se a rir; mas, assim que o camponês tenta abraçá-la, logo a porta se abre. Onde meter-se? A mulher esconde-o imediatamente debaixo da mesa e ela volta para a roca. Aparece outro adorador: é um escriturário, em uniforme militar.

Até aqui a pantomima segue de maneira irrepreensível: cada gesto é exato, até no mínimo pormenor. Havia razão para uma pessoa se admirar ao ver aqueles atores improvisados e, sem querermos, chegaríamos a pensar: "Quantas energias e quanto talento se perdem às vezes, aqui, na Rússia, inutilmente, no cativeiro e nos trabalhos forçados!" Mas o preso que fazia o papel de escriturário devia ter já trabalhado em teatros da província ou caseiros, e pensava que os nossos atores, do primeiro ao último, não percebiam nada do assunto e não se portavam como convinha no palco. E ei-lo que se conduz como se conduziam e falavam antigamente nos teatros dos heróis clássicos: caminha a largos passos e ainda não avançou o outro pé, quando para de repente, deita para trás todo o corpo e a cabeça, olha arrogantemente à sua volta e... dá outra passada. Mas se tal maneira de caminhar era já ridícula nos heróis clássicos, mais grotesca se tornava ainda num escriturário militar e numa cena cômica. Entretanto o nosso público pensava que, provavelmente, era assim que era preciso fazer e aceitava as grandes passadas do esgalgado escriturário como um fato consumado, sem crítica especial. Mal o escriturário avançara até ao centro do palco, logo se ouviu outra voz que chamava; a dona da casa fica outra vez atarantada. Onde esconder o escriturário? Num baú que, felizmente, está aberto. O escriturário acocora-se no baú e a mulher fecha-o à chave. Então aparece um visitante especial, também seu pretendente, mas de uma categoria particular. É um brâmane e vem com o trajo próprio. Soa uma risada geral entre os presos. Quem faz de brâmane é o preso Kóchkin e desempenha esse papel lindamente. Tem um tipo bramânico. Por meio de gestos, exprime toda a grandeza do seu amor. Ergue as mãos para o céu e depois leva-as ao peito, ao coração; de repente, mal acabou com essas ternuras, ouve-se na porta uma pancada forte. Pela maneira de bater conhece-se que é o dono da casa. A mulher fica assustada; fora de si, o brâmane torce as mãos, como se estivesse asfixiado, e suplica-lhe que o esconda. Empurra-o rapidamente para trás do armário; mas, esquecendo-se de abrir a porta, volta para a roca e põe-se a fiar, sem ouvir as pancadas que o marido bate na porta; e com o medo pôs-se a fiar um fio imaginário e dá voltas a um fuso que se esqueceu de apoiar no chão. Sirótkin representa admiravelmente essa expressão de susto. Mas o dono da casa abre a porta com um pontapé e aproxima-se da mulher com o chicote. Viu tudo, pois ficara à espreita e dá-lhe a entender, espetando três dedos no ar, que ela tem escondidos três homens. Depois começa a procurar os homens. Primeiro, encontra o vizinho e expulsa-o da cabana aos empurrões. O escriturário, acobardado, quis escapar-se; levanta a tampa do baú com a cabeça e dá assim ocasião a que o vejam. O dono da casa deita-lhe uma chicotada e, desta vez, o escriturário apaixonado não se porta rigorosamente à maneira clássica. Resta o brâmane; o moleiro procura-o durante muito tempo, até que por fim o encontra num canto, atrás do armário; faz-lhe primeiro uma leve reverência e, puxando-o pelas barbas, leva-o para o centro do palco. O brâmane tenta defender-se, grita: "Maldito, maldito!" (a única palavra que se pronunciava na pantomima); mas o campônio não está com meias medidas e trata-o à sua maneira. A mulher, ao ver que se aproxima a sua vez, larga o fuso e sai da cabana correndo. O banquinho rola pelo chão e os presos soltam uma gargalhada. Ali, sem olhar para mim, aperta-me a mão e diz-me: "Olha! O brâmane, o brâmane!" Mas este também não consegue conter o riso. O pano cai. Principia nova cena.

Mas não vou descrevê-las todas. Havia ainda mais umas duas ou três. Todas elas cômicas e de uma alegria natural. Se não tinham sido escritas pelos próprios presos, tinham pelo menos posto em cada uma delas algo da sua lavra. Quase todos os atores improvisavam da sua cabeça, de maneira que, na noite seguinte, costumava o mesmo ator representá-lo de maneira um pouco diferente. A última pantomima, de caráter fantástico, acabava com um bailado. Enterravam um morto. O brâmane, com os seus numerosos servidores, faz sobre o féretro vários gestos; mas de nada lhe valem. Finalmente ouve-se uma voz: "O sol já se põe!" O morto ressuscita, e todos, muito contentes, põem-se a dançar. O brâmane dança com o morto, e dança de uma maneira especial, à brâmane. E com isto dá-se por terminado o espetáculo, até a noite seguinte. Os nossos saem todos alegres e satisfeitos; elogiam os atores, agradecem ao suboficial. Não se ouviu nenhuma disputa. Todos se mostram invulgarmente contentes, até felizes, e deitam-se, não como das outras vezes, mas com a alma em paz. "Mas por quê?", perguntar-se-á. Não será isto um sonho da minha fantasia? É verdadeiro, real. Só em raras ocasiões se permite a esta pobre gente viver à sua maneira, divertir-se como pessoas, viver, ainda que só por uma hora, de uma maneira que não seja a do presídio; e o homem muda logo moralmente, ainda que seja só por uns minutos... Mas eis que já é noite profunda. Estremeço e acordo bruscamente; o velho continua rezando junto do fogão e ali ficará até amanhecer. Ali dorme tranquilo junto de mim. Lembro-me de que ao deitar-se ainda sorria, falando com os irmãos acerca do teatro e, sem querer, fixo o olhar no seu rosto plácido, infantil. Pouco a pouco, começo a recordar tudo: os últimos dias, a festa, todo aquele mês... Ergo a cabeça com receio e contemplo os meus companheiros adormecidos à luz trêmula das velas de sebo do presídio. Contemplo os seus pobres rostos, os seus pobres catres, toda a sua miséria e nudez irremediáveis; contemplo e parece-me que me convenço de que tudo isto é o prolongamento dum vago sonho e não realidade concreta. Mas não, é realidade. Eis que se ouve não sei que gemido: alguém mexe uma mão, pesadamente, e as cadeias rangem. Outro estremece durante o sono e começa a falar... e o velho do fogão reza por todos os cristãos ortodoxos, e ouve-se a sua voz plácida, branda, tranquila: "Senhor Jesus Cristo, tem piedade de nós!"

"Não é para sempre que estou aqui, mas apenas por alguns anos", penso, e deixo cair outra vez a cabeça sobre a almofada.

CAPÍTULO XII

O HOSPITAL

PASSADO POUCO TEMPO das festas, caí doente e levaram-me ao nosso hospital militar. Era um edifício particular, que ficava a meia versta do forte. Um amplo local de um só andar, pintado de amarelo. No verão, quando começaram os trabalhos de reboco, empregaram nele uma enorme quantidade de ocre. No vasto pátio do hospital ficavam a moradia dos médicos e outros edifícios. No corpo principal havia apenas as salas para os doentes. Eram muitas; mas destinavam-nas aos presos somente duas, e estavam sempre cheias, sobretudo no verão, de maneira que, com muita frequência, era preciso juntar as camas. Estas salas regurgitavam de todo gênero de gente infeliz. Para aqui vinham também os acusados militares de todas as classes, os condenados a castigos corporais, os que já tinham sofrido os castigos, os que tinham adoecido durante a viagem e precisavam ir ainda para mais longe e, finalmente, os da companhia de castigo: essa instituição especial, de correção, para a qual eram enviados os soldados prevaricantes e dos quais pouco havia a esperar, quanto à emenda na sua conduta, e da qual saíam, geralmente ao fim de dois ou mais anos, transformados nuns parasitas, como seria difícil encontrar outros iguais. Os presos que adoeciam davam parte da sua doença ao suboficial, geralmente da parte da manhã. Apontavam imediatamente o seu nome num livro, e enviavam o doente, juntamente com esse livro e uma sentinela, para o lazareto do batalhão.

Aí eram examinados pelo médico a maioria dos doentes de todos os comandos militares distribuídos pelo forte e aqueles que fossem considerados verdadeiramente doentes eram enviados para o hospital. Tomaram também nota do meu nome no livro, e às duas horas, quando todos os nossos saíam, já do presídio para o trabalho da tarde, fui eu conduzido ao hospital. O preso doente costumava levar consigo o dinheiro que podia, pão (pois durante todo aquele dia não podia contar com a comida do hospital), o seu cachimbo, a bolsa do tabaco, fuzil de pederneira e isca. Estes últimos objetos eram cuidadosamente escondidos nas botas. Entrei no vestíbulo do hospital, não sem uma certa curiosidade por aquela nova e para mim desconhecida variação na nossa vida presidial.

Estava um dia morno, triste e nublado: um desses dias em que certos edifícios como um hospital tomam um aspecto especialmente sombrio e lúgubre. Entramos com a escolta no vestíbulo, onde havia dois biombos de cobre e onde aguardavam já outros dois doentes, dos sentenciados a suplício, também com a respectiva escolta. O *feldscher* apareceu, olhou-nos com indolência e autoridade e, ainda com mais insolência, foi avisar o médico de serviço. Este veio logo: examinou-nos, tratou-nos com muita amabilidade e deu-nos papeletas de doentes, nas quais estavam escritos os nossos nomes. As outras indicações referentes à doença, os medicamentos receitados etc. já tinham sido comunicados ao enfermeiro encarregado das salas dos presos. Eu já ouvira dizer que os presos não se cansavam de gabar os seus médicos. "Os pais não podiam ser melhores", respondiam às minhas perguntas, quando entrei na enfermaria. Entretanto, despimo-nos. Tiraram-nos o sobretudo e a roupa branca com que entramos e vestiram-nos roupa branca do hospital: deram-nos também meias compridas, pantufas, toucas de dormir e umas batas espessas: de cor preta, feitas de pano e de feltro. Essas batas estavam sujíssimas, mas só reparei nisso quando pus a minha. Pouco depois conduziram-nos às enfermarias dos presos, que ficavam situadas ao fundo dum corredor muito comprido, de teto alto e limpo. O asseio exterior em todas as coisas era surpreendente: tudo quanto via pela primeira vez me parecia brilhante. Aliás, podia ser que me parecesse assim depois de ter estado no presídio. Os dois sentenciados foram para a enfermaria da esquerda: eu, para a direita. Junto da porta, segura por uma cavilha de ferro, estava uma sentinela, de espingarda no braço, e a seu lado, um sub-sentinela. O jovem suboficial (da reserva do hospital) mandou que me introduzissem e veio ter comigo em uma sala comprida e estreita, em que se alinhavam cerca de 22 camas, entre as quais havia duas ou três desocupadas, ao longo de duas paredes. As camas eram de madeira, pintadas de verde, que todos nós conhecemos tão bem na Rússia: essas mesmas camas que, em virtude de não sei que fatalidade especial, não conseguem nunca ver-se livres de percevejos. Fiquei num canto, na parede onde havia janelas.

Conforme já disse, estavam ali presos dos nossos, dos do presídio. Alguns já me conheciam ou, pelo menos, já me tinham visto antes. Os mais numerosos eram os que estavam pendentes de castigo e os das companhias correcionais. Os gravemente doentes, isto é, aqueles que não se levantavam da cama, eram poucos. Outros, levemente doentes ou convalescentes, estavam sentados em cima das suas camas ou passeavam de um lado para o outro na sala, pois havia um espaço livre entre as camas, suficiente para passear. Na sala havia um ambiente sufocante, doentio. O ar estava carregado de diversas emanações desagradáveis e do cheiro dos remédios, sem contar que todo o dia o fogão estava aceso num canto. Sobre a minha cama estava um roupão caído. Vesti-o. Debaixo do roupão apareceram um vestuário de pano, forrado de algodão, uma roupa interior grosseira e de asseio duvidoso. Junto da cama havia uma mesinha e, sobre ela, um jarrinho e um copinho de estanho. Tudo isto se cobria com um paninho que me tinham entregue. Debaixo da mesinha havia também uma prateleira onde se guardava uma chaleira para os bebedores de chá, outros copinhos de madeira com *kvas* etc.; mas os bebedores de chá também eram poucos, entre os doentes. O cachimbo e a bolsa do tabaco, que tinham quase todos, sem excluir os tuberculosos, eram escondidos debaixo das camas. O médico e os que estavam às suas ordens quase nunca reparavam nisso e, quando surpreendiam algum com o cachimbo na boca, faziam-se de desentendidos. Aliás, os presos eram sempre prudentes e iam fumar para junto do fogão. Talvez, alta noite, se atrevessem a fumar na cama; mas de noite ninguém entrava na enfermaria, a não ser o oficial de guarda ao hospital, quando muito.

Até então eu nunca tinha estado em nenhum hospital; por isso, tudo quanto me rodeava era para mim extraordinariamente novo. Observei que despertava uma certa curiosidade. Já tinham ouvido falar de mim e olhavam-me muito descaradamente, até com uma certa presunção de superioridade, como nos colégios olham o novato ou o solicitante, nos lugares oficiais. À minha direita estava deitado um escriturário pendente de castigo, filho natural dum capitão reformado. Tinham-lhe movido um processo por falsificação de moeda e estava ali havia já um ano, segundo parecia, sem estar absolutamente nada doente, mas por ter conseguido convencer os médicos de que tinha um aneurisma. Conseguiu o seu objetivo; perdoaram-lhe o presídio e o castigo corporal e, passado outro ano, enviaram-no para T...k, para tratar-se num hospital. Era um rapaz robusto, forte, de 28 anos, um grande patife, um criminoso, muito esperto, muito orgulhoso e soberbo da sua pessoa, vaidoso, de uma maneira quase mórbida, plenamente convencido de que era o homem mais honesto e justo do mundo, sem culpa absolutamente nenhuma, e viveu sempre nesta convicção. Foi o primeiro a dirigir-me a palavra e começou a interrogar-me com curiosidade, e pôs-me ao corrente das regras exteriores do hospital, com todos os pormenores. Antes de mais, informou-me imediatamente que era filho dum capitão. Moria por dar a entender que era de origem nobre, ou, pelo menos, bem-nascido. A seguir foi um doente da companhia correcional, o qual começou a afirmar-me que conhecia muitos dos aristocratas antes deportados, designando-os a todos pelos seus nomes e sobrenomes.

Era um soldado já de cabelos brancos; via-se, no seu rosto, que tudo aquilo era mentira. Chamavam-lhe Tchekunov. Era evidente que se tinha aproximado para me falar, suspeitando, provavelmente, que eu tinha dinheiro. Como reparasse no meu embrulhinho de chá e de açúcar, ofereceu-me imediatamente os seus serviços: arranjar-me uma chaleira e fazer-me nela o chá.

A chaleira, tinha-me prometido M...tski que a enviaria a mim no dia seguinte, do presídio, por algum preso dos que iam trabalhar no hospital. Mas Tchekunov arranjou-me tudo. Trouxe um recipiente de ferro fundido; mais um copo; ferveu a água, fez o chá; em suma: serviu-me com extraordinária diligência, o que lhe valeu imediatamente as observações trocistas dum dos presos. Esse doente era um tuberculoso, que tinha a sua cama em frente da minha, de nome Ustiântsev, soldado pendente de julgamento, aquele mesmo que bebeu um copo de aguardente com uma forte dose de tabaco picado, por medo do castigo, e do qual já falei. Até então tinha permanecido silencioso e respirando ofegantemente, olhando-me fixa e seriamente e seguindo com aborrecimento os movimentos de Tchekunov. Aquela estranha e azeda seriedade transmitia características particularmente cômicas ao seu descontentamento. Por fim, não pode conter-se:

– Olhem que borra-botas! Já arranjou patrão! – exclamou numa voz entrecortada e arquejante, de tão débil que estava. Tinha chegado já aos últimos dias da sua existência.

Tchekunov, muito aborrecido, encarou-o:

– Quem é que é o borra-botas? – exclamou, olhando com desprezo para Ustiântsev.

– O borra-botas és tu! – respondeu imediatamente o outro, num tom de tanta segurança como se se sentisse no pleno direito de insultar Tchekunov e tivesse o dever de o fazer.

– Borra-botas, eu?

– Tu, claro. Escutem, minha gente, parece que não acredita! Fingindo-se admirado!

– A ti que te importa? Não vês que ele está só, indefeso? Vê-se bem que está acostumado a ter quem o sirva. Por que não hei de eu servi-lo, focinho de porco?

– Quem é que é focinho de porco?

– Tu mesmo.

– Eu, focinho de porco?

– Tu, sim!

– Ah! És assim tão jeitoso? Tens uma cara que parece um ovo de grou... – Se eu tenho focinho de porco...

– Ora, se tens! Olhem, ele já está quase a esticar o pernil! Mas até assim tem de papaguear. Por que estás aí a palrar?

– Por quê? Mais depressa me inclino diante de um sapato do que de uma alpargata. O meu pai não se inclinava e mandou-me que também não o fizesse. Eu... eu...

Queria continuar mas teve um tremendo ataque de tosse que durou uns minutos e a seguir cuspiu sangue. Depois, um suor frio, torturante, lhe escorreu pela testa estreita. A tosse não o deixou continuar falando, via-se perfeitamente nos seus olhos a vontade que tinha de continuar insultando o outro; mas, devido à falta de forças, limitava-se a agitar o braço... De maneira que Tchekunov acabou por esquecer-se dele.

Eu senti que a malevolência do tuberculoso se dirigia mais contra mim do que contra Tchekunov. Pelo fato de Tchekunov querer servir alguém e ganhar assim alguns copeques, não tinha nada que ralhar com ele nem que olhá-lo com desdém. Neste ponto, a gente do povo não é tão exigente e sabe muito bem fazer distinções. Eu não fui particularmente simpático para Ustiântsev, não lhe agradava o meu chá, nem que eu, até de cadeias, fosse como um senhor, que não pode passar sem servidores, embora eu não tivesse pedido nada a ninguém nem quisesse nenhum gênero de serviços. De fato, eu desejava sempre fazer tudo, eu próprio, e desejava até bastante não deixar perceber que era um homem de mãos brancas, delicado, senhoril. Nisto, sobretudo, punha o meu amor-próprio, já que tive de falar no caso. Mas aconteceu que – e não me lembro como é que isso acontecia – nunca pude repelir os vários servidores e cortejadores, que se agarravam e acabavam por apoderar-se completamente de mim de maneira que, na realidade, eram eles os meus verdadeiros senhores e eu o seu criado; mas na aparência era notório que eu era de fato um senhor que não pode prescindir de serviços e de criados. O que sem dúvida me custava muito. Mas Ustiântsev era um tuberculoso, um homem azedado. Os outros doentes tinham ares de indiferença, até com sua presunção de altivez. Lembro-me de que estavam todos preocupados com uma circunstância particular: pelas conversas dos presos sabia eu que nessa mesma noite haviam de levar ali um condenado, ao qual castigavam naquele mesmo instante com as vergastadas. Os presos aguardavam o novato com certa curiosidade. Diziam: "No entanto o castigo é leve... Só quinhentas vergastadas."

Relanceei a vista à minha volta, por um momento. Tanto quanto pude observar, os doentes que ali existiam eram na sua maior parte doentes de escorbuto e dos olhos... Doenças predominantes naquela região. Havia na sala alguns desses doentes. Dos outros, verdadeiramente doentes, havia-os com febres, com úlceras várias e doentes do peito. Ali não era como nas outras salas; ali estava reunida toda a espécie de doenças, até venéreas. Disse verdadeiramente doentes porque havia alguns que não estavam, que iam para ali simplesmente para descansar. O médico recebia-os amavelmente, por compaixão, sobretudo quando havia algumas camas disponíveis. A assistência na companhia correcional e no presídio, comparada com a do hospital, parecia tão má que muitos presos optavam gostosamente por se meterem na cama, apesar do ar viciado e da sala fechada. Havia até amadores da cama, da vida de hospital; e sobretudo, mais do que ninguém, os da companhia de castigo. Eu passava em revista os meus companheiros, com curiosidade; mas lembro-me do que despertou então em mim um, que estava já na última, do presídio, também tuberculoso, que ocupava uma cama perto da de Ustiântsev, e ficava portanto quase na minha frente. Chamavam-lhe Mikháilov; duas semanas antes ainda eu o vira no presídio. Havia muito tempo que estava doente e ter-lhe-ia sido muito útil ter-se hospitalizado já há mais tempo; mas tinha-se aguentado em pé firme, com uma paciência obstinada, aliás inutilmente, e só depois das festas entrou no hospital, para morrer ali, passadas três semanas, de uma tuberculose horrível: estava completamente gasto, o homem. A mim impressionava a sua cara extraordinariamente transfigurada, a sua cara, que também já tinha sido uma das que mais me impressionaram quando eu entrei no presídio; lembro-me de que já então reparei muito nele. Junto dele havia uma cama ocupada por um soldado da companhia de castigo, um homem já velho, de má catadura e repelente... Bom, mas não vou enumerar todos os doentes. Recordo agora esse velho unicamente porque me provocou também então uma certa impressão, e num minuto consegui obter uma ideia bastante clara de algumas particularidades da sala dos presos. Lembro-me de que o tal velho tinha nessa altura um catarro fortíssimo. Não fazia outra coisa senão espirrar e passou uma semana espirrando, mesmo quando estava dormindo, sob a forma de salvas de cinco e até de seis espirros consecutivos, e de cada vez exclamava conscienciosamente: "Senhor, mas que castigo!" Sentava-se em cima da cama e atafulhava avidamente o nariz de tabaco, que tirava de um pacotinho de papel, para espirrar com mais força e maior gosto. Espirrava sobre um lenço de algodão aos quadrados, seu, cem vezes lavado e muito desbotado, com o qual esfregava o nariz de uma maneira especial, vincando uma infinidade de rugazinhas pequenas, e pondo à mostra as raízes dos seus velhos e denegridos dentes e também as suas gengivas vermelhas e apodrecidas. Depois de espirrar, abria imediatamente o lenço, olhava com muita atenção os moncos ali acumulados abundantemente e depois limpava-o ao seu encardido roupão de hospital, de maneira que todo aquele monco ficava ali aderente, enquanto o lenço ficava apenas úmido. Assim fez toda a semana. Aquela mesquinha, tacanha maneira de poupar o lenço à custa do roupão do hospital não provocava protesto algum da parte dos doentes, embora alguém depois tivesse de pôr aquele mesmo roupão. Mas eu até fiquei assustado naquele momento e pus-me imediatamente a passar em revista com repugnância e curiosidade o meu roupão. E então reparei que havia já bastante tempo que o seu cheiro forte me chamara a afeição; tinha aquecido no meu corpo e cheirava cada vez mais a xarope, a emplastros e, pelo menos era o que me parecia, não sei a que podridão, o que era explicável, pois não saíra dos ombros dos doentes havia já tempos imemoráveis. Talvez o seu forro de algodão tivesse sido lavado alguma vez, mas não sei ao certo. Mas esse forro estava agora impregnado de toda espécie de líquidos repugnantes, de compressas, da água que escorrem as cantáridas etc. Nessa sala de presos entravam com bastante frequência os supliciados com as vergastadas, de costas chagadas; aplicavam-lhes compressas; mas depois, o roupão, que punham diretamente em cima da camisa úmida, não podia de maneira nenhuma secar, pois absorvia tudo. E durante esses vários anos, durante todo o meu tempo de presídio, sempre que tinha de hospitalizar-me (o que me acontecia com frequência), punha sempre esse roupão com uma enorme desconfiança. Desagradavam-me especialmente os piolhos que costumam encontrar-se nesses roupões e que eram colossais, extraordinariamente gordos. Os presos esmagavam-nos com prazer e quando algum morria, com um estalido debaixo da unha grossa e dura de um deles, podia avaliar-se pela cara do caçador o grau de prazer que sentia com isso. Os percevejos também me repugnavam muito e às vezes acontecia que por um longo e tedioso serão de inverno toda a sala se levantava para exterminá-los. E embora aparentemente tudo estivesse muito limpo na enfermaria (não falando, é claro, no ar pesado), não tinham cuidado com o asseio dos interiores. Os doentes já estavam acostumados a isso e pensavam até que tinha de ser assim, e eles próprios também não observavam regras especiais quanto a asseio. Mas falarei mais adiante das regras...

Assim que Tchekunov me serviu o chá (é preciso dizer que foi feito na água da sala, que traziam uma vez em cada vinte e quatro horas, para todos, e se infectava rapidamente naquele ambiente viciado), a porta abriu-se com um certo barulho e, acompanhado por uma forte escolta, entrou um soldado que acabara de sofrer o castigo das vergastadas. Era aquela a primeira vez que eu via um supliciado. Depois entraram ali com frequência, até alguns dos que sofriam castigos graves, e todas as vezes aquilo constituía uma grande distração para os doentes. No entanto acolhiam-nos geralmente com uma expressão de severidade forçada, e até também com certa gravidade fingida. Se bem que a recepção dependesse, em parte, do grau de importância do crime e, por conseguinte, da grandeza do castigo. Um indivíduo gravemente supliciado e, portanto, com fama de criminoso, gozava de maior respeito e atenção do que um simples desertor, como esse que agora nos traziam. Mas nem num nem noutro caso havia condolências especiais nem se faziam observações particularmente azedas. Ajudavam o infeliz em silêncio e amparavam-no, sobretudo se não podia passar sem ajuda. Até os *feldscher* sabiam que entregavam o paciente em mãos hábeis. O auxílio prestado consistia, de maneira geral, na frequente e indispensável mudança de um lençol ou da própria camisa empapada em água, que aplicavam sobre as costas doloridas, sobretudo quando a vítima não estava em condições de socorrer-se a si próprio e, além disso, na habilidosa extração das farpas que lhes ficavam muitas vezes enterradas nas costas, farpas essas saídas dos varapaus com os quais tinha sido executado o castigo. Essa última operação em geral era muito dolorosa para o enfermo. Mas eu ficava sempre admirado do extraordinário estoicismo com que eles suportavam a dor física. Muitos supliciados vinham muitíssimo feridos e no entanto raramente algum deles se queixava. Somente o seu rosto parecia transfigurar-se, empalidecer; os seus olhos brilhavam: tinham o olhar fixo, inquieto; os lábios tremiam-lhes, os dentes batiam-lhes como se quisessem morder e não era raro que se mordessem até fazer sangue. O soldado que acabava de chegar era um rapaz de uns 23 anos, forte, musculoso, de belo rosto, alto, moreno e bem-proporcionado. Tinha as costas completamente laceradas. O corpo, completamente nu da cintura para cima; trazia no ombro um pedaço de lençol molhado, debaixo do qual lhe tremiam os membros todos, como se tivesse febre, e andou meia hora a passear para cima e para baixo, na enfermaria. Eu contemplava o seu rosto; parecia que não pensava em nada naquele instante; olhava de maneira estranha e arredia, os olhos sobressaltados, e percebia-se perfeitamente que lhe era difícil fixar a atenção em qualquer coisa. Pareceu-me que olhava fixamente para o meu chá. O chá estava quente; o vapor saía da chávena e o pobrezinho tiritava de frio, batendo os dentes. Convidei-o a beber. Aproximou-se de mim bruscamente e, em silêncio, pegou na chávena e bebeu de pé e sem açúcar, fazendo-o muito depressa e como se tivesse um empenho especial em não olhar para mim. Depois de o beber todo, devolveu-me a chávena em silêncio e, sem fazer sequer um movimento de cabeça, pôs-se outra vez a andar para cima e para baixo na sala. Ele não estava lá para palavras e cumprimentos! Quanto aos presos, todos eles evitavam, por qualquer motivo, entabular conversa com o recruta castigado; mas começaram a ajudá-lo desde o primeiro momento; e depois pareciam pôr um empenho especial em não lhe prestar mais atenção, talvez com o fim de deixá-lo tranquilo e não importuná-lo com mais perguntas e compaixão, o que, segundo parecia, era tudo quanto ele desejava.

Entretanto, escureceu e acenderam a lamparina. Alguns presos pareciam ter também as suas velas privativas, embora não fossem muitas. Finalmente, depois da visita médica da noite, o suboficial tornou a contar todos os doentes e fechou a sala, deixando nela uma selha para de noite... Fiquei admirado ao saber que essa selha ficava ali toda a noite, quando o lugar que verdadeiramente lhe competia era o corredor, que estava a dois passos da porta. Mas era esse o hábito estabelecido. De dia tiravam os presos da sala; mas não por muito mais de um minuto; de noite nunca o faziam. As salas de presos não se pareciam com as vulgares, e o preso doente, até mesmo assim, levava o seu castigo. Quem fosse o primeiro que impôs essa ordem... não sei; sei apenas que em tudo isso não havia nem uma ponta de ordem e que nunca toda a inutilidade desses formalismos se pôs tanto às claras como naquele caso. Essa disposição, é claro, não emanava dos médicos. Repito-o: os presos nunca se cansavam de gabar os seus médicos, consideravam-nos como pais e respeitavam-nos. Todos recebiam deles alguma demonstração de afeto, ouviam alguma palavra amiga, e o preso, desprezado por todos, apreciava aquilo, porque via a sinceridade e a verdade daquela boa palavra e daquela carícia. Podia ter sucedido o contrário; ninguém teria pedido contas, ainda que se tivesse portado de outro modo; isto é, duro e desumano; eram bons, por verdadeiro amor à Humanidade. E além disso eles compreendiam que ao doente, fosse quem fosse, preso ou não, era-lhe necessário o ar fresco como a qualquer outro doente de mais alta categoria. Os das outras salas, os convalescentes, por exemplo; podiam sair livremente para o corredor, fazer exercício, respirar um ar menos abafado que o das enfermarias, pesado e inevitavelmente sempre carregado de diversas emanações insalubres. É horrível e cruel imaginar agora até que ponto devia viciar-se aquele ar já viciado à noite, quando introduziam aquela selha, com a temperatura morna da sala e com enfermidades conhecidas, nas quais é impossível passar sem sair. Se há um momento disse que para o preso até a doença é castigo, isso não quer dizer, nem quero dizer agora, que o tivessem estabelecido para esse fim. Isso, naturalmente, teria sido uma absurda calúnia da minha parte. Os doentes não se castigam. Ora, se é assim, conclui-se que alguma coisa grave, severa, imprescindível, obrigou os superiores a ditar essa medida, nociva nas suas consequências. Qual a causa? Mas o pior está em ninguém saber explicar de maneira nenhuma a necessidade dessa e de outras muitas medidas, a tal ponto também incompreensíveis, que não só se torna impossível explicá-las como até vislumbrar a sua explicação. Como explicar semelhante crueldade inútil? Dizendo talvez que o preso pode ir para a enfermaria fingindo-se propositadamente doente, enganar os médicos, ir de noite à sala a determinado lugar e fugir, aproveitando-se da obscuridade? Tomar a sério a incongruência de tal suposição parece-me quase impossível. Fugir para onde? Fugir como? Fugir por onde? De dia tiram-nos um a um; pois podiam fazer o mesmo de noite. À porta há uma sentinela com a arma carregada. A retrete fica apenas a dois passos da sentinela; aliás, até aí vai o doente escoltado por uma sentinela que nunca o perde de vista. Aí há apenas uma janelinha de inverno com vidro duplo e com uma grade de ferro. Debaixo da janela, no pátio, e também debaixo das janelas das salas dos presos, há também uma sentinela toda a noite. Para sair pela janela seria preciso partir o vidro e a grade. Quem o consentiria? Mas suponhamos que primeiramente o fugitivo tivesse matado a sentinela, de maneira que não gritasse e ninguém desse por isso. Concedamos também esse absurdo: da mesma maneira teria de quebrar a janela e a grade. Não se esqueçam que aí, junto da sentinela, dormiam os doentes, e que a dez passos, na outra sala de presos, havia outra sentinela e outros doentes. E para onde fugir no inverno, com meias, sapatilhas, o roupão de doente e o gorro de dormir? Ora, sendo o perigo assim tão pequeno (na realidade ele não existia de maneira alguma), para que essa inútil tortura imposta a doentes que talvez se encontrem já nas derradeiras horas da sua vida, a doentes para os quais talvez o ar fresco seja ainda mais preciso do que para os sãos? Para quê? Nunca o pude compreender.

Visto que disse já uma vez: "Para quê?" e a palavra me escapou, não posso deixar de referir-me a outra questão que também durante uns anos pus, mentalmente, perante o fato mais enigmático, e para a qual também de maneira nenhuma consegui arranjar resposta. Não posso deixar de falar nisso, ainda que sejam apenas duas palavras, antes de entrar na minha narrativa. Refiro-me às cadeias, das quais nem na doença o preso consegue livrar-se. Até os tuberculosos morriam à minha vista com as cadeias postas. E, no entanto, todos estavam acostumados a isso e todos as consideravam como algo de perfeitamente indiscutível. Nem há sequer motivo para pensar que alguém se preocupasse com isso, tanto mais que nem os médicos se lembraram, durante todos esses anos, nem uma só vez, de pedir às autoridades que tirassem os ferros de alguns dos presos ou de doentes graves, especialmente os tuberculosos. Pensemos que as cadeias, só por si, eram muito incomodativas, só Deus sabe quanto. Pesam umas oito a doze libras. Carregar dez libras não era muito angustioso para um homem são. Além disso disseram-me que, por causa das cadeias, passado alguns anos, os pés começam a adelgaçar. Não sei se isso é verdade, embora realmente tenha certos visos de verossimilhança. Um peso, embora reduzido, pesando apenas dez libras, constantemente ligado ao pé, desfigura um pouco anormalmente todo o membro e, passado algum tempo, pode resultar em consequências prejudiciais... Mas suponhamos que para um homem são isso não represente nada. O mesmo podemos supor para o doente? Admitamos também que não represente nada para um doente vulgar. Mas, repito, e para os doentes graves, e para os tuberculosos, para os que até sem isso ficam de mãos e pés vincados, a um ponto tal que até uma palhinha lhes parece pesada? E se de fato os médicos se preocupassem com aliviar, ainda que fosse só os tuberculosos, isso constituiria só por si um verdadeiro e grande benefício. Suponhamos que surja alguém dizendo que o preso é um malvado indigno de comiseração; mas, até assim, por que agravar o castigo a quem já está assinalado pelo dedo de Deus? É impossível acreditar que isso se faça só por castigo. Ao tuberculoso até a lei o exime dos castigos corporais. De maneira que temos de ver alguma medida misteriosa e importantíssima inspirada na prudência salvadora. Mas quê?

É impossível compreendê-lo. Porque, no fundo, é muito difícil, quase impossível mesmo, que um tuberculoso possa fugir. Qual deles se lembraria de tal coisa, sobretudo conhecendo os graus de progresso da doença? Fingir-se tuberculoso para enganar os médicos e fugir... é impossível. Com essa doença não pode ser; conhece-se à primeira vista. E há ainda outra coisa: põem grilhetas nos pés duma pessoa somente para que não fuja ou para dificultar-lhe a fuga? Nada disso... As cadeias... são apenas uma desonra, uma vergonha e uma tortura, tanto física como moral. Pelo menos é o que se pensa. Nunca as cadeias impediram alguém de fugir. O preso mais estúpido e bruto sabe limá-las sem grande dificuldade e muito rapidamente, ou quebrar os rebites com uma pedra. As grilhetas dos pés não constituem de maneira alguma um obstáculo para fugir; e uma vez que é assim, que põem cadeias aos presos apenas para castigá-lo, torno a perguntar: para que castigar um moribundo?

Neste momento em que escrevo isto, lembro-me perfeitamente de um que morreu tuberculoso, daquele mesmo Mikháilov que ocupava uma cama quase em frente da minha, perto de Ustiântsev, e que morreu, lembro-me, no quarto dia da minha entrada no hospital. Talvez eu tenha agora falado dos tuberculosos, repetindo involuntariamente as impressões e ideias que me comoveram por ocasião dessa morte. Aliás, eu mal conhecia Mikháilov. Era ainda um homem muito novo, de uns 25 anos, alto, seco, com uma figura bem-proporcionada. Pertencia à seção especial, e estava sempre estranhamente taciturno, sempre tranquilo, como que animado de uma tristeza plácida. Parecia que estava se asfixiando. Adoeceu do peito precisamente no presídio. Pelo menos era o que os presos diziam quando falavam dele, entre os quais deixou uma boa recordação. Lembro-me ainda de que tinha uns olhos muito bonitos e, de fato, não sei por que me recordo tanto dele. Morreu às três da tarde, de um dia frio e claro. Lembro-me de que o sol, atravessando os grossos vidros esverdeados das janelas, levemente cobertos de geada, o iluminava suavemente. Um grosso feixe dos seus raios batia sobre o infeliz. Morreu sem conhecimento e esteve respirando pesada e longamente durante duas horas. Desde a manhã que os seus olhos tinham começado a não reconhecer os que o cercavam. Queria afastar de si tudo o que o oprimia; respirava com dificuldade, profundamente, como se roncasse; o seu peito estava levantado, como se lhe faltasse o ar. Ele próprio afastou a roupa do leito, o vestuário e, por fim, começou a rasgar a camisa. Era horrível olhar para aquele corpo longo, de mãos e pés descarnados, só ossos, consumido, o peito levantado, com as costelas nitidamente marcadas, como as dum esqueleto. Não tinha mais nada sobre o corpo senão uma cruzinha de madeira numa bolsinha, e a cadeia, pela qual parecia poder tirar agora o pé doente. Meia hora antes da sua morte já todos nós estávamos em silêncio e só falávamos casualmente e em voz baixa. Os que caminhavam... faziam-no nas pontas dos pés. Falavam pouco uns com os outros, de coisas secundárias e, de quando em quando, olhavam para o moribundo, que cada vez arquejava com mais força. Finalmente, tateando e com uma mão insegura, procurou sobre o peito a bolsinha com a pequena cruz e começou a querer afastá-la, como se o incomodasse e oprimisse. Tiraram-lhe a bolsa. Dez minutos depois morria. Deram uma pancadinha na porta para chamarem a sentinela e participaram a ele. O enfermeiro entrou, olhou estupidamente para o morto e foi chamar o *feldscher*, um rapazinho muito bondoso, um pouco demasiado preocupado consigo próprio, que não tardou a aparecer; aproximou-se do morto com passos rápidos, pisando com força a sala silenciosa, e com cara de uma certa satisfação especial, especialmente estudada para aquele transe, como se já esperasse o acontecido, tomou-lhe o pulso, fez um movimento com a mão e foi-se. Participaram imediatamente à guarda o acontecimento; um dos presos exprimiu, numa voz discreta, o pensamento de que deviam fechar os olhos do morto. Houve outro que o escutou atentamente; aproximou-se do cadáver, em silêncio, e fechou-lhe os olhos. Quando reparou na cruzinha que jazia sobre a almofada, apanhou-a, pôs-se a olhá-la e, em silêncio, tornou a pô-la ao pescoço de Mikháilov; depois benzeu-se. Entretanto, a cara do morto tornou-se rígida; os raios do sol brincavam sobre ela; tinha a boca entreaberta; duas fiadas de dentes brancos e juvenis brilhavam por entre os lábios finos e pegados às gengivas. Até que a sentinela chegou finalmente, e o suboficial de guarda, de capacete e espingarda no braço, acompanhado por dois vigilantes. Aproximou-se com passos cada vez mais lentos, olhando assombrado para os presos silenciosos que o olhavam tristemente, de todos os lados. Quando chegou quase junto do morto, parou, rígido, como se tivesse medo. Impressionou-o o cadáver, completamente nu, esquelético, só com as cadeias e, de repente, desligou a corrente do seu capacete, tirou-o, sem que ninguém pedisse isso a ele, e persignou-o longamente. Era uma cara severa, envelhecida, de homem experimentado. Lembro-me de que, nesse instante, estava junto dele Tchekunov, também já velho e encanecido. Durante esses momentos esteve sempre olhando para o suboficial, em silêncio e com muita atenção, diretamente e com insistência; e seguia com uma estranha atenção cada um dos seus gestos. Quando os seus olhos se encontraram com os dele, não sei por que, o lábio inferior tremeu-lhe. Devia ter sentido qualquer coisa de estranho; abriu a boca e, rapidamente, apontando desoladamente o morto ao suboficial, disse:

– Ele também tinha mãe! – e retirou-se.

Lembro-me de que essas palavras me trespassaram literalmente... Por que teria ele as dito e por que se teria lembrado delas? Mas eis que começavam a levantar o cadáver; levantavam-no juntamente com o colchão; a palha rangia; as cadeias, no meio do silêncio geral, rolaram ruidosamente pelo chão... Apanharam-nas. Levaram o cadáver. De repente, todos começaram a falar alto. Ouviu-se o suboficial, no corredor, ordenar a alguém que fosse chamar o serralheiro. Era preciso tirar as algemas ao morto...

Mas já me afastei do assunto.

CAPÍTULO XIII

O HOSPITAL
(CONTINUAÇÃO)

OS MÉDICOS VISITAVAM a enfermaria de manhã; apareciam todos às onze horas, atrás do médico-chefe, e, uma hora antes deles, aparecia na sala a nossa ordenança. Nesse tempo tínhamos como médico de sala um homem novo mas que sabia do seu ofício; era amável, simpático, os presos gostavam muito dele e achavam só um defeito nele: ser demasiado modesto. Efetivamente, era inimigo de discussões; dir-se-ia que nós o intimidávamos; pouco faltava para que corasse; mudava a dieta ao primeiro pedido do doente e parecia disposto a receitar os medicamentos à medida da sua preferência. Aliás, era um homem fraco. É preciso reconhecer que, na Rússia, muitos médicos gozam do amor e do respeito do povo, o que é justamente merecido. Sei que as minhas palavras hão de parecer paradoxais, sobretudo se tivermos em conta a incredulidade geral do povo russo a respeito da medicina e dos medicamentos exóticos. De fato, as pessoas do povo, até há pouco tempo, ainda que sofressem das piores doenças, preferiam socorrer-se dos curandeiros ou dos remédios caseiros (que de maneira nenhuma são para desprezar) do que ir procurar o médico ou ir para o hospital. Mas, sem falar nisso, há uma circunstância muito importante, que não tem relação com a medicina, ou seja, a geral incredulidade de todo o povo a respeito de tudo quanto está ligado à burocracia, às formalidades; além disso a gente do povo tem medo e desconfiança dos hospitais, devido a certas histórias horríveis, frequentemente inventadas, mas que às vezes têm um certo fundamento. Mas temem principalmente a disciplina germânica dos hospitais, o terem gente estranha à sua volta durante todo tempo da doença, a severidade a respeito da alimentação, as histórias acerca do implacável rigor dos *feldscher* e dos médicos, a dissecação e a extração das entranhas dos cadáveres etc. Além disso o povo pensa também: "Como pretender que um senhor nos cure, se os médicos, seja como for, são senhores também?" Mas, com um conhecimento mais profundo dos médicos (embora não sem exceções mas sim na sua maior parte), todos estes medos desaparecem rapidamente; o que, a meu ver, está relacionado com a honestidade dos nossos médicos, sobretudo dos jovens. Muitos deles sabem granjear o respeito e também o amor do povo. Aliás, eu escrevo daquilo que vi e ouvi muitas vezes e em muitos lugares, e não tenho motivos para pensar que, noutros lugares, as coisas se passassem com demasiada frequência de outra maneira. Não há dúvida de que, algumas vezes, o médico deita contas aos seus ganhos, aproveita-se demasiadamente do seu hospital e quase se desinteressa dos doentes e até se esquece da medicina. Isso acontece, mas eu falo da maioria; ou, para melhor dizer, do espírito, da orientação que existe hoje nos nossos dias, na medicina. Esses outros, traidores da causa, lobos no redil das ovelhas, digam o que disserem para justificar-se, como por exemplo, que o meio os corrompe, jamais terão justificação, sobretudo se chegaram até o ponto de perderem o amor pela Humanidade. Porque o amor da Humanidade, os bons modos, a fraterna compaixão pelo doente são às vezes mais necessários do que todos os medicamentos. Estamos num tempo em que é sinal de indiferença queixarmo-nos de que o meio nos devora. Suponhamos que isto seja verdade, que corrompe a nossa personalidade; mas nunca completamente e, frequentemente, um velhaco astuto que percebe o caso encobre e justifica com a influência do meio não só a sua fraqueza mas também muito simplesmente a sua vileza, sobretudo quando sabe falar ou escrever bem. Bem, mas já estou outra vez a desviar-me do meu tema; queria apenas dizer que a gente de inferior condição é verdadeiramente mais incrédula a respeito da administração sanitária do que dos médicos. Assim que chega a perceber como estes são, na realidade, não tarda a perder muitos dos seus antigos preconceitos. A instalação dos nossos sanatórios, até o presente, não corresponde muito ao espírito do povo; é-lhe hostil, com os seus costumes regulamentados, e não estão em condições de granjear decididamente a sua fé e o seu respeito. Pelo menos é o que me parece, a avaliar por algumas das minhas impressões pessoais.

O nosso médico de sala costumava parar junto de cada doente; examinava-o e interrogava-o com a máxima atenção e seriedade, receitava o remédio e a dieta. Às vezes via que o doente não estava realmente doente; mas como o preso ia ali para descansar do trabalho ou para meter-se algum tempo numa cama verdadeira e não nas tábuas nuas das tarimbas e, finalmente, numa sala de temperatura moderada e não no úmido corpo da guarda, onde exiguamente se amontoavam grandes grupos de pálidos e míseros sentenciados (os sentenciados estavam quase sempre pálidos e míseros), sinal de que a sua assistência material e o seu estado de espírito são quase sempre piores que os dos já castigados, o nosso médico assistente diagnosticava, com toda a tranquilidade, uma *febris catarhalis*, e permitia-lhe estar ali às vezes uma semana inteira. Todos, entre nós, se riam desta *febris catarhalis*. Sabiam muito bem que se tratava de um acordo tácito entre o médico e o doente, da fórmula para designar uma doença imaginária: "febre de sustento"; conforme traduziam os próprios presos aquela *febris catarhalis*. Às vezes o doente aproveitava-se da brandura do coração do médico e continuava metido na cama até que o expulsavam dali à força. Era então de ver o nosso médico assistente; parecia que não se atrevia, que se envergonhava de dizer na cara do doente que ele já estava bom e tinha de dar-lhe alta, embora estivesse no seu direito de, sem mais rodeios, sem lhe dar satisfações, escrever na papeleta de doente: *sanat est*[32]. Começava por dar-lhe algumas indicações; depois perguntava-lhe "Então, não é tempo, já? Tu estás quase bom e na sala há poucos lugares" etc. etc., até que o próprio doente acabava por concordar e pedia alta espontaneamente. O médico-chefe, se bem que fosse um homem honesto e amante da Humanidade (os doentes também gostavam muito dele), era, apesar de tudo, incomparavelmente mais rígido e decidido do que o médico da sala, e às vezes mostrava até um severo rigor, e por isso os presos tinham por ele um respeito especial. Aparecia sempre seguido por todos os médicos do hospital, depois do médico da enfermaria; examinava-os também a todos, demorando-se especialmente junto dos doentes graves, aos quais sabia dizer sempre uma palavra bondosa, animadora, até, em algumas ocasiões, reconfortante e geralmente deixava boa impressão. Nunca repelia nem expulsava os atacados de febre de sustento; mas se o doente teimava, então, muito simplesmente, dava-lhe alta: "Vamos, meu amigo, já estiveste bastante tempo de cama descansando; vamos, levanta-te; é preciso ser-se honesto". Os que teimavam eram quase sempre os preguiçosos para o trabalho, sobretudo no verão, ou os sentenciados que aguardavam o castigo. Lembro-me de que, com um deles, empregaram um rigor especial, ou melhor até, crueldade, para lhe darem alta. Entrara para a enfermaria com uma doença de olhos; olhos inflamados; queixava-se de picadas fortes. Tinham os tratado com cantáridas, sanguessugas, injeções de um líquido especial etc.; mas a doença, apesar de tudo, persistia; os olhos não se aclaravam. Pouco a pouco, o médico compreendeu a manha: a inflamação, sempre pequena, nem se agravava nem desapare-

---

32. Abreviatura de *sanatus est*: está curado. (N.T.)

cia, estava sempre no mesmo grau. O caso tornou-se suspeito. Havia já muito tempo que os presos sabiam que era um falso doente, que andava a enganar os outros, embora ele não quisesse reconhecê-lo. Era um rapaz novo, bonito, até; mas dava-nos a todos uma impressão um pouco desagradável; era reservado, receoso, arredio; não falava com ninguém; olhava de soslaio, escondia-se de todos; parecia desconfiar de todos. Lembro-me de que alguns chegaram até a pensar que ele havia de fazer alguma malandragem. Era soldado, tinha roubado muito, foi apanhado e condenado a mil vergastadas e à companhia de castigo. Com o fim de adiar o instante do castigo, conforme disse já, os condenados decidiam-se às vezes a expedientes terríveis: atirarem-se, de faca na mão na véspera do suplício, sobre algum chefe ou algum preso, seu companheiro de trabalho, para terem de ser julgados outra vez, adiando assim por um mês ou dois o castigo e desse modo conseguindo o seu objetivo. Não se detinham a pensar em que deviam ser castigados ao fim de dois meses, com duplo, com triplo rigor; o que procuravam era afastar o momento terrível, ainda que fosse só por uns dias, e depois que fosse o que Deus quisesse. Tal era o extremo a que chegava às vezes a falta de coragem destes infelizes. Entre nós, os presos, costumavam dizer que era preciso ter cuidado com ele, não fosse matar alguém, de noite. Aliás, limitaram-se a falar mas não tomaram qualquer espécie de precauções especiais, nem sequer aqueles que tinham a cama junto da dele. No entanto viam que ele, durante a noite, besuntava os olhos com a cal do estuque da parede e com mais qualquer coisa, a fim de tê-los outra vez inflamados, de manhã. Até que o médico-chefe o ameaçou com a mecha de algodão, para manter a supuração, como se fosse um cavalo. Nas doenças crônicas dos olhos, que se prolongam por muito tempo, e quando se experimentaram já todos os recursos da medicina para salvar a vista, os médicos apelam para um meio forte e doloroso: põem ao doente uma mecha, como se fosse um cavalo. Mas o desgraçado nem assim se restabelecia. Nem sei o que seria aquilo, se coragem ou covardia excessiva, pois a mecha, embora não fosse como as vergastadas, era também muito dolorosa. Seguram o doente por detrás, no pescoço, com a mão, o mais que possam abranger, cortam toda a carne assim apanhada, com uma faca, e fica então aberta uma ferida profunda e extensa em toda a parte ínfero-posterior da cabeça, introduzem nessa ferida uma grande mecha de algodão, quase da grossura dum dedo; depois, todos os dias, à hora marcada, extraem essa mecha da ferida, de maneira que esta se abre de novo para ficar supurando e não se fecha mais. O infeliz sofreu essa tortura teimosamente durante alguns dias, com dores atrozes, até que por fim consentiu em pedir alta. Os olhos ficaram-lhe completamente bons num dia e, quando a ferida do pescoço se fechou, foi levado ao corpo da guarda para receber no dia seguinte outros mil açoites.

Não há dúvida de que o instante que precede o castigo é muito penoso, tão penoso que pode ser que eu incorra em pecado ao chamar a esse medo pequenez de ânimo e covardia. Devia ser terrível quando se sofria um castigo duplo ou triplo e não era administrado de uma só vez. Já falei de alguns condenados que se apressavam a pedir alta, espontaneamente, quando ainda não tinham sequer as costas cicatrizadas das últimas pancadas, a fim de receberem as restantes e de ficarem definitivamente com as suas culpas saldadas, pois o estar pendente de castigo no corpo da guarda era indubitavelmente pior do que o presídio. Mas, além da diferença de temperamentos, desempenhava também um grande papel na decisão e intrepidez de alguns o costume inveterado das pancadas e dos castigos. Dir-se-ia que os que estão muito acostumados ao azorrague têm também a alma e as costas já endurecidas e que acabam por olhar o castigo com ceticismo, quase como uma doença leve, e não têm medo dele. Um dos nossos presos, da seção especial, um calmuco batizado de Alieksandr ou Alieksandra, como o chamavam entre nós, um rapaz invulgar, velhaco, valente e ao mesmo tempo bondoso, contava-me, rindo e gracejando, mas no entanto com muita seriedade, que, se desde a infância, desde a sua primeira e mais tenra infância, não tivesse sofrido o chicote com tanta frequência, de tal maneira que em toda a sua vida, lá longe, na sua tribo, nunca as costas lhe tinham chegado a cicatrizar, de maneira nenhuma poderia ter resistido àqueles quatro mil. Quando me contava isto, quase que dava graças por essa sua educação, debaixo do chicote. "Alieksandr Pietróvitch, a mim, todos", disse-me uma vez, sentado na minha esteira, antes de se acenderem as luzes, "todos, por isto ou por aquilo, todos me batiam, durante quinze anos seguidos, desde o primeiro dia em que comecei a ter uso da razão, e várias vezes durante o dia; só não me batia aquele que não queria, de tal maneira que acabei por acostumar-me." Não sei como veio a parar junto dos soldados; não me recordo, embora possa ser que ele me tivesse contado; era um eterno vagabundo e aventureiro. Só me lembro de que me contou o medo enorme que se apoderou dele quando o condenaram a quatro mil por ter assassinado o seu chefe. "Eu sabia que haviam de dar-me um castigo severo e que talvez não saísse com vida dos açoites, pois, apesar de estar acostumado ao chicote, quatro mil... não é caso para brincadeira!, e, além disso, os chefes estavam todos furiosos comigo. Eu sabia, sabia-o de fonte certa, que haviam de bater-me com severidade, que não me levantaria debaixo das vergastas. A princípio pensei fazer-me cristão e disse para comigo: 'Talvez me perdoem'; e embora os meus me dissessem que com isso não conseguiria nada, que não me perdoariam, eu pensava: 'No entanto, vou tentá-lo; seja como for, sempre terão mais piedade de um cristão'. E de fato tornei-me cristão e puseram-me o nome de Alieksandr no sagrado batismo; agora, quanto às vergastadas, fiquei na mesma; nem sequer me perdoaram uma; eu tomei isso como um insulto. Disse para comigo: 'Esperem, que eu hei de enganar-vos a todos.' Sabe o que aconteceu, Alieksandr Pietróvitch? Enganei-os! Eu sabia lindamente fingir-me morto; isto é, não completamente morto, mas como se a minha alma estivesse para abandonar o corpo de um momento para o outro. Fui levado para o castigo, deram-me mil pauladas; 'Queima como fogo!', gritava eu, dão-me outras mil. 'Chegou a minha última hora', pensei; perdi os sentidos, por completo; minhas pernas se dobraram, rolo por terra; tinha os olhos mortiços, a cara arroxeada, mal respirava e a boca cheia de espuma. O médico chegou e declarou: 'Está quase morto'. Levaram-me para a enfermaria, mas eu me reanimei imediatamente. Depois levaram-me outras duas vezes, e já estavam furiosos, muito furiosos comigo; mas eu os enganei por mais duas vezes; ao terceiro milhar, assim que me deram a primeira da série, pus-me logo a morrer; e quando chegou a vez do quarto, parecia que, a cada pancada, era um punhal que me trespassava o coração; cada pancada valia por três, tão fortes eram elas! Enraiveciam-se contra mim. Aquele maldito último milhar (assim lhe...) equivalia a tanto como os três primeiros juntos, e se não entrego a alma ao Criador antes do final (ainda me faltavam duzentas vergastadas) ter-me-iam morto a sério; mas eu não me prestei a isso, outra vez os enganei, morri outra vez; e tornaram a acreditar; como é que não haviam de acreditar, se o próprio médico acreditou? Por isso, os últimos duzentos, apesar de ser como foram, que em outra ocasião, dois mil teriam sido mais leves do que eles, podiam achatar o beque, pois não me mataram; e por que não me mataram? Muito simplesmente porque fui criado debaixo do chicote; desde criança. É por isso que ainda estou neste mundo. Abençoadas pancadas essas!", acrescentou ao terminar a sua narrativa, como que afundado numa triste reflexão, como se se esforçasse por recordar e contar as vezes que lhe tinham batido, "mas não", acrescentou passado um minuto de silêncio, "não posso calcular quantas foram, já lhes perdi a conta!"

Olhou para mim e sorriu, mas de uma maneira tão bonachona que eu também não pude deixar de corresponder-lhe com outro sorriso.

– Sabe, Alieksandr Pietróvitch? Eu, agora, sonho todas as noites que me vão açoitar infalivelmente. É só isso que sonho!

De fato, costumava gritar frequentemente durante a noite, até enrouquecer, de maneira que os presos tinham de acordá-lo à pancada.

– Ó diabo, por que gritas tu?

Era um homem sadio, de estatura mediana, nervoso e jovial, de uns 45 anos: dava-se bem com todos, embora gostasse muito de roubar, e por causa disso batiam-lhe muitas vezes. Mas quem é que não roubava e quem é que não apanhava pancada, ali?

Acrescentarei a isso uma só coisa: admirava-me sempre aquela extraordinária bonacheirice com que os chicoteados me falavam de todas as surras ou da maneira como lhes tinham batido e quem tinha sido. Raramente percebia o mais pequeno indício de rancor ou de ódio em tais histórias, depois, às vezes, eram os causadores de que o coração me parasse primeiro e começasse depois a pulsar com violência. Mas eles contavam e riam-se como crianças. Eis M...tski, por exemplo, que me contou o seu castigo; não era nobre e deram-lhe quinhentos. Eu sabia coisas dele por outros e perguntei-lhe:

– Isso é verdade? Como foi?

Ele me respondeu brevemente, como se sentisse uma certa repugnância íntima, como se se esforçasse por não me olhar no rosto, ao mesmo tempo que o seu se ruborizava; passado meio minuto, olhou para mim e nos seus olhos brilhava a chama do rancor e os lábios tremiam-lhe de cólera. Eu compreendi que ele nunca poderia esquecer aquela página do seu passado. Mas os outros (não afirmo que não houvesse exceções), quase todos viam isso de outra maneira completamente diferente. "Não é possível", pensava eu às vezes, "que se considerem a si próprios como absolutamente culpados e dignos do suplício, sobretudo quando pecaram, não contra os seus, mas contra os chefes". A maioria deles não se queixava. Disse já que nunca observei remorsos de consciência, nem naqueles casos em que o crime praticado tinha sido contra a sua própria classe. Dos crimes contra os superiores nem é preciso falar. Parecia-me às vezes que, neste último caso, procediam segundo um ponto de vista pessoal, prático, ou, para melhor dizer, fictício. Tomavam em linha de conta o destino, a irrefutabilidade do fato, e não por reflexão mas sim inconscientemente, como uma crença qualquer. O presidiário, por exemplo, apesar de ter sempre a tendência para considerar-se inocente dos crimes contra os superiores, até o ponto de parecer-lhe absurda toda pergunta acerca disso, no entanto, aceitava praticamente que os chefes considerassem o seu crime sob outro ponto de vista totalmente diferente, não tendo outro remédio senão castigá-lo. Era uma autêntica luta. O criminoso sabe disso e não duvida de que está justificado perante o juízo do seu meio natural, da sua gente, a qual nunca, e ele sabe disso também, o condenará de um modo definitivo, mas em grande parte, ou até na totalidade, lhe perdoará o seu crime, contanto que este não seja contra os seus, os seus irmãos, da mesma classe do povo a que pertence. A sua consciência está tranquila e essa consciência dá-lhe coragem e não sofre moralmente, e isto é o principal. De certa maneira sente que conta com alguma coisa em que se apoiar, e por isso não experimenta ódio, e encara antes o que aconteceu como um fato inevitável, que não foi começado nem acabado por ele, e se prolongará devido a uma luta que se trava já há muito tempo, passiva mas teimosamente. Qual é o soldado que odeia verdadeiramente o turco, quando guerreia contra ele? E, no entanto, o turco acomete-o e ele aponta e dispara. Aliás, nem todas as histórias eram tão perfeitamente equânimes e benévolas. Do tenente Tcheriebiátnikov, por exemplo, falavam, embora nem todos, com certas mostras de ódio. Eu conhecia este tenente Tcheriebiátnikov de ouvir falar acerca dele, desde os primeiros tempos da minha estada no hospital, claro que por referências dos presos. Até que um dia cheguei a conhecê-lo pessoalmente, quando ficou ali, uma vez, de guarda. Era um homem de uns trinta anos, de estatura mediana, gordo, com umas bochechas coradas, regurgitando de gordura, uma dentadura enorme e um riso ameaçador, inquietante. Podia ver-se pela sua cara que era o homem mais atoleimado deste mundo. Gostava muito de castigos, de dar pauladas, quando era designado como executor. Apresso-me a participar que eu já considerava o tenente Tcheriebiátnikov, por essa altura, como um monstro entre os seus, e os presos consideravam-no da mesma maneira. Além dele havia também carrascos à antiga, é claro, dessa antiguidade recente, cuja tradição está ainda fresca, mas na qual custa a acreditar, os quais gostavam de desempenhar a sua função escrupulosamente. Mas na sua maior parte a coisa se realizava ingenuamente e sem treino especial. O tenente era comparável a um gastrônomo refinado, na sua maneira de ser carrasco. Gostava apaixonadamente da arte de ser verdugo, e amava-a apenas como arte. Isso o deleitava, e, como um patrício do império romano, enfastiado, estragado pelos prazeres, inventara vários requintes, várias modalidades antinaturais, artísticas, com o fim de excitar um pouco e de fazer umas agradáveis cocegazinhas na sua alma, atafulhada de gordura. Eis o momento em que conduzem o preso ao castigo e em que Tcheriebiátnikov faz de carrasco: deita um olhar ao longe e a fileira alinhada de indivíduos, armados de grossos varapaus, começa já a animá-lo. Muito contente, passa revista a essas fileiras e exorta energicamente todos a cumprir a sua missão escrupulosamente, conscienciosamente, senão... Os soldados já sabem o que significa esse "senão". Eis que trazem o próprio réu; se até esse momento ainda não tinha tido notícias acerca de Tcheriebiátnikov, se não ouviu falar pormenorizadamente acerca dele, verá então os gracejos que o tenente vai dizer-lhe. E é claro que isso seria apenas uma amostra, pois o tenente, em matéria de invenções, era inesgotável. Todos os presos (no momento em que o despem da cintura para cima e lhe atam as mãos à culatra da espingarda e puxando pela qual o leva depois o suboficial ao longo de toda a rua verde), todos os presos, dizia, em tal momento começam sempre, seguindo o costume geral, a suplicar ao executor, com voz chorosa, lamurienta, que o castigue com brandura e não ponha rigor excessivo no suplício.

– Vossa Senhoria! – grita o infeliz réu –, tenha compaixão, seja meu pai; prometo que rezarei sempre a Deus por Vossa Senhoria; não me mate, tenha piedade!

Tcheriebiátnikov costumava aguardar este momento para suspender imediatamente a coisa e interpelar o réu com uma cara compungida:

– Meu amigo – dizia –, eu não posso fazer nada por ti, não sou eu quem castiga, mas sim a Lei.

– Está tudo nas mãos de Vossa Senhoria. Tenha piedade!

– Mas tu julgas que eu não tenho pena de ti? Julgas que a mim me agrada ver a maneira como vão surrar-te? Qual! Eu também sou homem! Eu sou um homem ou não sou? Ora, diz tu...

– Isso já se sabe, senhor, isso é coisa já sabida; os senhores são os nossos pais e nós somos os seus filhos. Seja Vossa Senhoria o meu pai! – grita o réu começando a alimentar esperanças.

– Mas, meu amigo, já que tens cabeça para pensar, vê bem: eu sei que, humanamente, tenho obrigação de olhar-te a ti, pecador, com benevolência e com doçura.

– Vossa Senhoria acaba de dizer a pura verdade!

– Sim, a olhar-te com doçura, como se não fosse pecador. Mas aqui, repara bem, não se trata de mim, mas da Lei. Lembra-te de que eu sirvo a Deus e à Pátria e carregaria a minha consciência de um grande pecado se adulterasse a Lei. Reflete.

– Senhor!

– Bom, no fim de contas, farei isso por ti! Sei que ao fazê-lo cometo um pecado, mas seja... Terei compaixão de ti por esta vez, castigar-te-ei com brandura. Quem sabe, se, com isto, afinal não te prejudicarei? Desta vez terei piedade de ti; castigar-te-ei com brandura; mas fixa bem que, se a coisa torna a repetir-se e tornas a praticar algum delito, então... Juro-te que...

— Senhor! Hei de contar isso a toda a gente, como se estivesse perante o trono do Criador do Céu...

— Bem, bem, está bem, está bem! Mas promete-me que daqui em diante vais ser bom.

— Deus me castigue se... Que no outro mundo...

— Não jures, que é pecado. Eu acredito na tua palavra. Dás-me a tua palavra?

— Senhor!

— Bem. Escuta: terei compaixão de ti só por essas tuas lágrimas de órfão. Tu és órfão?

— Sou, sim, senhor. De pai e mãe...

— Bem, então, em atenção às tuas lágrimas de órfão... Mas olha que é a última vez... Vamos, levem-no! – ordenava com uma voz tão suave que o réu já não sabia que orações havia de rezar a Deus por um homem tão clemente.

Eis que a terrível procissão se põe em movimento, que o levam: o tambor repica, erguem-se as primeiras vergastadas.

— Com força! – grita fortemente Tcheriebiátnikov. – Batam-lhe, batam-lhe! Sovem-no bem! Mais força, ainda mais! Com mais força, para o órfão, com mais força, para o velhaco! Surrem-no bem, surrem-no bem!

E os soldados batiam com toda a sua força; saltavam chispas dos olhos do infeliz, que começa a gritar; mas Tcheriebiátnikov corre atrás dele ao longo da fileira e ri, ri às gargalhadas, derrete-se a rir, segura as costas com as mãos para aguentar o riso, não pode conter-se; de tal maneira que, por fim, já não pode mais. Mas continua a rir e somente interrompe o seu riso sonoro, são, alegre, de quando em quando, e então ouve-se de novo:

— Batam-lhe! Batam-lhe! Batam com força no órfão, batam com força no velhaco!

Mas vejam esta outra variante também invenção sua. Conduzem o réu ao castigo e ele começa com as súplicas. Desta vez Tcheriebiátnikov não finge, não faz caretas, manifesta-se com franqueza.

— Olha, meu caro amigo – diz – vou castigar-te como é devido, visto que o mereces. Mas ouve o que vou fazer a teu favor; não te atarei à culatra da espingarda. Vais caminhar sozinho, mas de uma maneira diferente. Correrás com todas as tuas forças ao longo da fileira. E ainda que te deem todas as vergastadas, a coisa se torna mais rápida. Que te parece? Queres experimentar?

O réu, duvidoso, escuta incrédulo e reflete: "Tanto faz", diz para consigo. "Pode ser que, efetivamente, assim tudo se abrevie. Correrei o mais depressa que puder e assim o suplício será cinco vezes mais breve e pode ser até que nem todas as vergastas me alcancem."

– Está bem, senhor.

– Bem, então, levem-no. Mas não o atem – grita para os soldados, sabendo no entanto que nem um só pau há de deixar de cair sobre as costas do culpado, pois o soldado que falha o golpe sabe muito bem aquilo a que se expõe. O preso se envaidece, por ir correr com todas as suas forças ao longo da rua verde, mas, naturalmente, não chega na sua carreira nem ao décimo quinto soldado; os paus caem sobre as suas costas como o repicar do tambor e o pobre cai com um grito, desfalecido, como se tivesse sido atingido por um tiro.

– Não, senhor; é melhor fazer conforme manda o regulamento – diz, levantando-se imediatamente do chão, pálido e medroso.

Mas Tcheriebiátnikov, que já de antemão sabia em que ia acabar toda esta brincadeira, desmanchava-se a rir, como um bruto. Mas não vou descrever todas as suas invenções e tudo quanto entre nós se contava acerca dele.

Era de uma maneira um pouco diferente, noutro tom e com outra intenção, que entre nós falavam também de um certo tenente Smiekálov, que desempenhava o cargo de comandante do nosso presídio antes que viesse para aqui o nosso major da caserna. De Tcheriebiátnikov, embora falassem com bastante imparcialidade, sem ódio especial, não aplaudiam as suas façanhas nem o gabavam, e era evidente que lhe tinham horror. Alguns até o desprezavam. Mas do tenente Smiekálov recordavam-se entre nós com alegria e prazer. O motivo disso estava em que ele não era apreciador dos castigos: não havia nele nem uma ponta de elemento tcheriebiatnikóvico. No entanto, não era absolutamente oposto ao castigo; mas o certo é que até as suas vergastadas eram recordadas entre os presos com certo prazer, tal era o ponto a que esse homem sabia agradar aos presos! Como é que ele conseguia isso? Como alcançara tanta popularidade? De fato, a população dos presos, e pode dizer-se que todo o povo russo, está sempre disposto a esquecer os suplícios por uma só palavra afetuosa. Falo disto como de um fato, sem relacioná-lo com isto nem com aquilo. É fácil agradar a esta gente a granjear essa popularidade. Mas o tenente Smiekálov conquistou uma popularidade especial, de tal maneira que chegavam quase a recordar-se com deleite da maneira como ele castigava.

– Nem nos fazia falta o padre – costumavam dizer os presos, e até suspiravam, comparando-o, na sua recordação, o chefe de outros tempos, Smiekálov, com o atual major da caserna. – Era um homem de coração!

Era um homem simples e bom, de seu natural. Mas às vezes acontecia que os cargos de comando eram ocupados por homens não só bons, mas até generosos, e que nem todos gostassem deles e alguns até se rissem deles. O certo é que Smiekálov sabia fazer com que todos o reconhecessem pelo seu homem; mas isto é uma espécie de habilidade, ou, para melhor dizer, uma aptidão inata, da qual nem sequer se apercebem aqueles que a possuem. Coisa estranha: costumava haver tipos nitidamente maus e que, apesar disso, conquistavam grande popularidade. Não eram ralhadores nem despóticos com as pessoas que dependiam deles e, segundo me parece, devia ser este o motivo disso. Não lhes viam mãos brancas de fidalgo, não tinham cheiro a senhores, mas sim um certo cheiro especial da gente de baixa condição, que lhes era inato. E, meu Deus, como o povo fareja esse cheiro! Quem não daria por ele! Está disposto a trocar o homem mais brando pelo mais severo, contanto que exale este cheiro! Que sucederá no caso de o homem que exala este cheiro plebeu, que lhes é próprio, ser ao mesmo tempo bom de seu natural? Nesse caso é para eles um tesouro sem preço!

Conforme disse já, o tenente Smiekálov, às vezes castigava e bem; mas, fosse como fosse, sabia proceder de maneira que não só não lhe guardavam rancor, mas ainda por cima, no meu tempo, em que tudo isso ia já longe, recordavam as suas coisas a respeito das execuções com riso e até com gosto. Mas, aliás, tinha poucas dessas coisas, não podia vangloriar-se de fantasia artística. Para dizer a verdade, tinha um truque, um só, acerca do qual os presos falaram durante um ano inteiro; mas é possível que fosse tão bom por ser o único. Tinha muito de ingênuo. Levavam-lhe, por exemplo, o preso culpado. O próprio Smiekálov assiste ao castigo. Assiste sorrindo, gracejando, começa a interrogar o réu acerca de algo secundário, dos seus assuntos pessoais, domésticos e prisionais, como se fosse sem qualquer objetivo, nem sequer por chalaça, apenas simplesmente... porque, de fato, gostava de informar-se de todas essas coisas. Trazem as vergastas e a cadeira para Smiekálov: este se senta e acende o cachimbo. Usava um cachimbo muito comprido. O réu começa a suplicar...

– Não, meu amigo, tem paciência, não me venhas agora com... – diz Smiekálov. O réu suspira e conforma-se.

– Um momento, meu amigo, sabes alguns versos de cor?

– Então não havia de saber, senhor? Somos batizados, aprendi-os em criança.

– Bem, então, diga-los.

E o preso já sabe o que há de recitar e qual é o resultado dessa recitação; que já trinta vezes teve o mesmo gracejo para outros. Sim, também o próprio Smiekálov sabe que o réu não o ignora; sabe que até os soldados que estão ali postados com as vergastas erguidas ao alto sobre a vítima, estendida, já há muito tempo que ouviram falar deste gracejo; e, no entanto, repete-o de novo... pois uma vez lhe agradou e ficou para sempre, talvez precisamente por que o tivesse inventado, por presunções literárias. O preso começa a recitar; os tipos das vergastas esperam; mas Smiekálov até muda de lugar, levanta as mãos e deixa de fumar o seu cachimbo; espera a frase de sempre. Depois dos primeiros versos conhecidos, o preso chega por fim à frase: "Nos céus". Era isso o que ele esperava.

– Alto! – grita o tenente, excitado e, de repente, voltando-se com um gesto inspirado para o homem que levanta a vergasta, grita:

– Levem-no!

E começa a rir. Os soldados que o circundam também riem; o executor sorri e pouco falta para que o preso ria também, se não fosse o fato de, à voz de comando: "Levem-no para lá!", já a vergasta se ergue no ar, para um minuto depois cortar como uma navalha de barbear o seu corpo culpado. E Smiekálov fica contente porque lhe correu tão bem a coisa... inventada por ele próprio: "nos Céus e levem-no para lá", que de fato rimam[33]. E Smiekálov sai dali perfeitamente satisfeito consigo próprio, o supliciado fica também satisfeito consigo próprio e com Smiekálov e... passada meia hora, anda já contando por todo o presídio como pela trigésima primeira vez se repetiu o já trinta vezes repetido gracejo. Realmente era um homem de coração!

Meia hora depois, a recordação do bondosíssimo tenente tinha qualquer coisa de sedutor.

– Uma vez passava eu diante da casa dele – conta algum dos condenados e todo o seu rosto se ilumina num sorriso, com a recordação – e ele estava lá, sentado junto da janela, de roupão, tomando o chá e fumando o seu cachimbo. Tirei o gorro.

– Aonde vais Aksiénov?

– Para o trabalho, Mikhail Vassílievitch, direitinho para a oficina, onde estamos fazendo falta.

Ele sorriu-se... Era um homem de bom coração, de muito bom coração!

– Nunca mais voltaremos a ter outro igual! – acrescenta algum dos ouvintes.

CAPITULO XIV

O HOSPITAL
(CONCLUSÃO)

FALEI DOS CASTIGOS, assim como dos vários executores destes interessantes encargos, sobretudo porque foi só quando entrei para o hospital que pude fazer uma ideia visual de todas essas coisas[34]. Até então apenas as conhecia de ouvido. Para as nossas salas vinham todos os supliciados com as vergastas, dos vários batalhões, das companhias disciplinares e das outras seções militares estabelecidas na nossa cidade e em todos os seus

---

33. Rimam em russo. (N.T.)

34. Tudo quanto escrevo aqui acerca dos castigos e suplícios refere-se ao meu tempo. Agora tenho ouvido dizer que tudo isso já mudou... ou está para mudar. (N.A.)

arredores. Nos primeiros tempos, em que eu contemplava com enorme avidez tudo quanto se passava à minha volta, todas essas coisas, para mim tão estranhas, todos esses castigos e os que tinham sido condenados a sofrê-los provocavam em mim uma fortíssima impressão. Ficava comovido, dorido e assustado. Lembro-me de que então comecei imediatamente a fazer perguntas acerca desses novos fenômenos, a escutar as narrativas e conversas de outros presos sobre este tema, e até lhes fazia perguntas, ansioso por saber tudo. Entre outras coisas ansiava conhecer a todo custo todos os trâmites da condenação e da execução, todos os pormenores desta última, e a opinião dos próprios presos acerca de tudo isso; esforçava-me por imaginar o estado psíquico daqueles que se encaminhavam para o suplício. Disse já que, perante o castigo, raro era aquele que conservava o sangue-frio, até mesmo aqueles que já anteriormente tinham sofrido mais de uma sova brutal. Quase sempre o condenado sentia um medo terrível, puramente físico, involuntário e inevitável, que afetava todo o ser moral da criatura.

Além do mais, em todos estes anos da minha vida presidiária, observava involuntariamente no hospital como os abandonavam, depois da primeira metade do castigo, e tratadas as suas costas, para no outro dia irem cumprir a outra metade do castigo a que os tinham condenado. Essa divisão do castigo em duas metades efetuava-se sempre por indicação do médico que assistia ao suplício. Se o número de açoites marcado para o crime era grande, de tal maneira que o preso não poderia aguentá-las todas de uma vez, dividiam esse número em duas ou em três partes, guiando-se pelo que o médico dizia no próprio momento do castigo, se o réu podia ir avançando ao longo da carreira de vergastas ou se isso acarretaria perigo para a sua vida. De maneira geral, quinhentos, mil, e até mil e quinhentos açoites aguentavam-se de uma vez; mas se o castigo consistia em dois ou três mil, a sua execução fazia-se em duas ou ainda em três vezes. Aqueles cujas costas já estavam cicatrizadas, após terem recebido a primeira metade, saíam do hospital para receber a segunda e, no dia em que lhes era dada alta e na véspera, mostravam-se desusadamente tristes, arredios e irritáveis. Notava-se-lhes um certo embotamento mental, um estranho ensimesmamento. Não entabulavam conversas e ficavam muito cismativos; o mais curioso de tudo era que os próprios presos nunca lhes dirigiam a palavra e evitavam toda alusão ao que os esperava. Nem palavras de mais nem consolações; procuravam até não fixar a atenção sobre eles. O que sem dúvida era o melhor para o sentenciado. Havia exceções, como, por exemplo, a de Orlov, do qual já falei. Depois da primeira metade do castigo só lhe custava que as suas costas demorassem tanto tempo a cicatrizar, impedindo-o de solicitar alta o mais depressa possível, para receber em seguida as outras pancadas, encaminhar-se depois, em caravana, para o lugar de deportação que lhe tinha sido designado, e poder assim fugir durante o trajeto. Mas este indivíduo tinha um objetivo e só Deus sabe o que em mente. Era um temperamento estranho e vigoroso. Estava muito satisfeito consigo próprio e num estado de grande exaltação, embora reprimisse os seus sentimentos. O certo era que, antes da primeira metade do castigo, pensava que não escaparia vivo do suplício, que certamente morreria. Até ele tinham chegado já diversos boatos relativos a certas medidas dos chefes, quando ele estava ainda pendente de castigo; já então se preparava para morrer. Mas depois de ter sofrido a primeira metade, ganhou coragem. Entrou no hospital esfrangalhado, meio morto; nunca até então eu vira tais feridas; mas entrou com a alegria no coração, com a esperança de sair com vida, de saber que os boatos eram falsos, de que, de uma vez, já estava livre; depois que, agora, depois do longo processo, começou a sonhar com o caminho, a fuga, a liberdade, os campos e os bosques... Dois dias depois da sua saída do hospital morria ali mesmo, na mesma cama de antes, por não ter suportado a segunda volta de açoites. Mas já falei dele.

E, no entanto, esses mesmos presos, que tinham passado dias e noites tão horríveis perante o castigo, sofriam depois o suplício virilmente, até mesmo os fracos. Raras vezes eu os ouvia se queixarem, nem sequer os que eram castigados com extrema crueldade; o povo sabe, de maneira geral, suportar a dor. Eu fazia muitas perguntas a respeito da dor. Desejava conhecer concretamente como eram essas dores, com que, no fim de contas, se podiam comparar. Não sei, verdadeiramente, para que desejaria sabê-lo. Lembro-me apenas de uma coisa, mas não por curiosidade vã. Repito, eu estava muito comovido. Mas fosse quem fosse aquele que eu interrogasse, nunca conseguia obter uma resposta que me satisfizesse. "Queima como fogo", era esta a única resposta que me davam e tudo que pude apurar. Nestes primeiros tempos, como eu convivesse mais intimamente com M...m, interroguei-o.

– Dói muito – respondeu-me – mas a impressão é de que queima como fogo, como se uma chama viva queimasse as costas.

Em resumo: coincidiam todos na mesma palavra. Além disso lembro-me de que, então, fiz eu também uma estranha observação, por cuja exatidão não respondo, embora a generalidade das observações dos próprios presos a corrobore firmemente, isto é, que as vergastadas, quando administradas em grande número, representam o castigo mais duro de todos quantos entre nós se empregam. Dir-se-ia à primeira vista que isto é absurdo e impossível. No entanto, com quinhentas, até com quatrocentas vergastadas, pode deixar-se um homem à morte e, passadas quinhentas, é certo que morre. Mil vergastadas de uma vez não as aguenta nem o homem de constituição mais robusta. Em compensação, quinhentas pauladas podem aguentar-se sem nenhum risco de morte. A mil, pode resistir sem perigo de vida até um homem de natureza pouco vigorosa. Mais ainda: é impossível matar um homem de forças medianas e de constituição sã. Todos os presos diziam que as vergastadas eram piores que as pauladas.

– As vergastadas dilaceram – diziam –, a dor é mais intensa.

Não há dúvida de que as vergastas são mais dolorosas do que os paus. Excitam mais, atuam mais energicamente sobre os nervos, alteram-nos mais profundamente, quebram-nos extraordinariamente. Não sei como será agora, mas nos tempos de uma antiguidade que não vai longe ainda, havia cavalheiros para os quais a possibilidade de castigar a sua vítima constituía uma sensação que fazia recordar o marquês de Sade e a Brinvilliers. Penso que havia qualquer coisa nessa comoção que aplacava o coração desses cavalheiros: qualquer coisa gostosa e dolorosa, ao mesmo tempo. Há pessoas que parecem tigres ávidos de beber sangue humano. Quem exerceu uma vez esse poder, esse ilimitado domínio sobre o corpo, o sangue e a alma de um semelhante seu, de uma criatura, de um irmão em Cristo; quem conheceu o poder e a plena faculdade de infligir a suprema humilhação a outro ser, que traz em si a imagem de Deus – converte-se sem querer em escravo das suas sensações. A tirania é um costume; possui a faculdade de desenvolver-se e degenera, finalmente, numa doença. Eu afirmo que o melhor dos homens pode embrutecer-se e embotar-se por efeito do hábito, até descer ao nível duma fera. O sangue e o poder embriagam, engendram o embrutecimento, a insensibilidade; tanto a inteligência como o sentimento acabam por achar isso natural e, por fim, aprazíveis as manifestações mais anormais. O homem e o cidadão morrem para sempre no tirano; é-lhe quase impossível regressar à dignidade humana, ao arrependimento, a uma nova vida. Além disso, o exemplo, a possibilidade de tal egoísmo faz aparecer também na sociedade um efeito nocivo: semelhante poder é sedutor. A sociedade que contempla com indiferença esse espetáculo está já minada pela base. Em resumo: o direito de impor castigos corporais, outorgado a um sobre o outro, é uma das pragas da sociedade, é um dos meios mais poderosos para aniquilar nela todo germe de civismo e a base completa para a sua dissolução inevitável e infalível.

A sociedade tem horror ao verdugo; mas o verdugo-cavalheiro também não anda longe. Só há pouco tempo foi exposta a opinião contrária, mas só nos livros, abstratamente. Até aqueles que assim se manifestam, nem todos poderão ainda despojar-se dessa necessidade de domínio. E mais: todo industrial, todo empreiteiro deve infalivelmente experimentar uma certa satisfação comovida pelo fato de um operário e toda a sua família estar inteiramente à sua mercê. Esta é a pura verdade; não é assim tão depressa que o homem se desprende daquilo que herdou; não é assim tão depressa que se alija aquilo que está na massa do sangue, que lhe foi transmitido, como costuma dizer-se, com o leite materno. Não se produzem transformações tão rápidas. Reconhecer a culpa e o pecado original é ainda pouco, pouquíssimo: é preciso desprender-se totalmente deles. Mas isto não é coisa que se faça assim, tão depressa.

Falei do verdugo. A natureza de verdugo encontra-se em germe em quase todo homem contemporâneo. Mas as qualidades brutais do homem não se desenvolvem por igual. Quando, com o desenvolvimento, se abafam num homem todas as outras qualidades, esse homem torna-se, sem dúvida alguma, terrível e selvagem. Há duas espécies de verdugos: voluntários e involuntários, obrigados. O verdugo voluntário é, sob todos os aspectos, pior do que o forçado, o qual, no entanto, provoca no povo tanto espanto e aversão, e até um pavor louco, quase mítico. A que é devido esse terror quase supersticioso do verdugo e essa indiferença, essa quase aprovação em relação ao outro? Há exemplos muito estranhos: conheci pessoas boas e até honestas, até respeitadas na sociedade e, no entanto, não podiam, por exemplo, suportar serenamente que o réu não gritasse debaixo das vergastas nem pedisse clemência. Os réus, quando eram castigados, deviam infalivelmente gritar e pedir compaixão. Era esta a sua mentalidade, tinham isto por decente e imprescindível; e quando acontecia a vítima não gritar, o executor, que eu conhecia, e que a outros respeitos podia passar por um homem, e até por um homem bom, chegava a sentir-se ofendido. Desejaria ter começado a castigar com brandura; mas, como não ouvia as costumadas súplicas "Senhor, pai, tenha piedade, que eu pedirei eternamente a Deus por Vossa Senhoria!" etc... enfurecia-se e mandava dar ao réu mais quinze pancadas, para ver se conseguia arrancar-lhe esses gritos e súplicas... e conseguia-o. "Não pode tolerar-se uma coisa dessas, é um descaramento", respondia-me muito a sério. Quanto ao verdugo de profissão, forçado, involuntário, já se sabe qual a sua origem: é um preso já julgado e condenado à deportação, que obteve comutação da pena e por isso foi destinado a verdugo; faz a sua aprendizagem com outro verdugo e, uma vez instruído, fica para sempre no presídio com esse encargo, passa a viver aí por sua conta, ocupa moradia à parte e até possui a sua fazendinha, mas sempre sob a guarda de uma sentinela. Não há dúvida de que um homem não é nenhuma máquina; o verdugo bate por obrigação, sim, mas às vezes chega a entusiasmar-se; no entanto, embora o bater lhe produza algum prazer, não sente entretanto nenhum ódio supérfluo contra a sua vítima. A destreza do golpe, o conhecimento do ofício, o desejo de destacar-se entre os camaradas e perante o público esporeiam o seu amor-próprio. Esforça-se pelo seu ofício. Fora disso sabe muito bem que é um réprobo para a sociedade, que em todos os lados encontra um terror supersticioso que o segue por toda parte, e que isto tem sobre ele a influência de fomentar o seu ardor, as suas bestiais inclinações. Até as crianças sabem que os pais o amaldiçoam. Coisa estranha: tive muitas vezes a oportunidade de ver carrascos de perto e de verificar que eram todos homens que sabiam raciocinar, mentalmente desenvolvidos, inteligentes, com uma vaidade extraordinária e até orgulhosos. Ter-se-ia desenvolvido neles este orgulho por reação natural contra o desprezo geral que inspiram? Seria provocado pelo reconhecimento do terror que infundem às suas vítimas e pelo seu sentimento de domínio sobre elas? Não sei. Pode ser que o próprio aparato, a própria teatralidade dessa decoração com que se apresentam em público, sobre o cadafalso, contribua para desenvolver neles um pouco de soberbia. Lembro-me de que uma vez me sucedeu encontrar-me frequentemente durante algum tempo com um verdugo e observá-lo de perto. Era um homem de estatura mediana, musculoso, seco, de uns quarenta anos, de cara bastante simpática e inteligente, e com o cabelo ondulado. Estava sempre com um ar muito grave e tranquilo; tinha o aspecto completo dum cavalheiro; respondia sempre com brevidade, sensatamente, e até com certa amabilidade altiva, como se tivesse razão para mostrar-se orgulhoso perante mim. Os oficiais da guarda costumavam falar com ele diante de mim e, para dizer a verdade, tratavam-no com certo respeito. Ele sabia-o perfeitamente e com os seus superiores dobrava de reserva, de secura e de gravidade. Quanto mais afetuoso se mostrava o superior, mais reservado ele; e embora nunca ultrapassasse os termos duma amabilidade afetada, estou convencido de que, naquele instante, se tinha por infinitamente superior ao chefe que falava com ele. Lia-se-lhe na cara. Acontecia que, às vezes, durante as horas ardentes dos dias estivais, o mandavam, com escolta, armado de uma comprida e fina vara, matar os cães vadios da cidade. Naquela cidade abundavam extraordinariamente esses cães, que não tinham dono, e se multiplicavam com extraordinária rapidez. Na época da canícula tornavam-se perigosos, e mandavam o verdugo, por ordem das autoridades, para exterminá-los. Mas até este humilhante encargo não constituía para ele vexame algum. Era curioso ver a dignidade com que atravessava as ruas da cidade, escoltado pela sentinela esgotada, assustando, só com a sua presença, as mulheres e as crianças que encontrava, e a tranquilidade e até altivez com que olhava todos os transeuntes.

Aliás, a vida do verdugo é cômoda. Tem dinheiro, come bem, bebe vinho. O dinheiro, recebe-o das gorjetas. O condenado civil, que foi sentenciado a castigo, a primeira coisa que faz, ainda que pertença à classe mais baixa, é gratificar o verdugo. Mas quando se trata dos outros, dos condenados ricos, são eles próprios que lhe apresentam a conta, marcando uma quantia em relação com os recursos prováveis do réu, cobrando-lhes trinta rublos e às vezes mais. Também fazem negócio em grande escala, com os muito ricos. O verdugo não pode castigar com muita brandura: por isso respondem as suas próprias costas. Mas em compensação, pelo preço ajustado promete à vítima não lhe bater com muita força. Cedem quase sempre à sua proposta; senão ele os castiga de maneira bárbara, o que está absolutamente nas suas mãos. Acontece que exige uma quantia elevada, até mesmo de um réu pobríssimo; os parentes regateiam e fazem-lhe muitas cortesias; mas ai deles se não chegam a satisfazê-lo! É nestas ocasiões que eles se aproveitam do terror supersticioso que inspiram. Quantas selvajarias não se contam do verdugo! Além disso os próprios presos me afirmaram que o verdugo pode matar com uma só pancada. Mas, em primeiro lugar, quando é que tal se comprovou? Embora, no fim de contas, pudesse ser. Afirmam-no redondamente. Um verdugo afirmou-me ele próprio também que, de fato, assim podia ser. Diziam também que pode bater com todas as forças sobre as costas do réu, mas de maneira que não sofra nem a mais leve arranhadura devido à pancada nem sinta a mínima dor. Correm já por aí demasiadas histórias acerca de todos estes truques e requintes. Mas se o verdugo recebe gratificações para castigar brandamente, apesar de tudo, a primeira pancada pertence-lhe e descarrega-a com todas as suas forças e energias. Isto já se transformou num costume, entre eles. As últimas pancadas dão-se frouxas, sobretudo quando lhes pagaram adiantadamente. Mas a primeira pancada, quer lhes tenham pago ou não, é sua. Não sei, verdadeiramente, por que fazem isso. Talvez para mostrar à sua vítima, nas pancadas seguintes à sua custa, que, depois de uma pancada violenta, as mais fracas já não são tão dolorosas, ou simplesmente pela ânsia de impor-se ao réu, de infundir-lhe medo, mortificá-lo, para que saiba nas mãos de quem está. Em suma: para mostrar o seu poder. Seja como for, o verdugo, antes do início do castigo, encontra-se numa excitação, sente a sua força, reconhece-se poderoso; nesse minuto é um ator: o público admira-o e teme-o, e não há dúvida de que é com certo prazer que grita para a sua vítima, antes da primeira pancada: "aguenta, que queima!", frase habitual e assustadora em tais ocasiões. Custa a imaginar até que ponto pode corromper-se a natureza humana.

Nos meus primeiros tempos de hospital, escutei todas essas histórias da boca dos presidiários. Para todos era horrivelmente aborrecido. Os dias eram tão iguais uns aos outros! De manhã, ainda nos servia de distração a visita dos médicos, e depois, o desjejum. Não há dúvida de que a comida, numa monotonia daquelas, representava uma distração notável. As dietas eram diferentes, distribuídas em relação às doenças dos enfermos. Alguns recebiam apenas uma sopa com um pouco de cevada; outros, massas, apenas; um terceiro, sêmola, que tinha muitos apreciadores. Os presos, de estarem tanto tempo metidos na cama, acabavam por tornar-se esquisitos e queriam regalar-se. Aos convalescentes e aos que estavam quase bons davam um pedaço de vaca assada, "uma tora", como eles diziam. A melhor de todas as rações era a dos escorbúticos: carne com cebola, rábanos etc., e também às vezes um copo de aguardente. O pão era, conforme o gênero da doença, negro ou escuro, muito bem cozido. Essa formalidade e prescrição das dietas só inspiravam vontade de rir aos presos. Não há dúvida de que, em certas doenças, o homem chega a não comer. Mas, em compensação, os doentes que tinham apetite comiam o que queriam. Alguns trocavam as suas dietas, de maneira que dietas indicadas para uns doentes eram comidas por outros que sofriam de doenças completamente diferentes. Outros, que deviam observar dieta, comiam carne de vaca e a ração dum escorbútico, e bebiam *kvas*, a bebida do hospital, comprando-o daqueles a quem estava destinado. Alguns ingeriam duas rações. As rações vendiam-se e revendiam-se a dinheiro. A de vaca era muito cara: cinco copeques. Se faltava qualquer coisa na nossa sala, enviavam o enfermeiro à outra enfermaria de presos, e se aí também não havia, mandavam-no às salas dos soldados, dos "livres", como nós lhes chamávamos. Encontrava-se sempre quem quisesse vender a sua ração. Ficavam só com o pão, mas, em compensação, arranjavam dinheiro. Não há dúvida de que a pobreza era geral; mas aqueles que tinham um dinheirinho chegavam até a mandar comprar no mercado tortas, guloseimas etc. Os nossos enfermeiros cumpriam todos estes recados sem o menor risco. Depois do almoço, começavam as horas mais aborrecidas: um, por não fazer nada, adormecia; outro, tagarelava, este resmungava e aquele punha-se a contar patranhas. Quando não entravam novos doentes, o aborrecimento era ainda maior. A entrada de um novato fazia sempre alguma impressão, sobretudo quando ninguém o conhecia. Olhavam-no, esforçando-se por adivinhar quem seria e como, de onde e por que tinha ido parar ali. Nesses casos interessavam particularmente os que vinham das caravanas de condenados: estes começavam logo a falar, não dos seus assuntos íntimos, é claro; desde que não fosse ele próprio quem a falasse acerca disto, os outros também nunca lhe perguntavam mais do que: "De onde vieste? Com quem? Que caminho fizeste? Aonde vais?" etc. Alguns, assim que ouviam a nova história, achavam indispensável contar também alguma coisa a seu respeito; das suas diferentes jornadas, dos castigos e dos chefes de caravanas. Os supliciados com as vergastas chegavam também a essa hora, à tarde. Provocavam sempre uma forte impressão, conforme já disse; mas não apareciam todos os dias e, no dia em que não vinham, sentíamos um tédio tal, que todas aquelas caras se tornavam mutuamente importunas e chegavam até a surgir brigas. Eram para nós um motivo de alegria os loucos que eram trazidos para ficarem em observação. Os réus costumavam entregar-se ao trabalho de se fingirem loucos para escaparem ao castigo. Alguns eram logo forçados a desistir; ou, para melhor dizer, eles próprios decidiam mudar de tática e, depois de se terem fingido de loucos durante dois ou três dias, tornavam-se sensatos de repente, sem mais nem menos, apaziguavam-se e, tristemente, começavam a pedir alta. Nem os presos nem os médicos os censuravam nem envergonhavam, recordando-lhes a sua recente impostura; davam-lhes alta em silêncio, acompanhavam-nos em silêncio e, daí a dois ou três dias, voltavam a aparecer entre nós, já castigados. Mas esses casos eram, de maneira geral, muito raros. Os loucos verdadeiros, colocados em observação, representavam um verdadeiro castigo de Deus para toda a sala. Alguns loucos de bom humor, desinquietos, que gritavam, dançavam e cantavam, a princípio eram acolhidos quase com entusiasmo: "Que engraçado!", diziam, ao verem alguns deles, que entravam fazendo caretas. Mas a mim causavam-me muita compaixão e custava-me muito ver esses desgraçados. Nunca pude olhar a sangue-frio para um louco.

Aliás, as caretas ininterruptas e os gestos inquietos do louco que tínhamos acolhido com risos, bem depressa chegavam a aborrecer-nos a todos e, passados dois dias, já tínhamos perdido por completo a paciência. Um desses esteve entre nós três semanas e quase que nos fez fugir dali. Por esse tempo, como se fosse de propósito, levaram para ali um louco que me causou uma impressão muito especial. Aconteceu isso no terceiro ano da minha estada no presídio. No primeiro ano, ou, para melhor dizer, nos primeiros meses da minha vida no presídio, eu costumava sair, na primavera, com um turno para o trabalho, a duas verstas dali, para uma olaria onde havia também oleiros, para ir trabalhar como ajudante de pedreiro. Era preciso reparar os fornos para os próximos trabalhos de olaria, no verão. Nessa manhã, na olaria, M...tski e B*** apresentaram-me ao suboficial Ostrójski, que vivia ali como inspetor. Era um polaco de uns sessenta anos, alto, débil, muito educado e com uma aparência imponente. Havia pouco tempo que fazia serviço na Sibéria, e embora fosse de origem plebeia e tivesse sido soldado, M...tski e B*** gostavam dele e respeitavam-no. Andava sempre lendo uma Bíblia católica. Eu falei com ele e ele me tratou muito afetuosamente, com muito tato, contou-me coisas muito interessantes e olhou-me com muita bondade e nobreza. A partir dessa data, não tornei a vê-lo durante dois anos; tinha apenas ouvido dizer que, não sei por que motivo, se encontrava sujeito a uma sindicância, quando, de repente, o introduziram na nossa sala, como louco. Entrou a guinchar, a rir às gargalhadas e, com os gestos mais vulgares e próprios do mujique de Kamarinsk[35], pôs-se a dançar na sala. Os presos estavam entusiasmados, mas eu tinha uma pena... Passados três dias já não sabíamos o que havíamos de fazer à vida. Brigava, punha tudo num alvoroço, guinchava, cantava até durante a noite, fazia a cada momento

---

35. Dostoiévski já se referiu à dança popular *Kamárinskaia* na *Granja de Stiepántchikovo*. (N.T.)

coisas tão repugnantes que todos nós ficávamos simplesmente agoniados. Não tinha medo de ninguém. Puseram-lhe uma camisa de força, mas, com isso, ainda foi pior para nós, embora sem a camisa pusesse tudo em desordem e ralhasse quase com todos. Durante essas três semanas, às vezes era toda a sala, a uma só voz, pediu-se ao médico-chefe que levassem aquele desordeiro dali para outra sala. E aí, passados dois dias, pediram também a sua transferência para outra. E quando uma vez nos levaram dois loucos, desassossegados e rixentos, colocavam-nos alternadamente numa e noutra sala, trocando os dementes. Mas isso ainda era pior. Só descansamos quando os levaram dali não sei para onde...

Lembro-me também de um louco extraordinário. Trouxeram-nos um dia, no verão, um condenado, sadio mas de figura muito desajeitada, de uns 45 anos, com uma cara desfigurada pela varíola, de olhinhos vivos e inflamados e com um aspecto muito severo e sombrio. Colocaram-no junto de mim. Parecia um homem muito pacífico, não falava com ninguém e parecia estar sempre meditando. Já começara a escurecer; de repente, ele encarou comigo. Sem mais que nem por que, sem quaisquer preâmbulos, mas com o ar de quem deseja comunicar-me um grande segredo, começou a contar-me que, dali a uns dias, iam aplicar-lhe dois mil açoites, mas que por agora não podiam fazê-lo, pois a filha do coronel G*** estava loucamente apaixonada por ele. Eu olhei para ele, duvidoso, e respondi-lhe que, nesse caso, me parecia que a filha do coronel não poderia fazer nada. Mas eu não sabia nada; é que o tinham levado ali, não como louco, mas como doente comum. Perguntei-lhe que doença era a sua. Respondeu-me que não sabia e que o tinham levado ali por qualquer coisa, mas que ele estava perfeitamente bem de saúde e que a filha do coronel o amava com paixão; que ela o tinha visto uma vez, havia duas semanas, quando passara pelo corpo da guarda, e ele também a vira nessa ocasião por um postigo gradeado. Assim que ela o viu apaixonou-se imediatamente. E, desde então, já por três vezes tinha ido ao corpo da guarda, sempre com vários pretextos: da primeira fora com o pai, visitar o irmão, que nesse dia estava como oficial de serviço; na seguinte, em companhia de sua mãe, entregar uma esmola, e quando passava em frente dele disse-lhe em voz baixa que o amava e que havia de fazer com que o pusessem em liberdade. Era estranha a minúcia de pormenores com que me contou todo esse absurdo que, naturalmente, nascera todo completo no seu cérebro doente e alterado. Tinha uma fé cega em que escaparia ao castigo. Falava muito tranquila e convictamente do apaixonado amor que por ele tinha essa menina e, apesar do absurdo de toda essa história, tornava-se estranho ouvir uma narrativa tão fabulosa acerca de uma moça apaixonada por um homem que andava já perto dos cinquenta anos, e com uma cara tão inexpressiva, tétrica e desfigurada. Era surpreendente o que o terror do castigo pudera provocar naquele espírito apoucado. De fato, talvez tivesse visto alguém pelo postigo, e a loucura, que se apoderava já dele por causa do terror, agravando-se de hora para hora, encontrou depressa a sua liberdade, a sua forma. Esse pobre soldado, no qual talvez as mulheres não tivessem reparado nem uma só vez em toda a sua vida, forjou de repente todo esse romance, agarrando-se instintivamente àquilo que podia, nem que fosse uma palhinha. Escutei-o em silêncio e falei depois acerca dele com os outros presos. Mas quando os outros começaram a interrogá-lo, curiosos, guardou um silêncio prudente. No dia seguinte o médico fez-lhe muitas perguntas e disse-lhe depois que ele não estava doente, conforme se deduzia do exame, e deu-lhe alta. Só soubemos que o médico tinha escrito *sanat* na sua papeleta quando já tinha saído, e por isso não pudemos falar-lhe do caso. Mas nenhum de nós, então, suspeitava do mais importante. No entanto tudo se reduzia a um erro dos superiores, que o tinham enviado para a nossa sala sem repararem no motivo. Assim se produziu esse descuido. Mas é possível que os que o enviaram suspeitassem de alguma coisa mas não estivessem completamente convencidos da sua loucura e, influenciados por vagos rumores, o tivessem mandado para ali para observação. Fosse como fosse, o desgraçado, passados dias, foi levado ao suplício. Segundo parece, o inesperado acontecimento causou-lhe uma impressão profunda; não acreditava que pudessem castigá-lo, e quando o levaram perante as filas, começou a gritar: "Sentinela!". Dessa vez puseram-no no hospital, não na nossa sala, onde havia cama livre, mas noutra. Mas eu perguntei por ele e pude averiguar que, durante os oito dias que ali esteve, não disse sequer uma palavra a ninguém e mostrou-se desassossegado e muito triste... Depois, quando as costas lhe cicatrizaram, levaram-no não sei para onde. Eu, pelo menos, nunca mais voltei a ter notícias dele.

No que se refere a tratamentos e remédios, tanto quanto pude observar, os doentes sem gravidade quase não cumpriam as prescrições do médico e não tomavam os remédios; mas os doentes graves e, de maneira geral, os verdadeiros doentes, gostavam muito de tratar-se, tomavam conscienciosamente as poções e os papelinhos, embora os que mais lhe agradassem fossem os remédios externos. Sanguessugas, cataplasmas e sangrias, tão do agrado também e tão merecedoras de crédito por parte do nosso povo, aceitavam-nas os presos doentes de muito boa vontade e até com prazer.

Havia uma circunstância estranha que muito me chocava. Aqueles mesmos homens que eram tão corajosos quando tinham de suportar as dores torturantes dos paus e das vergastas costumavam queixar-se por causa de uma simples ventosa. Dar-se-ia por acaso que se tivessem já tornado muito melindrosos ou que fingiam aqueles melindres? Não tenho explicação para isto. De fato, as nossas ventosas eram de um gênero especial. O pequeno aparelho de picar a pele tinha-o perdido o *feldscher*, ou tinha-o estragado, se é que não se estragara por si, de maneira que agora era preciso abrir na pele os pontos indispensáveis com a lanceta. Para cada ventosa faziam perto de umas doze incisões... O aparelho não provocava dor. Os vinte estiletes atuam de uma só vez ao mesmo tempo e a dor é quase imperceptível. Mas as punções com a lanceta são outra coisa. A lanceta pica, relativamente, com muita lentidão; sente-se a dor; e como, por exemplo, para duas ventosas é preciso fazer umas vinte punções, não há outro remédio senão suportá-las. Eu experimentei isto, mas, embora se sentisse dor e mal-estar, não eram de tal natureza que não se pudesse resistir-lhes sem queixumes. Chegava a ser ridículo, às vezes, olhar para um homenzarrão forte e saudável e vê-lo a fazer trejeitos e a queixar-se. Geralmente isso fazia o mesmo efeito de quando um homem forte e calmo, pronto para qualquer outra coisa séria, acaba por ser atacado por neurastenia e se torna voluntarioso para com os seus, por permanecer muito tempo sem fazer nada; não come o que lhe apresentam, ralha, insulta; acha tudo mau, tudo o enjoa, todos o tratam mal, todos vivem para atormentá-lo; em suma: põe-se mau, de gordo, como diz o povo desses senhorinhos que, aliás, abundam também entre o povo; e até não eram raros no nosso presídio, devido à convivência geral. Costumava acontecer na minha sala que começassem a ridicularizar alguns desses melindrosos ou simplesmente a injuriá-los; e esse, então, calava-se, como se não esperasse senão isso para se calar. Ustiântsev gostava muito disso e não perdia nunca ocasião de insultar os piegas. Embora, de maneira geral, não perdesse nunca ocasião de insultar fosse quem fosse. Era este o seu prazer, motivado, naturalmente, pela sua doença, e em parte também pela sua estupidez. Costumava começar por se pôr a olhar muito séria e atentamente, e depois, com voz tranquila, cheia de convicção, punha-se a repreender o interessado. Havia sempre de intrometer-se em tudo; parecia que tinha sido incumbido de velar pela ordem entre nós ou pela moral em geral.

– Mete-se em tudo – costumavam dizer os presos, sorrindo.

Mas tratavam-no com delicadeza, evitavam rixar com ele, e de vez em quando se excediam.

– És um caluniador! Nem em três carradas cabem as tuas mentiras.

– A quem é que eu calunio? Diante de um burro ninguém tira o chapéu, isso já se sabe. Por que grita ele dessa maneira, por causa da lanceta? Aguenta!

– Mas, a ti, que te interessa?

– Nada, meus amigos – interrompia um dos nossos presos –, as ventosas não valem nada, eu já as experimentei, mas não há dor pior do que quando lhe puxam muito a orelha.

Todos se puseram a rir.

– Mas, a ti, puxaram-na?

– Julgas que não? Claro que sim, que puxaram.

– Por isso tu tens as orelhas tão grandes e tão espetadas.

Esse presidiário, Chápkin, tinha de fato umas orelhas muito compridas, espetadas de ambos os lados. Era um vagabundo, ainda novo, manhoso e pacífico, que se exprimia sempre com um certo humorismo fingido e grave, o que comunicava certa comicidade a algumas das suas histórias.

– Como havia eu de pensar que te puxaram as orelhas? Como podia eu pensar isso de ti, que és tão esperto? – insistia de novo Ustiântsev, encarando com Chápkin, embora, aliás, isso não se dirigisse a ele sozinho mas sim a todos em geral; mas Chápkin nem sequer olhava para ele.

– E a ti quem te as puxou? – perguntou-lhe outro.

– Quem? Já toda a gente sabe muito bem que foi o carrasco. Isso, meus amigos, foi por causa da vagabundagem. Chegamos uma vez a K***, éramos dois e mais outro, todos vagabundos. Durante o caminho tínhamos enchido um pouco a bolsa em Tolminó, uma aldeia que se chama assim. Bem. Entramos e olhamos; as coisas não estavam mal. No campo há quatro liberdades, na cidade, nenhuma, isso já se sabe. Pois bem: a primeira coisa que fizemos foi irmos para a pousada. Olhamos. Aproxima-se um, pelo visto enegrecido pelo sol, com os cotovelos rotos, vestido à alemã. Pomo-nos a falar...

– Os senhores – diz-nos ele – deem-me licença que lhes pergunte: trazem documentação?

– Não – respondo-lhe eu.

– Nós também não. E comigo vêm dois amigos – disse –, também da casa do general Kukúchkin[36], somos servos. Por isso tomo a liberdade de perguntar-lhe se não poderia convidar-nos. Se poderia oferecer-nos alguma bebida...

– Com muito gosto – respondemos-lhe. Pois bem, bebemos. E entretanto começamos a tratar de um assunto da nossa "competência". A casa ficava no extremo do caminho e nela vivia um burguês opulento, e decidimos visitá-la de noite. E nessa mesma noite todos caímos ali na armadilha. Apanharam-nos e fomos levados à presença do juiz. "Eu próprio", disse, "os interrogo." Apareceu com o seu cachimbo, seguido de um criado com uma chávena de chá; era um tipo gordo, de suíças. Sentou-se. Entretanto tinham trazido para ali outros três indivíduos, também vagabundos. O vagabundo é um homem com graça, meus amigos; não se lembra de nada, absolutamente; ainda que lhes deem uma bordoada na cabeça, esquece-se de tudo, não sabe nada. O juiz encarou comigo:

– Quem és tu? – e parecia estar gritando dentro de um túnel. Bem; eu, como é sabido, disse o costume:

---

36. Ou seja, do bosque, onde canta o cuco. Quer dizer que eles também são vagabundos. (N.A.)

– Não me lembro de nada, Vossa Senhoria; esqueci-me de tudo.

– Espera, espera, que eu já te digo, a tua cara não me é desconhecida – e olhava para mim com uns olhos enormes. Mas eu nunca o vira até então. Voltou-se para o outro:

– Quem és tu?

– "Fisga-te", senhor.

– Chamas-te Fisga-te?

– Sim, senhor.

– Bem, está bem. És Fisga-te; e tu? – perguntou ao terceiro, já se sabe.

– Chamo-me "Eu vou atrás dele".

– Chamas-te assim, tunante?

– É assim que me chamam as pessoas boas. Há muita gente boa no mundo, senhor, isso já se sabe.

– E quem são essas pessoas boas?

– Estou um pouco esquecido, senhor; queira perdoar-me, por caridade.

– Esqueces-te completamente?

– Completamente, senhor.

– Mas, tu, com certeza que também deves ter tido pai e mãe... não te lembras deles?

– Com certeza que tive, senhor; mas o certo é que também não me lembro deles; pode ser que os tenha tido, senhor.

– Mas onde tens vivido até agora?

– No bosque, senhor.

– Sempre no bosque?

– Sempre no bosque, senhor.

– E no inverno?

– Ao inverno não cheguei a vê-lo, senhor.

– Bem; e tu, como te chamas?

– "Machada", senhor.

– E tu?

– "Come e não bocejes", senhor.

– E tu?

– "Anda com tento", senhor.

– E não se lembram de nada?

– De nada, senhor.

Levanta-se, sorri e eles olham para ele, rindo-se. Bem; mas às vezes dão-te um soco nos dentes quando acham o riso descabido. Mas todos estes tipos são gordos e bem nutridos...

– Levem-nos para a prisão – disse. – Eu vou com eles; mas, eh! tu, espera aí... quero dizer-te uma coisa... Chega cá, senta-te!

Olho: uma mesa, papel e pena. Penso: "Que andará ele maquinando?".

– Senta-te – diz – à mesa, pega na pena e escreve – e agarrou-me pela orelha e começou a puxar. Eu olho para ele como o diabo olha para o pope.

– Não sei escrever, senhor – digo eu.

– Escreve!

– Tenha piedade, senhoria.

– Escreve como souberes, mas escreve! – e continua puxando a minha orelha e a torcê-la! Bem, meus amigos, só lhes digo que preferia ter levado trezentas pauladas do que ouvir aqueles gritos de "Escreve e nem mais um pio!"

– Mas ele estava bêbado ou que tinha ele?

– Não, não estava bêbado. É que em T***, um escriturário, roubara a caixa e fugira com ela, e o homem também tinha as orelhas como abanos. Bem, e tinham-no anunciado por todos os lados. Eu, pelos sinais, me parecia com ele, e foi por isso que, assim que me viu, começou a embirrar comigo; queria ver se eu sabia escrever e como era a minha letra!

– Mas que tipo! E doía?

– Ai não, que não doía!

Houve uma gargalhada geral.

– Bem, e escreveste?

– Que havia eu de escrever? Mas ele me pegou na mão e tirou-me a pena; escreveu num papel e depois parou. Deu-me dez bofetões e depois, é claro, largou-me, isto é, mandou-me para o presídio.

– Mas tu sabias escrever?

– Dantes, sabia; mas agora, desde que se escreve com estas penas, já me esqueci.

Eis aqui com que histórias, ou melhor, com que tagarelices nos passávamos às vezes o nosso aborrecido tempo. Senhor, que aborrecimento esse! Dias longos, opressivos, todos iguais, sem a mais leve mudança. Ainda se ao menos tivéssemos um livro! E dizer que eu, sobretudo a princípio, amiudava as minhas visitas ao hospital, umas vezes como doente e outras para descansar; o que interessava era sair do presídio. Porque este era horrível, muito mais horrível do que o hospital, incomparavelmente pior. Maldade, hostilidade, inveja, ataques contínuos contra nós, os aristocratas; caras sombrias, mal-humoradas. Aqui, no hospital, vivíamos todos num plano de maior igualdade, mais amigavelmente. O momento mais triste do dia era à tarde, quando acendiam as luzes e se fazia noite. Deitávamo-nos cedo. Uma lamparina baça brilhava ao longe, junto da porta, como um pontinho luminoso; mas o fundo da sala ficava na escuridão. O ambiente era pesado e fedorento. Há algum que não pode dormir, endireita-se e fica sentado hora e meia na cama, inclinando a cabeça com o gorro de dormir, como se meditasse. Uma pessoa fica olhando para ele uma hora, esforçando-se por adivinhar em que estará ele pensando, com o fim de matar também o tempo de qualquer maneira. E então põe-se a sonhar, a recordar o passado, e surgem quadros amplos e brilhantes, evocados pela fantasia; e recordam-se pormenores que, noutro tempo, não teríamos recordado nem nos teriam causado tanta impressão como agora. E depois começa-se a pensar no futuro: "Como se sairá do presídio? Para onde ir, depois? Quando será isso? Ao sair, encontrar-se-á alguém de família?". Uma pessoa pensa e repensa e a esperança nasce na sua alma. Mas outras vezes põe-se simplesmente a contar: "Um, dois, três" etc., com a única intenção de ver se assim adormece. Eu, às vezes, contava até três mil e não adormecia. Mas eis que alguém se volta para o outro lado e a cama range. Ustiântsev tosse, com a sua tosse cheia de expectoração, de tísico; depois solta um débil gemido e diz sempre: "Senhor, pequei!" E é terrível ouvir essa voz doente, enfraquecida e surda, no meio do silêncio absoluto. Mas eis que em qualquer parte, num canto, há dois que não dormem e falam de cama para cama. Um fala da sua vida, de algo longínquo, esquecido, vago, de filhos, de uma mulher, da antiga ordem das coisas. E sente-se que tudo isso de que fala jamais voltará para ele; mas ele, o narrador... é como um membro decepado; o outro escuta. Ouve-se apenas um fraco e significativo barulhinho, como de água que corresse ao longe...

Lembro-me de que, uma vez, numa longa noite de inverno, me
aconteceu ouvir uma certa história. Pareceu-me então como um
sonho febril, como se eu tivesse estado com febre e delirante, e
tivesse sonhado tudo isso no ardor da febre, ensandecido.

CAPÍTULO XV

O MARIDO DA AKULHKA
(CONTO)

UMA NOITE, ERA JÁ TARDE, meia-noite. Eu já adormecera, mas
de repente, despertei. A turva, sumida luzinha da longínqua
lamparina, mal alumiava a sala... Quase todos dormiam. Até
Ustiântsev dormia também e podia ouvir-se no meio do silêncio a dificuldade com que ele respirava e como a garganta lhe
estertorava de mucos a cada aspiração. De repente ouviram-se
ao longe, nos corredores, os passos pesados da sentinela que se
aproximava para a rendição. Ouviu-se o bater duro duma culatra
sobre o chão. A enfermaria abriu-se; o cabo entrou com cautela
e contou os doentes. Passado um minuto, tornaram a fechar a
sala, uma nova sentinela ficou ali postada, a outra afastou-se
e de novo voltou o silêncio de antes. Foi então que reparei
que, perto de mim, à esquerda, havia dois que não dormiam
e pareciam cochichar entre si. Isso costumava acontecer nas
enfermarias; estavam às vezes dias e meses inteiros deitados um
junto do outro, sem dizerem uma palavra, e de repente, numa
hora avançada da noite, começava um a falar e a contar todo o
seu passado ao vizinho.

Aqueles, pelo visto, havia já algum tempo que falavam.
A princípio não reparei nisso e também não podia ouvir bem o
que diziam, mas pouco a pouco fui me acostumando e comecei
a compreender tudo. Não tinha sono. Que fazer senão escutar?
Um deles falava com entusiasmo, meio erguido na cama, baixando a voz e estendendo o pescoço na direção do camarada.
Estava visivelmente exaltado, excitado; percebia-se que tinha
uma grande vontade de falar. O seu ouvinte estava sentado
na cama, sério e com uma indiferença absoluta, esticando os
pés, e de vez em quando murmurava qualquer coisa à guisa de

resposta ou em sinal de atenção para com o amigo, mas como se o fizesse apenas por dever e não por amizade, e atafulhava a cada momento o nariz de tabaco, que tirava de uma tabaqueira de osso. Era um soldado da companhia disciplinar, Tchevierin, um homem de uns cinquenta anos, terrível pedante, calculista frio, um imbecil muito soberbo de si próprio. O narrador, Chichkov, era um homem ainda novo, de menos de trinta anos; era um preso civil, que trabalhava na alfaiataria. Até então eu mal tinha reparado nele; e depois também pouco me preocupei com ele, durante todo o tempo da minha vida de presidiário. Era um homem vazio e de poucas luzes. Às vezes ficava calado, punha-se tristonho, arredio, e durante um mês não falava. Mas outras vezes, de repente, metia-se naquilo que não lhe dizia respeito, começava a contar mexericos, exaltava-se por qualquer insignificância, andava de alojamento em alojamento, levava notícias, propalava calúnias, perdia a cabeça. Quando lhe batiam, tornava a calar-se. Era um indivíduo covarde e digno de dó. Todos o tratavam com certo desprezo. Era baixo, fracote, tinha uns olhos inquietos e que pareciam às vezes meditar profundamente. Quando lhe acontecia contar qualquer coisa, começava com muito entusiasmo, até gesticulava, e de repente interrompia-se ou mudava para outra coisa, distraindo-se com novos pormenores, até se esquecer por onde começara. Brigava com frequência e quando rixava com alguém punha-se infalivelmente a dirigir-lhe censuras, a jogar-lhe no rosto qualquer falta que tivesse cometido, falava com muita veemência e a dois dedos do pranto... Mas não tocava mal balalaica e gostava de tocá-la, e nos dias de festa também dançava, e dançava bem, quando lhe pediam... Era fácil conseguir que fizesse uma coisa... Não que fosse complacente de seu natural, mas gostava de cultivar a amizade e de agradar aos companheiros.

Durante muito tempo não consegui perceber de que falava. Pareceu-me também, a princípio, que se afastava a todos os momentos do tema e se demorava com coisas secundárias. Pode ser também que reparasse em Tchevierin, que não seguia com interesse o seu relato; parecia que queria convencer-se a si próprio de que o seu ouvinte era... todo ouvidos, e talvez lhe tivesse custado muito ter de convencer-se do contrário.

– ...E quando ia ao mercado – continuou –, todos lhe faziam reverências e prestavam homenagem; em suma... riquíssimo.

– Tinha então um negócio?

– Sim, era comerciante. Havia muita pobreza entre a gente humilde. Uma autêntica miséria. As mulheres no rio, lá em cima, tiravam a água para regar as suas terras semeadas e, no outono, nem sequer tinham couves para a sopa, nada. Bom. Pois ele tinha um bom pedaço de terreno, mandava lavrar a terra por camponeses de aluguel, mantinha três, e tinha, além disso, uma grande colmeia; negociava em mel e também em gado e nem é preciso dizer que gozava de grande consideração no nosso meio. Era já bastante velho, com uns setenta anos; tinha já os ossos duros, os cabelos brancos e era gordo. Quando entrava com a sua pele de raposa numa loja, todos lhe faziam muitas honras: "Saúde, *papacha* Ankúdi Trofímitch!" "Saúde a ti também", dizia ele! "Como vais ver não desprezava ninguém." "Longa vida tenha Ankúdi Trofímitch." "Como vão as tuas coisas?", perguntava ele. "As nossas coisas vão como nozes brancas.[37] E as suas, *papacha*?"

"Vamos andando", dizia, "por nossos pecados, comendo o pão que o diabo amassou." "Que viva muitos anos, Ankúdi Trofímitch!" Não desprezava ninguém, e falava de tal maneira que... cada palavra sua valia materialmente um rublo. Era muito lido, sabia ler e escrever; mas só lia as Escrituras. Sentava a velha na sua frente. "Bem, escuta-me, mulher, vê se me compreendes!" E começava a explicar-lhe. Mas a velha não era nada velha; casara-se com ela em segundas núpcias, por causa dos filhos, já se vê, pois da primeira não teve nenhum. Bom; pois da segunda, Maria Stiepânova, tinha dois filhinhos ainda pequenos; o mais novo, Vássia, nascera quando ele já tinha setenta anos e quando Akulhka, a filha mais velha, teria já dezoito.

– E essa é que era a tua mulher?

– Espera, que em primeiro lugar tenho de falar de Filhka Morózov. "Paga-me", disse Filhka a Ankúdi, "dá-me os quatrocentos, senão não trabalho para ti. Não quero mais contratos contigo, e a tua Akulhka", disse, "meu amigo, não a quero. Eu agora", disse, "vou começar a viver. Os meus pais", disse, "morreram, por isso eu gasto o dinheiro e depois assento praça

---

37. Provérbio que denota impossibilidade. (N.T.)

e, passados dez anos, volto feito marechal." Ankúdi então pagou-lhe, para saldar as contas... Porque o seu pai e o velho tinham negociado com o mesmo capital. "És um perdido", disse. E o outro respondeu-lhe: "Bem, perdido ou não, isso é contigo. Tu", disse, "queres fazer economias com dois *grochi*, guardas todo o lixo porque pode servir para as papas. Eu, que diabo!, sentia ganas de cuspir-lhe, com isto tudo. Eu", disse ele, "tenho caráter. Mas não carrego com a tua Akulhka; eu", disse ele, "mesmo sem isso já dormi com ela..." "O quê?!", disse Ankúdi. "Atreves-te a ofender um pai honrado e uma filha honesta? Quando é que tu dormiste com ela, tu, aborto duma serpente, tu, imprestável!" e todo ele tremia. Foi o próprio Filhka que me contou. "Isso não é comigo", disse, "mas hei de fazer com que a sua Akulhka não vá agora atrás de nenhum, nem nenhum a queira para mulher, e Mikita Grigóritch já não a leva porque está desonrada. Eu já durmo com ela desde o outono. Mas agora não o faria nem por cem caranguejos. Experimente a dar-me cem caranguejos... vai ver como não cedo." O rapaz começou a falar dela! De tal maneira que os boatos chegavam até a cidade. Reuniu os companheiros e uma boa quantia; andou três meses na pândega e gastou tudo. Eu costumava dizer: "Quando o dinheiro tiver acabado todo, venderei a casa, venderei tudo e depois, ou assento praça ou me transformo em vagabundo". Andava bêbado desde a manhã até a noite, e com mulheres aos pares. E as moças gostavam tanto dele que era um horror. Tocava muito bem cítara.

– Quer dizer que, antes disso, já andava metido com Akulhka?

– Espera. Nessa altura também morrera o meu pai, e a minha mãe fazia pães de especiaria, trabalhava para Ankúdi e era disso que vivíamos. Vivíamos mal. Bem; também tínhamos um pedacinho de terra atrás do bosque e semeávamos o nosso trigo; mas depois de o pai ter morrido tudo era pouco, porque eu também não ia lá muito bem, meu amigo. Tirava o dinheiro da mãe, à custa de pancada...

– Lá isso é que não estava certo. É um grande pecado.

– É que estava sempre bêbado, desde a manhã até a noite. A nossa casinha continuava ainda de pé; embora pobre, era nossa; mas não havia nela nada que roer. Vivíamos em jejum semanas inteiras, roíamos trapos. A mãe estava sempre ralhando comigo, ralhando comigo; e eu... eu, meu amigo, por esse tempo, não me separava um momento de Filhka Morózov. Desde que amanhecia até que anoitecia, sempre com ele. "Toca guitarra e dança", dizia ele, "que eu ficarei dormindo e dar-te-ei dinheiro, porque sou rico." As coisas que ele fazia! Só não roubava: "Eu", dizia, "não sou ladrão, sou um homem honrado. Vai", dizia, "e besunta de pez[38] a porta de Akulhka, pois não quero que ela se case com Mikita Grigóritch. Para mim, isto é o principal", disse ele. O velho, já antes, queria dar a moça a Mikita Grigóritch. Mikita também era velho e viúvo, usava óculos, era negociante. Quando soube que corriam boatos acerca de Akulhka, voltou com a palavra atrás: "Para mim", disse ele, "Ankúdi Trofímitch, seria uma grande desonra, e também já sou velho para me casar." Bem; então nós fomos e untamos de pez a porta de Akulhka. E lá em casa bateram-lhe a valer... Maria Stiepânova gritava: "Não sobreviverei a isto!" E o velho: "Noutros tempos, no tempo dos veneráveis patriarcas", dizia ele, "haviam de atirá-la à fogueira; mas agora reinam no mundo a obscuridade e a corrupção." Em toda a rua se ouviam os choros de Akulhka; não paravam de bater-lhe desde manhã. E Filhka gritava em pleno mercado: "É a famosa Akulhka", dizia, "a moça, meus amigos. Que *toilettes*, para receber os amantes, ai não! Eu", dizia, "já lhes escarrei isto na cara, para que se lembrem." Por essa altura encontrei-me uma vez com Akulhka, que ia buscar água e gritei-lhe: "Bom dia, Akulina Kundímovna! Como estás? Podes dizer-nos como te governas?" Foi só isto o que eu lhe disse; ela se voltou para olhar-me com uns olhos enormes; mas estava muito fraquinha. Quando ela se voltou para olhar para mim, a mãe, pensando que ela me sorria, gritou da porta: "Por que mostras os dentes, desavergonhada?". E nesse dia tornaram a castigá-la. Bateram-lhe durante uma hora. "Mato-a", dizia, "porque já não é minha filha."

– Quer dizer que era uma rameira?

– Escuta, *diáduchka*. Andava eu assim constantemente bêbado, na companhia de Filhka, quando um dia, em que eu estava na cama, a mãe se aproxima de mim. "Com que então

---

38. Besuntar de pez a porta da casa onde vive uma moça indica que ela perdeu a virgindade. (N.T.)

estás deitado, meu velhaco, meu crápula, meu canalha!" E pôs-se a ralhar comigo. "Casa-te", disse ela, "casa-te com Akulhka. Agora eles a darão a ti com gosto, com trezentos rublos de dote." E eu lhe disse: "É uma pena", disse, "agora já está desonrada para todos." "Mas tu, imbecil", disse ela, "não vês que, com a coroa[39], tudo se arranja? Para ti é melhor casares com uma que possa sentir-se culpada toda a sua vida. Mas nós ficaremos donos do dinheiro; eu já falei com Maria Stiepânova", disse ela. "Vinte rublos de prata na mão e caso-me." E olha, quer acredites quer não, até o dia do casamento andei sempre bêbado. Mas eis que Filhka Morózov vem e me ameaça. "Hei de quebrar-te as costelas, a ti, marido de Akulina", disse ele, "e hei de ir dormir com a tua mulher todas as noites." E eu lhe disse: "Mentes, focinho de cão!" Bem: e ele pôs-se a insultar-me pela rua. Eu corri para minha casa: "Não me casarei", disse eu, "se não me entregarem agora mesmo cinquenta rublos de prata."

– E os entregaram a ti?

– A mim? E por que não? Nós não estávamos desonrados. O meu pai só ultimamente perdera tudo num fogo; mas antes tínhamos sido mais ricos do que eles. Ankúdi vai e diz: "Vocês estão na miséria", disse. E eu respondo-lhe: "Ainda não chegou o pez com que me untaram a porta". E ele tornou-me: "Vamos a ver: pensarás tu tornares-te importante à nossa custa? Demonstra que ela está desonrada; nem todas as bocas se tapam com um lenço. Tão verdade como Deus existir", disse, "é estar aqui esta porta; não te cases com ela. Agora, quanto ao dinheiro que te dei, hás de o devolver a mim." Então, eu rompi completamente as relações com Filhka; mandei-lhe dizer por Mítri Bíkov que eu agora havia de difamá-lo por toda parte, e, meu amigo, andei bêbado até o dia do casamento. Só acordei para o casamento. Quando voltei para casa, depois da boda, sentamo-nos e Mitrofan Stiepânitch foi e disse: "Embora não seja honroso, é negócio firmado e acabado". O velho, Ankúdi, também estava bêbado e choramingava, sentado... e as lágrimas corriam-lhe pela barba. Bem, eu, meu amigo, então fui e vê o que eu fiz: tirei do bolso um chicote que tinha feito antes do casamento e que pensara experimentar no corpo de Akulhka para que ficasse sabendo, que diabo!, do que é apanhar um marido com um

---

39. A coroa nupcial que era costume pôr nas noivas, no ato do casamento. (N.T.)

engano desonroso e para que as pessoas ficassem sabendo que eu não era nenhum palerma ao casar-me.

– Muito bem! Era para que ela lhe fosse tomando o gosto...

– Não, homem, espera e escuta. Na nossa terra, depois do casamento, os noivos vão imediatamente para o quarto, enquanto os outros bebem. Por isso nos deixaram sós, a mim e a Akulhka. Ela estava branca, parecia que não tinha nem uma gota de sangue. Tinha medo, é claro. Também tinha os cabelos brancos como o linho. Os olhos, dilatados. E estava muito calada, sem dizer uma palavra, perfeitamente muda, naquela casa. Mas que pensas tu, meu amigo? Eu vou e pego no chicote e ponho-o em cima da cama; mas ela, meu amigo, estava inocente.

– Que dizes?

– Absolutamente, como uma moça honesta, de boa família. Por que tinha ela sofrido todos aqueles suplícios? Por que a tinha Filhka Morózov difamado perante toda a gente?

– Realmente...

– Então eu me pus de joelhos a seus pés, em frente da cama, de mãos juntas: "*Mátuchka*", disse, "Akulina Kundímovna, perdoa-me; que imbecil eu fui em ter acreditado. Perdoa-me", disse, "que sou um canalha!" Ela se sentou diante de mim, na cama; olhou-me, atirou-me os braços ao pescoço, sorriu, chorando ao mesmo tempo; chorava e ria... Eu então fui ter com os outros e disse: "Bem", disse, "vou ter agora mesmo com Filhka Morózov e ele não viverá nem mais uma hora!" Os velhos não sabiam como haviam de falar-lhe; a mãe atirou-se aos pés dela, soluçando. E quando, no primeiro domingo, entrei na igreja, levava um gorro de pele de cordeiro, muito bonito; um cafetã de pano fino, calções largos e pregueados, e ela ostentava uma pele de lebre, nova, e uma touca de seda... Fazíamos um lindo par! As pessoas olhavam para nós com gosto; eu não fazia má figura; de Akulínuchka apenas se podia dizer que valia por dez...

– Bem, está bem.

– Escuta. Depois do casamento, logo no outro dia, embora bêbado, eu deixei os convidados; livrei-me de todos e escapei-me. "Tragam-me aqui", disse eu, "esse molenga de Filhka Morózov... Que apareça, esse velhaco! Hei de dizê-lo bem alto no mercado!" Bem; eu estava bêbado; por isso, foi já junto de Vlássov que três homens me agarraram, à força, e me obrigaram a voltar para casa. Mas na cidade fizeram-se comentários. As mulheres falavam no mercado umas com as outras e diziam: "Queres saber? Akulhka estava honrada". Mas passado pouco tempo depois disso, Filhka disse-me em público: "Vende-me a tua mulher... para teres de beber. Faz como Sachka, o militar", disse ele, "que se casou por isso; não dormiu com a mulher e andou três anos bêbado." Então eu lhe disse: "És um canalha!" "E tu", disse ele, "um burro. Casaram-te quando estavas bêbado. Como podes tu saber alguma coisa?" Eu vou para casa e digo: "Vocês", disse eu, "casaram-me quando eu estava bêbado." A mãe, então, veio ter comigo: "A ti", disse eu, "*mátuchka*, taparam-te as orelhas com ouro. Traz cá Akulhka!" Bem; e comecei a bater-lhe. Bati e tornei a bater, durante duas horas, até que já não podia ficar de pé; esteve três semanas sem poder levantar-se da cama.

– Não há dúvida – observou fleumaticamente Tchevierin – se não lhe bates, então... Se calhar, apanhaste-a com algum amante?

– Não, apanhar, não apanhei – disse Chichkov depois de um silêncio e como se fizesse um esforço. – Mas é que eu estava ressentido; toda a gente me ofendia, e a alma de tudo isso era Filhka. "Tu", dizia, "tens uma mulher só para vista, para que a gente olhe para ela." Uma vez em que dava uma grande festa, convidou-me. "A tua mulher", disse ele, "tem uma alma doce, boa, é linda e amável, é boa para todos e agora todos a invejam. Mas já te esqueceste, rapaz, de que tu próprio untaste com pez a sua porta?"

Eu estava ali, sentado, bêbado; mas ele foi, agarrou-me logo pelos cabelos e sacudiu-me. "Dança", disse, "marido de Akulhka, enquanto eu te seguro pelos cabelos. Dança e diverte-me!" "És um canalha!", gritei. E ele me disse: "Vou atrás de ti, e hei de matar Akulhka, a tua mulher, diante de ti, hei de matá-la à paulada, quando me apetecer". Quer acredites, quer não, depois disto, eu, durante um mês, não me atrevi a pôr os pés fora de casa. "Há de chegar", pensava eu, "e há de desonrar-me." Olha: também por causa disso batia nela.

– Para que lhe bater? As mãos podem atar-se, a língua não. Bater muito não dá resultado. Castiga, ensina, e depois afaga-a. Com as mulheres, deve ser assim.

Chichkov permaneceu silencioso um momento.

– Vergonha – recomeçou – foi ter entrado em casa esse costume: havia muitos dias que eu não parava de bater-lhe, desde manhã até à noite; não podia levantar-se, andava doente. Mas se não lhe batia não ficava satisfeito. Ela costumava ficar sentada: caladinha, olhava pela janela, chorava... Estava sempre chorando. Fazia pena vê-la; mas eu continuava sempre a bater-lhe. A minha mãe, às vezes, ralhava-me: "Malandro, raça de presidiário, é que tu és!" "Hei de matá-la", gritava eu, "e ninguém poderá dizer-me nada, porque me ludibriaram quando me casaram!" A princípio, o velho Ankúdi entrava, aproximava-se de mim. "Tu", dizia ele, "julgas-te uma pessoa importante, mas eu hei de fazer-te entrar na linha." Mas depois não nos ligou mais importância. Quanto a Maria Stiepânova, estava muito tranquila. Uma vez apareceu e implorou-me com lágrimas: "Venho pedir-te um favor, Ivan Siemiônitch; e não é grande. A ansiedade com que o peço é que é grande. Deixa-nos tranquilos, *bátiuchka*", e fez-me uma reverência. "Abranda, perdoa-lhe! A nossa filha foi vítima de uma calúnia, tu bem sabes que ela estava honrada..." Fez-me uma reverência até os pés, chorando. Mas eu me encolerizei: "A ela, agora, nem ouvi-la quero! Hei de proceder como me apetecer, pois não posso dominar-me. E Filhka Morózov", disse, "é meu camarada e o meu melhor amigo."

– Queres dizer com isso que tornaram a difamá-la juntos?

– Qual! Ninguém lhe pode pôr a vista em cima. Tinha desaparecido. Gastara tudo quanto possuía e vendeu-se como substituto a um burguês para servir na milícia em vez do filho do velho. Entre nós, quando alguém se vende como substituto, até o próprio dia em que o levam, todos os da casa têm de prostrar-se diante dele, e ele manda em todos como um verdadeiro senhor. Recebe uma quantia antecipada do dinheiro da venda; e além disso vive em casa do recruta durante meio ano, e, a maneira como se porta, aí, para com todos! Só respeita, os ícones! "Eu, caramba, vou ser soldado por causa do teu filho; quer dizer que sou o vosso benfeitor, que vocês ficam todos obrigados a me tratarem com respeito, senão dou o dito por não dito." Deste modo, Filhka vivia à grande em casa do burguês: dormia com a filha dele; depois do almoço, diariamente, puxava-lhe as barbas

– enfim fazia tudo que lhe apetecia. Exigia todos os dias um banho e que os vapores do mesmo fossem aumentados com os do vinho; que fosse carregado para lá nos braços das mulheres. Ao voltar dos passeios, para casa, postava-se no meio da rua, gritando: "Não quero entrar pela porta, deitem abaixo a paliçada". De maneira que, ao lado da porta, tinham de abrir uma passagem na cerca para ele passar. Até que finalmente tudo isso acabou quando o levaram para o serviço. Muita gente o acompanhou pela rua: levavam Filhka Morózov para o serviço militar! Ele fazia cumprimentos para a direita e para a esquerda. Mas Akulhka voltava da horta nessa ocasião. "Para", gritou-lhe ele, saltando da *tieliega* e dirigindo-se a ela; fez-lhe uma reverência até o chão: "Minha vida", disse, "luz da minha vida! Há dois anos que te amo, mas agora me levam com música para a vida militar. Perdoa-me", disse ele, "filha honrada de pai honrado, porque eu fui um canalha para ti e procedi mal contigo em tudo." E fez-lhe outra vez uma reverência até o chão. Akulhka, a princípio, parou, morta de medo; mas depois fez-lhe um cumprimento e disse-lhe: "Perdoa-me tu também a mim, rapaz, que eu não tenho nenhuma razão de queixa contra ti". Eu fui atrás dela para a isbá. "Que disseste tu, cadela?" Mas ela, quer acredites, quer não naquilo que te digo, ficou-se a olhar para mim. "Agora", disse ela, "amo-o mais do que a ninguém neste mundo."

– É para que vejas!

– Eu, em todo aquele santo dia não lhe dirigi uma palavra... Só ao anoitecer é que lhe disse: "Akulhka, agora vou te matar". Nessa noite não dormi; saí e bebi um pouco de *kvas* e depois começava já a amanhecer. Regressei a casa. "Akulhka", disse eu, "levanta-te para irmos para o campo." Eu, já antes lhe falara disso, e a minha madrasta sabia que havíamos de ir até lá. "Temos de trabalhar", disse eu, "já há três dias, segundo ouvi dizer, que o empregado não faz nada." Atrelo a *tieliega* em silêncio. À saída da nossa aldeia há um faial que tem umas quinze verstas de comprido, e depois desse faial é que ficava o nosso campo. Tínhamos nós andado umas três verstas pelo faial, quando eu parei o cavalo. "Desce, Akulina", disse eu, "chegou a tua última hora." Ela olha para mim, assustada. Fica diante de mim, calada. "Fizeste-me perder a paciência", disse eu.

"Encomenda a tua alma a Deus!" Depois fui e agarrei-a pelos cabelos. Tinha umas tranças muito grossas e compridas. Atei-as ao meu braço; atirei-a ao chão, por detrás, segurando-a entre os joelhos; peguei na navalha, abri-a por detrás da cabeça dela e cortei-lhe a garganta... Ela começou a gritar e a jorrar sangue; retirei a navalha, cinjo-a com os dois braços pela frente, deito-a no chão, abraço-me a ela e ponho-me a gritar em cima, a gritar, a gritar... ela tremia toda, escorregava-me das mãos e o sangue salpicava-me... sangue na cara e nas mãos, em borbotões, em borbotões. Larguei-a; senti medo, deixei o cavalo ali quieto e deitei a correr, a correr, e entrei em casa pela porta dos fundos, onde ficava a casa de banho. A nossa banheira era muito velha e estava quase inutilizável; acocorei-me debaixo dela e ali estive. Fiquei ali até a noite.

– Akulhka?

– Queres saber? Levantou-se também, depois de mim, e deitou a correr para casa. Encontraram-na depois a cem passos daquele lugar.

– Não a degolaste, naturalmente.

– Sim... – Chichkov fez uma pausa.

– Há uma veia – observou Tchevierin – que, se não se apanha da primeira vez, as pessoas podem continuar vivendo e, por muito sangue que vertam, não morrem.

– Mas ela morreu. Encontraram-na morta ao anoitecer. A notícia espalhou-se, começaram a procurar-me e encontraram-me na banheira. E há já quatro anos que vivo aqui, sabes? – acrescentou ele depois de um silêncio.

– Hum! Essa é que é a verdade: se não bates, não consegues nada – observou Tchevierin, fria e calmamente e, tornando a puxar da tabaqueira, pôs-se a sorver tabaco devagarinho e com deleite. – E por outro lado, rapaz – continuou –, também te portaste como um tolo. Eu, uma vez, também fui encontrar a minha mulher com um amante. Levei-a para a cavalariça, dei duas voltas à rédea do cavalo. "A quem", disse eu, "a quem é que juraste fidelidade? A quem juraste?" E comecei a dar-lhe com as rédeas. Bati-lhe durante meia hora, até que ela me gritou: "Os pés te lavarei e a água beberei!" Chamava-se Avdótia.

CAPÍTULO XVI

Tempo de verão

Tínhamos chegado aos princípios de abril e aproximava-se a Semana Santa. Os trabalhos de verão começavam, pouco a pouco. O sol cada dia se ia tornando mais quente e mais brilhante; o ar cheirava à primavera e provocava um efeito perturbador no organismo. Os dias bonitos perturbam até os homens que arrastam cadeias e infundem-lhes desejos, anelos, nostalgias. Parece que anseia pela liberdade com mais força sob os feixes ardentes da luz solar do que nos infelizes dias de inverno ou de outono, e isto observa-se em todos os presos. Parecia que ficavam alegres nos dias luminosos, mas, ao mesmo tempo, manifestavam uma certa impaciência e irritabilidade. Eu reparava que, na primavera, as desavenças se tornavam mais frequentes entre nós. Ouviam-se ruídos mais a miúdo, gritos, vozes, e surgiam complicações; mas, ao mesmo tempo, sucedia que, de súbito, se notava em qualquer parte, no trabalho, algum olhar teimoso e meditabundo, dirigido para a distância azulínea, para algum lugar do outro lado do Irtich, onde se estendia, como um pano, a livre estepe quirguiz, por um espaço de 1.500 verstas; ouvia-se um ou outro suspiro fundo, a plenos pulmões, como se criassem assim a ilusão de aspirarem todo aquele ar longínquo e livre, aliviando dessa maneira a sua alma oprimida e encadeada. "Ah!", exclama por fim um preso, como se sacudisse os sonhos e as reflexões e, de repente, com um gesto impaciente e azedo, pega na enxada ou nas telhas que é preciso mudar de um lugar para outro. Um momento depois esqueceu já a sua inesperada comoção e começa a rir ou a altercar, segundo o seu temperamento; mas, de súbito, com uma veemência desacostumada, que não corresponde à necessidade, aplica-se ao trabalho, se é que lhe deram, e começa a trabalhar, a trabalhar, com todas as energias, como se quisesse afugentar de si, com o trabalho intenso, algo que o oprime e angustia interiormente. É tudo gente forte, na sua maioria na flor da idade e do vigor... Como as cadeias se tornam pesadas, neste tempo! Não estou poetizando, ao escrever isto, e estou certo da verdade da minha observação. Além de que, no ar morno, debaixo do sol radioso, quando se sente e se treme de comoção, com toda a alma, com todo o ser, perante a Natureza que ressuscita à nossa volta com uma força irreprimível, é que se torna mais duro permanecer fechado no alojamento, sob vigilância e sujeito à vontade alheia; além de que neste tempo primaveril, com a primeira calhandra, começa na Sibéria e em toda a Rússia a vagabundagem, os homens fogem dos presídios e vão refugiar-se nos bosques. Depois do ambiente sufocante, dos castigos, das cadeias e dos açoites, vagabundeiam em plena liberdade por onde lhes apetece, por onde melhor lhes parece; bebem e comem o que lhes vem à mão, o que Deus lhes dá e, quando chega a noite, descansam placidamente em qualquer lugar, no bosque ou até sobre a terra, sem grandes preocupações, sem as nostalgias do preso, como os pássaros da selva, depois de darem as boas-noites às estrelas do céu, debaixo do olhar de Deus. Às vezes torna-se também custoso "estar ao serviço do general Kukúchkin". Às vezes não conseguem um pouco de pão durante 24 horas; é preciso esconder-se de toda a gente; acontece verem-se na contingência de assaltar ou saquear, e às vezes até de matar. "O colono é como uma criança, tudo quanto vê, apanha", dizem na Sibéria a respeito dos colonos. Mas este provérbio pode aplicar-se integralmente, e até com algum acrescentamento, ao vagabundo. É raro que o vagabundo não seja bandido, e quase sempre é ladrão, é claro, mais por necessidade do que por vocação. Há vagabundos empedernidos. Alguns fogem, depois de cumprida a pena, quando estão já na colônia. Dir-se-ia que se encontram enraizados com gosto na colônia. Mas não: há qualquer coisa ao longe que os atrai e os seduz. A vida nos bosques, vida pobre e horrível, mas livre e aventurosa, tem algo de fascinante, não sei que estranho prestígio para quem uma vez a experimentou. E vejam quem são os que fogem: um homem bastante discreto e sensato, que prometia já se tornar um bom vizinho sedentário e um ativo colono; outro, que se casou, teve filhos, viveu cinco anos seguidos num mesmo lugar e, de repente, numa linda manhã, foi-se, não se sabe para onde, deixando atônitos toda a família, os filhos, e toda a comuna a que estava adstrito. Uma vez, no presídio, apontaram-me um desses fugitivos. Não cometera nenhum crime especial; pelo menos não se contava dele nada do gênero; diziam apenas que fugia, que toda a sua vida fora um vagabundo. Vivera no sul da Rússia, na fronteira do Danúbio e na estepe quirguiz, na Sibéria oriental, no Cáucaso... percorrera tudo. Quem sabe se, noutras circunstâncias, não teria sido um Robinson Crusoé, com a sua paixão ambulatória! Aliás, tudo isto me foi contado por outros; ele, no presídio, quase não falava, dizia apenas as palavras indispensáveis. Era um homem pequenino, de uns cinquenta anos, muito pacato, com uma cara absolutamente plácida e até estúpida, plácida até à idiotia. No verão gostava de sentar-se ao sol e era então infalível que se punha a trautear alguma canção, mas tão baixinho que, a cinco passos de distância, não se ouvia. O seu rosto parecia de pau; comia pouco, no máximo um naco de pão duro; nunca comprava uma torta nem um gole de aguardente. Duvido de que tivesse dinheiro e até de que soubesse contar. Conduzia-se muito calmamente com toda a gente. Dava de comer, à mão, aos cães do presídio e, no entanto, entre os presos mais ninguém dava de comer aos cães do presídio. Os russos não gostam de dar de comer aos cães. Diziam que era casado, e até por duas vezes; e acrescentavam que também tinha filhos, em qualquer lado. Ignoro completamente o motivo por que veio parar no presídio. Os presos estavam sempre à espera que ele fugisse dali, mas, ou não lhe chegara ainda a ocasião, ou já passara muitos anos sobre ele; o certo é que continuou ali, numa atitude contemplativa, diante daquele estranho ambiente que o rodeava. Aliás, era impossível supor qualquer coisa; embora pudéssemos perguntar, aparentemente, por que vantagem havia ele de fugir? Apesar de tudo, no fundo, a vida selvática, vagabunda, era um paraíso comparada com a do presídio. Isto compreende-se e não é possível estabelecer comparação. Embora sofra muito, ao fim de tudo é uma vida de liberdade.

É este o motivo por que todos os presos na Rússia, estejam onde estiverem, ficam alvoroçados na primavera com os primeiros raios refulgentes do sol primaveril, embora nem de longe tenham a intenção de fugir. Pode afirmar-se categoricamente que, dentre cem, só um se decide a isso, por causa das dificuldades e da responsabilidade; mas em compensação, os 99 restantes sonham com a maneira como poderiam fugir e onde poderiam acolher-se, e alivia-lhes a alma só o desejo, só a ideia de tal possibilidade. Há alguns que ao menos recordam a vez em que fugiram... Por agora, falo apenas dos condenados. Mas, naturalmente, os que mais frequentemente e em maior proporção se decidem à fuga são os que estão pendentes de castigo. Os condenados já a um determinado número de anos só fogem por acaso, no princípio da sua clausura. Quando têm já dois ou três anos de presídio, o preso começa a avaliar esses anos e, pouco a pouco, vai se conformando e prefere cumprir o prazo legal dos seus trabalhos e instalar-se depois na colônia a afrontar os perigos e a perdição no caso de fiasco. E o fiasco é possível. Talvez apenas um entre dez consiga "mudar de sorte". Dentre os condenados, os que se decidem também à fuga com mais frequência são os condenados a um número de anos muito grande. Quinze ou doze anos parecem intermináveis, e os condenados a essa pena propendem sempre a sonhar com uma mudança de sorte, embora tenham cumprido já dez anos de presídio. E, por último, também os marcados costumam decidir-se a correr o risco da fuga. "Mudar de sorte" é uma expressão técnica. É assim que responde às perguntas o preso que falha na sua fuga, que ele não tinha outro remédio senão tentar mudar de sorte. Esta expressão, um pouco literária, é com efeito a que empregam nesse ato. Nenhum fugitivo aspira a libertar-se por completo – sabe bem que isso é quase impossível –, mas sim que o enviem para outra prisão, ou o destinem às colônias, ou o tornem a julgar outra vez por outro crime – pelo de vagabundagem –, em resumo, que o mandem para onde quiserem, contanto que não seja para o velho lugar de que já está farto, o antigo presídio. Todos estes fugitivos, se não acham no decurso do ano nenhum lugar onde passar o inverno, se, por exemplo, não encontram nenhum protetor de fugitivos, que faça negócio com eles; se, finalmente, não podem às vezes conseguir um passaporte, mediante um homicídio, com que obter livre trânsito por todos os lados, todos eles, no outono, se é que não foram já antes apanhados, vêm apresentar-se eles próprios, em grupos compactos, na cidade e no presídio, na qualidade de vagabundos, e resignam-se a passar o inverno nos presídios, claro que não sem esperança de tornarem a fugir, assim que de novo chegar o bom tempo.

    A primavera exercia também em mim a sua influência. Lembro-me da ansiedade com que às vezes me punha a olhar por cima da paliçada e ali ficava muito tempo, com a testa apoiada em um poste e, teimosa e insaciavelmente, contemplava a erva verdejante no bastião do forte, e como cada vez azulejava mais intensamente o céu remoto. A minha inquietação e a minha tristeza cresciam dia a dia e o presídio tornava-se para mim cada vez mais insuportável. A hostilidade que eu tinha constantemente de suportar, por ser nobre, nos primeiros anos da minha vida presidiária, tornava-se também insuportável, envenenava a minha existência. Nesses primeiros anos, embora não estivesse doente, metia-me numa cama do hospital só para não estar no presídio, para me ver livre daquela hostilidade geral, que não se aplacava com coisa nenhuma. "Foram vocês, seus narizes de ferro, que nos atiraram para a morte!", diziam-nos os presos. E como eu invejava às vezes a gente de baixa condição que entrava para o presídio! Esses encontravam imediatamente companheiros. E a primavera, sinal de libertação, a alegria geral da Natureza, produzia também em mim um efeito um pouco triste e excitante. No fim da Quaresma, se não incorro em erro, na sexta semana, levaram-me a comungar. Já desde a primeira semana que no presídio todos tinham repartido o velho suboficial por sete turnos, relativamente ao número das semanas da Quaresma, para a comunhão. Em cada turno entraram assim treze homens. A comunhão foi para mim um encantamento. Os comungantes eram dispensados do trabalho. Íamos à igreja, a qual ficava a pouca distância do presídio, duas ou três vezes por dia. Havia já muito tempo que eu não visitava uma igreja. A missa, que me era tão familiar, desde a minha já recuada infância, na casa paterna; as preces solenes, as reverências até o chão, tudo isso fazia despertar na minha alma o longínquo, remotíssimo passado; invocava impressões desses anos infantis e lembro-me de que me era muito agradável quando, pela manhã, as sentinelas, de arma carregada no braço, nos conduziam, por sobre a terra coberta de geada, à casa de Deus. Aliás, a sentinela não entrava no templo. Na igreja ficávamos em grupo cerrado, no último lugar, junto da porta, de maneira que, quando muito, apenas ouvíamos a voz de baixo do diácono e, de quando em quando, conseguíamos vislumbrar, por entre as fileiras de gente, a sotaina negra e a cabeleira branca do sacerdote. Lembrava-me de como, quando era ainda criança, costumava contemplar na igreja as pessoas do povo, que se apinhava densa e reverentemente à entrada, se afastava ao ver umas grossas dragonas, ou um senhor gordo, ou uma ataviada embora devotíssima dama, que iam infalivelmente colocar-se nos primeiros lugares, prontos a ralharem com quem os disputasse. Ali, junto da porta, parecia-me então que não rezavam como nós, mas que oravam plácida, devota e humildemente, e com uma espécie de reconhecimento perfeito da sua humildade.

Agora, cabia-me também a mim ficar nesse lugar, e nem sequer nele, verdadeiramente: estávamos com ferros e estigmatizados; todos se afastavam de nós e parecia até que lhes metíamos medo; davam-nos sempre esmola. E lembro-me de que para mim isso era agradável, que trazia um certo sentimento requintado, especial, aquela estranha complacência. "Assim seja!", pensava eu. Os presos rezavam com muito fervor e todos eles iam sempre à igreja munidos do seu humilde copeque para uma vela ou para o deitarem na caixa das esmolas. "Eu também sou uma pessoa", deviam pensar, talvez, quando a davam. "Perante Deus todos somos iguais..." Tomávamos a comunhão depois do serviço religioso da manhã. Quando o sacerdote, com o cálice nas mãos, recitava a fórmula costumada: "Tomai-me, a mim, pelo mau ladrão", quase todos se prosternavam até o chão, fazendo retinir as cadeias, concentrando toda a sua atenção nessas palavras.

Mas eis que chegou também a Semana Santa da Páscoa. Os superiores enviaram a cada um de nós um ovo e um pedaço de pão candial. Da cidade chegavam também donativos para o presídio. De outra vez era a visita do cura, com a cruz; de outra a dos superiores; de outra as bebedeiras e as rixas. Tudo precisamente igual, ponto por ponto, ao que se passava pelo Natal, apenas com esta diferença: que agora já nos podíamos divertir no pátio do presídio e aquecermo-nos ao solzinho. Tudo estava mais alegre, mais livre do que no inverno, mas, ao mesmo tempo, também mais triste. O longo, interminável dia de verão, tornava-se sobretudo insuportável nos dias festivos. Nos dias úteis, ao menos, parecia mais curto, devido ao trabalho.

Efetivamente, os trabalhos de verão pareciam muito mais difíceis do que os de inverno. Geralmente ocupavam-nos nas construções militares. Os presos construíam, cavavam a terra, colocavam tijolos; outros eram encarregados da parte de serralheria, de carpintaria ou de pintura, nas obras de reparação dos edifícios oficiais. Outros iam para a oficina a fabricar tijolos. Era este último trabalho aquele que, entre nós, se considerava mais pesado. A olaria ficava a três ou quatro verstas de distância do forte. Todos os dias do ano, às seis da manhã, saía um grupo de homens que ia fabricar tijolos. Para este trabalho eram destinados os trabalhadores negros, isto é, os que não tinham ofício e não pertenciam a nenhuma oficina. Levavam consigo o pão, pois, devido à lonjura da oficina, tornava-se fatigante voltar para casa para comer, o que pressupunha andar oito verstas mais; por isso jantavam já à noite, de regresso ao presídio. Marcavam-lhes a tarefa todos os dias e de tal maneira que os presos mal poderiam ter tempo de realizá-la durante todo o dia. Em primeiro lugar era preciso cavar a terra e extrair barro para formar uma massa e, finalmente, fazer com essa massa um considerável número de tijolos: duzentos, se não eram 250. Eu fui apenas por duas vezes à olaria. Os oleiros regressavam já de noite, esgotados, externuados, e passavam todo o verão atirando à cara dos demais que eram eles que faziam o trabalho mais difícil. Segundo parece, era esta a sua consolação. Apesar de tudo, alguns iam para lá com certo prazer; em primeiro lugar, o trabalho era feito para além da cidade, num espaço aberto, livre, nas margens do Irtich. Fosse como fosse, viam à sua volta qualquer coisa de mais agradável, isto é, não viam o forte nem a terra desnuda. Podiam também fumar livremente e até se deitarem uma meia horinha com a maior à vontade. Eu, já antes, tinha ido à oficina, ou para o calcário, e, finalmente, empregaram-me nas obras como transportador de telhas. Neste último caso sucedeu-me uma vez acarretar tijolos da margem do Irtich para um quartel em construção, a umas setenta *sajénhi* de distância, passando pelo bastião do forte e, nessa ocasião, esse trabalho prolongou-se durante dois meses consecutivos. Esse trabalho também me agradava, embora a corda com que se carregavam os tijolos, de um dedo de grossura, me ferisse constantemente os ombros. Mas a mim agradava-me ver que, devido a esse trabalho, ia conseguindo maior vigor. A princípio só podia carregar com oito tijolos, no máximo, e cada um deles pesava doze libras. Mas depois cheguei até aos doze e aos quinze tijolos, o que me deu uma grande alegria. No presídio, a força física é tão necessária como a moral, para suportar todos os males materiais dessa malfadada vida.

E eu queria viver ainda, depois de sair do presídio...

E, além disso, gostava de acarretar tijolos, não só porque com esse trabalho se robustecia o corpo, como também por ele se realizar nas margens do Irtich. Falo com tanta frequência dessa margem porque era somente nela que se podia ver a terra, os horizontes límpidos e claros, a estepe livre e despovoada, que me provocava uma estranha impressão de solidão. Só nessas margens o forte desaparecia dos nossos olhos, deixávamos de vê-lo. Todos os outros locais do nosso trabalho ficavam junto do forte ou nas imediações. Desde os primeiros dias que eu criei aversão por esse forte e especialmente por outro edifício. A residência do nosso major de presídio parecia-me um lugar maldito, repugnante, e era sempre com ódio que eu olhava, quando passava em frente dela. Na margem do rio uma pessoa podia esquecer-se, olhar para o imenso deserto, para a liberdade. Ali tudo me era agradável, o sol radioso, ardente, no céu azul e límpido, a longínqua canção dos quirguizos, trazida até ali, da outra margem, pelo vento. Quando se olhava muito tempo acabava-se por se distinguir uma mísera e enegrecida tenda de nômades; descobre-se uma pequena lareira, junto da tenda: é uma quirguiz que por ali trabalha com as suas duas ovelhas. Tudo isso é pobre e selvagem, mas é livre. Descobre-se algum pássaro no ar azul, transparente, e durante muito tempo segue-se firmemente o seu voo: adeja sobre a água, mas desaparece já num golpe forte das asas e, finalmente, se reduz a um ponto que mal se distingue... Até a pobre, humilde florzinha do campo que eu encontrava na primavera, precoce, nas fendas das pedras da margem ribeirinha, atraía doentiamente a minha atenção. A tristeza de todo aquele primeiro ano de presídio era insuportável e produzia em mim um efeito enervante, amargo. Nesse primeiro ano, devido a esse sofrimento, não reparava muito no que se passava à minha volta. Fechava os olhos e não queria ver. Não distinguia, de entre os maldosos e invejosos companheiros do presídio, os que eram bons, os que eram capazes de pensar e de sentir, apesar da repugnante carapaça que lhes ocultava o interior. Entre as palavras agressivas, não reparava às vezes na palavra amiga e afetuosa, que se tornava tanto mais apreciada quanto era proferida sem interesse algum e muitas vezes do fundo da alma daqueles que talvez tivessem sofrido e padecido mais do que eu. Mas para que demorar-me mais sobre isto? Eu me sentia muito contente quando vinha muito cansado, ao regressar para casa. "Talvez assim consiga dormir!" Porque isso de dormir era para nós, no verão, um tormento talvez ainda pior do que no inverno. As noites eram às vezes verdadeiramente boas. O sol, que durante todo o dia não se afastava do pátio do presídio, acabava finalmente por desaparecer. Caía o relento e depois vinha a noite quase fria (falando relativamente) da estepe. Entretanto vinham fechar os presos que saíam em magotes para o pátio. A maior parte, para dizer a verdade, dirigia-se para a cozinha. Aí sempre se levanta alguma questão palpitante para o presídio, fala-se disto e daquilo, propagam-se boatos, muitas vezes absurdos, mas que conseguem uma extraordinária atenção da parte daqueles desterrados do mundo dos vivos. Por exemplo, espalhou-se uma vez a notícia de que o nosso major de presídio ia ser reformado. Os presos são crédulos como crianças; eles próprios sabem que a notícia é um boato, que foi espalhada por um indivíduo muito manhoso e estúpido – o preso Kvássov, no qual já há muito tempo decidiram não acreditar e que não diz nada mais senão mentiras – mas no entanto afazem-se à notícia, opinam, alegram-se, consolam-se e acabam por ficar zangados consigo próprios por terem acreditado nas palavras de Kvássov.

– Quem é que lhe vai dar a reforma? – pergunta um.
– Quem está bem, deixa-se estar!

– Acima dele também há chefes! – exclama outro, um rapaz enérgico e esperto, que tinha visto mundo, mas amigo de discutir como não havia outro.

– Os corvos não tiram os olhos uns aos outros! – observou um terceiro, como mal-humorado consigo próprio, um homem já de cabelos brancos, que sorvia à parte, num canto, a sua sopa de couves.

– E esses chefes vêm perguntar-me se o destituem ou não? – perguntou placidamente um quarto, tangendo levemente a sua balalaica.

— E por que não? — respondeu o segundo com veemência. — Isto é, se todos pedíssemos a ele e depois abríssemos a boca quando começassem a perguntar... Mas aqui, o que todos fazem é gritar e, quando chega o momento de entrar em ação, ninguém se mexe!

— Mas que julgas tu? — interveio o da balalaica. — Nós estamos num presídio.

— Mas há pouco — continuou o questionador, sem escutar os outros e arrebatadamente — ficou um bocado de farinha. Recolheram o que restava e foram vendê-lo. Não; ele não soube; o alcoviteiro foi-lhe com o conto e retiraram a farinha: é a isso que chamam economia. Isto é justo?

— Mas a quem é que tu te queres queixar?

— A quem? Ao inspetor, que está para chegar.

— Qual inspetor?

— É verdade, *brat*, que vai chegar um inspetor? — disse um rapaz novo, espevitadinho, que sabia ler e escrever, fora amanuense e lera *A duquesa de Lavallière*.

Estava sempre jovial e tinha atitudes de bobo; mas respeitavam-no pela sua instrução e pelo seu verniz de cultura. Sem dar atenção à curiosidade geral, excitada com a notícia da vinda próxima dum inspetor, dirigiu-te diretamente à cozinheira, isto é, ao cozinheiro, e perguntou-lhe se tinha fígado. Os nossos cozinheiros começavam a negociar em coisas deste gênero. Compravam, por exemplo, à sua custa, um grande pedaço de fígado, assavam-no e vendiam-no em pedaços aos presos.

— Um *groch* ou dois? — perguntou o cozinheiro.

— Dois, do assado. Mas do bom! — respondeu o preso.
— Meus amigos, vai chegar um general[40] de Petersburgo para inspecionar toda a Sibéria. É a pura da verdade. Disseram-no na casa do comandante.

A notícia produziu uma comoção desusada. As perguntas duraram um quarto de hora: quem era, concretamente, que general, de que categoria e se era mais antigo do que os generais da região. Os presos gostam terrivelmente de falar dos graus, dos chefes, de quem é mais antigo, de quem é que manda mais, e ralham e insultam-se por causa dos generais e pouco falta

---

40. Na Rússia do século XVII existia também a categoria de general no funcionalismo civil e correspondia à de conselheiro privado. (N.T.)

para se baterem. Pensam que isso lhes traz alguma utilidade? De fato assim é: do conhecimento minucioso dos generais, dos chefes, deduzem outros o seu grau de cultura e de inteligência, assim como a posição anterior à sua entrada no presídio que o homem ocupa na sociedade. Em geral, a conversa acerca do alto comando considera-se a mais distinta e principal do presídio.

– Quer dizer, meus amigos, que depois de amanhã o temos aqui e destituirá o major – observou Kvássov, um homenzinho baixinho, coradinho, fogoso, muitissimamente estúpido. Foi o primeiro que levou a notícia do major.

– Agora é que ele vai apanhar como nunca apanhou! – exclamou o preso severo e de cabelos brancos, que já sorvera a sua sopa de couves.

– Ai, não! Pode muito bem ser! – disse outro. – Não roubou pouco dinheiro aqui! Antes de ter sido nomeado para o presídio, comandava um batalhão. Não há muito que queria casar-se com a filha do protopope.

– Sim, mas não chegou a casar-se; apontaram-lhe o caminho da porta por ser pobre, já se vê. E que noivo! Quando se levantava da mesa levava tudo nos bolsos. Antes da Páscoa perdera tudo jogando baralho. Foi Fiedka quem o disse.

– Sim, não é dissipador, mas o dinheiro não lhe fica muito tempo nas mãos.

– Ah, meus amigos, eu também estive para me casar! Casar-se, para um pobre, é uma coisa má; quando uma pessoa se casa as noites tornam-se curtas – observou Skurátov, intrometendo-se na conversa.

– O quê?! Estávamos precisamente falando de ti – observou o rapaz espirituoso, da classe dos escriturários. – Mas a ti, Kvássov, sempre direi que és um grande burro. Achas, porventura, que o major poderá untar as mãos a um general da sua categoria, que se dará o trabalho de vir de Petersburgo para inspecionar os atos do major? Que idiota és tu, rapaz!

– E então? Lá porque é general não é capaz de arranjar dinheiro? – observou com ceticismo alguém do grupo.

– É claro que não aceita, mas, se o aceitar, também há de ser dinheiro grosso...

– Ah, isso, já se vê, de acordo com a sua categoria.

— Os generais costumam aceitar sempre dinheiro – observou Kvássov resolutamente.

— Sim? E foste tu que deste a ele? – exclamou Baklúkhin com desprezo, de repente, ao entrar. – Parece que nunca viste um general na tua vida!

— Ai, não, nunca vi.

— Mentes.

— Quem mentes é tu.

— Meus caros, se ele já tivesse visto algum, ia logo participar a todos que conhecia um general. Vamos, fala, que eu conheço os generais todos.

— Eu vi o general Siebert – respondeu um pouco categoricamente Kvássov.

— Siebert? Esse general não existe. Pode ser que quem te marcou as costas fosse algum Siebert que não passasse de coronel, e a ti, com o medo que tinhas, até te pareceu que era general.

— Nada disso, escutem – gritou Skurátov. – Eu sou um homem casado. De fato, havia um general desse nome em Moscou, o general Siebert, alemão, mas nascido na Rússia. Confessava-se todos os anos em casa do pope russo, acerca dos seus amores e, meus amigos, bebia sempre água como um pato. Sorvia todos os dias quarenta copos d'água do rio moscovita. Diziam que isso curava não sei que doença. Foi o próprio ajudante dele que me disse isso.

— Talvez tivesse vermes nas tripas... – observou o preso da balalaica.

— Bem, já chega! Isso não é caso para brincadeiras e eles... Quem é esse inspetor, meus amigos? – inquiriu um preso, preocupado, que estava sempre desassossegado, Martínov, um velho da seção militar, que fora hussardo.

— As pessoas sempre mentem muito – observou um dos céticos. – Onde iriam buscar essa notícia e para que dizem tanta trapalhada? Tudo isso são boatos.

— Qual boato! – observou dogmaticamente Kulíkov, que permanecera até então altivamente silencioso. Era um indivíduo sisudo, já na casa dos cinquenta, com uma cara muitíssimo bem-feita e com modos de uma sobranceria depreciativa. E ele sabia isto e disto se ufanava. Tinha sangue cigano, era veterinário, ganhava dinheiro na cidade, tratando cavalos; mas entre nós, no presídio, negociava em aguardente. Era um homem esperto, com muita experiência da vida. Poupava as palavras como se poupasse os rublos.

– Depois de amanhã, meus caros! – continuou tranquilamente. – Ouvi-o dizer a semana passada; vem um general, da alta categoria, para inspecionar toda a Sibéria. Já se sabe o que vai acontecer: untam-lhe as mãos; mas o nosso Oito Olhos, não. Este não se atreverá a olhá-lo de frente. Há generais e generais, meus amigos. Há-os de todas as espécies. Mas sempre vos digo que ao nosso major, em todo caso, hão de deixá-lo no seu posto atual. Isso é que é certo. Nós não temos voto na matéria e os chefes não vão denunciar-se uns aos outros. O inspetor deita uma olhadela a todo o presídio, depois vai-se embora e diz que está tudo muito bem.

– Bem, bem, meus amigos, mas o major tem medo; desde manhã que ele está bêbado. E à noite chega o outro furgão. Foi Fiedka quem o disse.

– Ao cão preto ninguém o torna branco. Seria esta a primeira vez que ele se embebeda?!

– Não, por que havia eu de dizer isso se o general não viesse para fazer nada? Não, já lhe suportaram bastantes imbecilidades! – começaram a dizer os presos, excitados.

A notícia referente ao inspetor espalhou-se num momento por todo o presídio. Os presos encontravam-se no pátio e comunicavam uns aos outros a notícia. Alguns ficavam intencionalmente calados conservando o sangue-frio, e assim era evidente que desejavam dar-se ares de pessoas importantes. Outros, pelo contrário, permaneciam indiferentes.

Nos degrauzinhos que levavam aos alojamentos, havia também presos com as suas balalaicas. Uns continuavam falando. Outros entoavam canções; mas, em geral, todos nessa noite se mostravam muito excitados.

Às dez vieram contar-nos a todos, fecharam-nos nos alojamentos e fecharam-nos para toda a noite. As noites eram breves; faziam-nos levantar às cinco da manhã, mas nunca nos deitávamos antes das onze. Até então havia sempre movimento, conversas e, às vezes, como no inverno, havia também *maidani*. À noite fazia um calor horrível, e o ar tornava-se horrivelmente sufocante. Embora o frio entrasse de noite pela janela aberta, os presos toda a noite se reviravam nas suas esteiras, cheios de febre. As pulgas eram aos milhares. Também as tínhamos no inverno; mas, assim que a primavera começava, multiplicavam-se em tal quantidade que eu, quando ouvia falar disso, e ainda não tinha tido experiência de tal, nem queria acreditar. E quanto mais avançava o verão mais malignas se tornavam. Para dizer a verdade, é possível nos acostumarmos às pulgas, eu próprio pude comprová-lo; no entanto é custoso. São a tal ponto nocivas que uma pessoa acaba por deitar-se quase com febre e delirar. Quando por fim, chegada já a manhã, nos vamos quedar amodorrados, também as pulgas se aquietam sob a ação da frescura matinal e parece que vamos de fato adormecer... eis que ressoa de repente o implacável repicar do tambor às portas do presídio e começa a alvorada. Embrulhamo-nos na samarra e escutamos com uma maldição as pancadas fortes e precisas, contamo-las e, entretanto, por entre os sonhos vem-nos à ideia de que amanhã será também assim, e depois de amanhã e ainda durante uns poucos de anos, até que chegue a liberdade. "Mas isso virá a suceder algum dia?", pensamos. "Onde está essa liberdade?" Até lá será preciso levantarmo-nos: começam os apertões do costume, as lavadelas... Os presos se vestem e se encaminham para o trabalho. Em última análise, poder-se-á dormir meia horinha ao meio-dia.

Era com razão que falavam do inspetor. Os boatos cada vez se confirmavam mais e, por fim, todos ficaram sabendo de fonte limpa que ia sair de Petersburgo um general muito importante para inspecionar toda a Sibéria que vinha já a caminho, que já estava em Tobolsk. Todos os dias chegavam novos boatos ao presídio. Até da cidade chegavam notícias: ouvia-se dizer que todos o temiam, e afadigavam-se por deixar tudo em ordem. Acrescentavam que os altos comandos preparavam já recepções, bailes, festas.

Os presos foram mandados em grupos compactos para nivelar as ruas até ao forte; tirar montões de terra do meio delas, em suma, queriam arranjar tudo aquilo que era preciso mostrar à personagem. Os nossos compreendiam perfeitamente de que se tratava e cada vez discutiam entre si com mais calor e animação. A sua fantasia alcançava proporções colossais. Chegaram até a planejar um motim para quando o general viesse perguntar-lhes se estavam contentes. Mas, entretanto, discutiam e ralhavam uns com os outros. O major do presídio estava comovido. Aparecia com mais frequência pelo presídio, gritava mais do que nunca e mais do que nunca acometia os presos e os mandava ao corpo da guarda e velava com energia pelo asseio e pelas boas maneiras. Por esse tempo, como se fosse de propósito, sucedeu no presídio um importante desacato que, aliás, não provocou nele impressão alguma, contra tudo quanto era de esperar e, pelo contrário, lhe causou satisfação: um preso, numa briga, feriu outro com uma sovela, quase debaixo do coração.

O preso que praticou o crime chamava-se Lômov; o que recebeu a ferida era conhecido entre nós por Gavrilka; era um dos inveterados vagabundos. Não me lembro se teria outro nome; entre nós chamavam-lhe sempre Gavrilka.

Os Lômovi tinham sido camponeses abastados em T***, no distrito de K***. Todos os Lômovi viviam em família: o velho pai, três filhos e um tio. Eram lavradores ricaços. Diziam por todo esse distrito que tinham uns trezentos mil rublos de papel, como capital. Eram lavradores, curtiam peles e negociavam; mas a sua maior ocupação era a agiotagem, a proteção de vagabundos e a ocultação de objetos roubados e outras atividades do gênero. Metade dos camponeses do distrito estavam endividados com eles e eram seus servidores. Tinham fama de labregos habilidosos e astutos; e acabaram por ficar ufanos, sobretudo quando uma personagem importante que viajava por aquela região parou na cidade, travou conhecimento com o velho e ficou seduzida com a sua perspicácia e com o seu tato. De repente imaginaram que, para eles, não havia leis, e começaram a aventurar-se cada vez mais em negócios ilegais. Todos estavam contra eles e desejavam vê-los por terra; mas eles cada vez se tornavam mais atrevidos. Não ligavam a mínima importância para o juiz do distrito, para os funcionários. Até que acabaram por cair e perder-se, mas não por nada mau, nem pelos seus crimes ocultos, apenas por qualquer coisa de que estavam inocentes. Possuíam uma grande propriedade a dez verstas da cidade, na parte siberiana. Aí viviam seis criados de lavoura, quirguizos, havia muito tempo, uma vez em cada outono. Um dia de manhã todos esses ganhões quirguizos apareceram degolados. Instauraram-se diligências que se prolongaram por muito tempo. Devido a esse acontecimento vieram a descobrir-se muitas outras coisas feias. Os Lômovi foram acusados do assassinato dos criados. Eram eles próprios que o contavam e todos no presídio o sabiam; suspeitaram deles porque estavam muito endividados para com os seus ganhões e, apesar da sua elevada posição, eram avaros e mesquinhos, de maneira que teriam assassinado os quirguizos para não lhes pagar o que deviam. Todo o dinheiro se lhes foi nas diligências e no julgamento. O velho morreu. Os filhos foram deportados. Um dos filhos e o tio foram parar no nosso presídio, condenados a doze anos. Mas, por quê? Estavam totalmente inocentes da morte dos quirguizos. E eis senão quando no mesmo presídio apareceu depois Gavrilka, conhecido patife e vagabundo; um tipo alegre e muito vivo, o qual se declarou autor daquela proeza. Aliás, não sei se seria ele próprio quem o teria confessado assim; mas todo o presídio estava convencido de que os quirguizos tinham perecido nas suas mãos. Gavrilka tinha tido negócios de vagabundagem com os Lômovi. Deu entrada no presídio para cumprir uma breve pena como desertor do Exército e vagabundo.

Degolara os quirguizos juntamente com outros três vagabundos; pensavam levar boa vida na propriedade e roubar muito naquelas terras.

Os Lômovi não tinham simpatias entre nós, não sei por quê. Um deles, o sobrinho, era um rapaz novo, esperto e de bom caráter; mas o tio, o que feriu Gavrilka com a sovela, era um rústico grosseiro e estúpido. Antes disso já brigara com muitos outros, que já lhe tinham batido. De Gavrilka todos gostavam, pelo seu temperamento jovial e despreocupado. Embora os Lômovi soubessem que ele era culpado e o olhassem como tal, não chegaram a brigar com ele; aliás nunca procuravam conviver com ele; quanto a ele, não lhes dava a menor importância. Mas, de repente, surgiu a briga entre ele e o Lômov tio, por causa da fêmea mais repugnante que possa imaginar-se. Gavrilka pôs-se a gabar-se de ter conseguido os seus favores; o camponês sentiu-se ciumento e num belo dia feriu-o com a sovela.

Os Lômovi, apesar de terem perdido o seu capital quando do processo, viviam no presídio como ricaços. Era visível que tinham dinheiro. Tinham um samovar, tomavam chá. O nosso major sabia disto e tinha um ódio enorme dos Lômovi. Todos percebiam que era duro com eles e, de maneira geral, trazia-os sempre debaixo dos olhos. Os Lômovi explicavam isto dizendo que o major queria que lhe untassem as mãos, mas que deles não levaria nada.

Não há dúvida de que, se Lômov tivesse enterrado um pouco mais a sovela, teria morto Gavrilka. Mas o golpe não passou de um simples arranhão. Deram parte ao major. Lembro-me da pressa com que ele chegou, deitando os bofes pela boca, e como era visível o seu ar complacente. Dirigiu-se com uma amabilidade espantosa a Gavrilka.

– Vamos, meu amigo, podes ir andando ao hospital ou não? Não, o melhor é selarem um cavalo para ele. Vamos, preparem imediatamente um cavalo! – gritou para o suboficial, com empenho.

– Mas, excelência, se eu não sinto nada! Foi só um arranhãozinho muito leve, excelência!

– Tu não sabes, tu não sabes, meu filho; porque já vês... o lugar é delicado; tudo depende do lugar; o bandido feriu-te debaixo do coração. Quanto a ti, a ti... – resmungou, encarando com Lômov. – Bem, agora estás nas minhas mãos! Para o corpo da guarda!

E, de fato, vingou-se. Lômov foi julgado e, embora a ferida parecesse um leve arranhão, era evidente que fora feita intencionalmente. O réu viu a duração da pena aumentada e aplicaram-lhe mil açoites. O major estava contentíssimo...

Finalmente chegou o inspetor.

Veio visitar-nos no presídio no segundo dia da sua estada na cidade. Era dia de festa. Alguns dias antes já tudo ali estava limpo e em ordem. Os presos, todos barbeados; os seus trajos, brancos, limpos. No verão, conforme o regulamento, todos usavam pelicos e calças brancas. E traziam nas costas um círculo negro de duas *viérchki* de diâmetro. Ensinaram durante uma hora inteira aos presos a maneira como deviam responder se aquela elevada personalidade lhes dirigisse a palavra. Fêz-se até um ensaio. O major andava para um lado e para o outro, como se lhe faltasse o ar. Uma hora antes da chegada do general, já todos estavam nos seus lugares, como estátuas, com as mãos rígidas nas costuras das calças. Finalmente, à uma da tarde chegou o general. Era um general muito importante, tão importante que, segundo parece, todos os corações burocráticos da Sibéria ocidental deviam ter sentido um sobressalto com a sua chegada. Entrou severo e altivo; vinha acompanhado por um grande séquito das autoridades locais, que lhe faziam escolta; vários generais e coronéis, entre eles um cavaleiro vestido à paisana, alto e garboso, de fraque e sapatos, que também tinha vindo de Petersburgo e que conduzia com extraordinária desenvoltura e à vontade. O general voltava-se para ele a todos os momentos, com muita deferência. Isto interessou extraordinariamente os presos. Um paisano recebendo tantas honras, e da parte dum general como aquele! Depois souberam o seu nome e quem era; mas fizeram-se muitos comentários. O nosso major, que ostentava as suas condecorações no seu uniforme cor de laranja, com os olhos injetados de sangue e a sua cara cor de framboesa, borbulhenta, parecia não ter provocado no general uma impressão particularmente agradável. Como sinal de respeito especial pelo alto visitante, não pusera os óculos. Mantinha-se de pé, à distância, como suspenso por um fio, e aguardava febrilmente o instante em que precisassem dele para alguma coisa, com o fim de, voando, satisfazer os desejos de sua excelência. Mas não precisavam dele para nada. O general percorreu os alojamentos em silêncio, inspecionou também as cozinhas e, segundo parece, provou a sopa de couves. Fui-lhe apresentado: "Fulano de tal e tal... vamos... da classe nobre".

– Ah! – respondeu o general. – E como se porta ele agora?

– Até aqui, satisfatoriamente, excelência – responderam-lhe.

O general meneou a cabeça e dois minutos depois saía do presídio. Não há dúvida de que os presos estavam completamente desconcertados e deslumbrados, mas, entretanto, com uma certa desilusão. É claro que nem valia a pena pensar que o major lhe tivesse feito reclamações. E o major estava já previamente convencido disto.

CAPÍTULO XVII

OS ANIMAIS DO PRESÍDIO

A COMPRA DE GNIEDKÓ[41], realizada rapidamente no presídio, preocupou e distraiu muito mais agradavelmente os presos do que o elevado visitante. No presídio empregavam um cavalo para o transporte de água, a extração do lixo e outras coisas. Designavam um preso para conduzi-lo, o qual saía com ele, escoltado por uma sentinela, está claro. Havia muito trabalho para o nosso cavalo, tanto de manhã como à tarde. Havia já muito tempo que Gniedkó trabalhava no presídio. Era um bom cavalo, mas já estava cansado. Numa linda tarde, pouco depois do São Pedro, Gniedkó, depois de ter trazido a provisão de água para a tarde, deu uma queda e morreu dentro de poucos minutos. Todos tiveram pena dele; fizeram um círculo à sua volta; falaram, discutiram. Os nossos ex-tratadores de cavalos, os ciganos, os veterinários etc. demonstraram nesta ocasião uma grande competência em assuntos de cavalos e até se insultaram uns aos outros; mas ninguém conseguiu ressuscitar Gniedkó. Jazia morto, de ventre inchado, no qual todos se sentiam na obrigação de porem o dedo; deram do acontecido parte ao major, e este decidiu que comprassem imediatamente outro cavalo. No próprio dia de São Pedro, de manhã, depois da missa, quando estávamos todos reunidos, começaram a entrar os negociantes de cavalos. Escusado será dizer que quem ficou encarregado de negociar a compra foram os próprios presos. Entre nós havia verdadeiros conhecedores e seria difícil enganar 205 homens, cuja ocupação anterior tinha sido essa. Apresentaram-se quirguizos, marchantes, ciganos, camponeses. Os presos, impacientes, aguardavam o aparecimento de cada novo cavalo. Estavam alegres como crianças. O que mais os lisonjeava era o fato de se comprar um cavalo, tal como se fosse homens livres e houvessem de tirar o dinheiro do seu bolso, como se tivessem pleno direito de efetuar uma compra. Já tinham sido apresentados três cavalos e tinham-nos rejeitado; o negócio só ficou concluído com o quarto. Quando entravam, os negociantes olhavam à sua volta com certo receio e temor, e um tanto assombrados e, de

---

41. Diminutivo de *gniedó*, baio. (N.T.)

quando em quando, fixavam-se nas sentinelas que os tinham introduzido. Infundia-lhes um certo respeito aquele grupo de duzentos homens daquela espécie, de cabeças rapadas, rostos marcados, com cadeias, em sua casa, num coio como o presídio, cujos umbrais ninguém atravessava. Os nossos punham em ação todos os seus conhecimentos, ao observarem cada novo cavalo que lhes apresentavam. Olhavam-no por todos os lados, sem deixarem um só pormenor por observar, com tal diligência, com uns ares tão sérios e entusiásticos que até parecia que se tratava de algum benefício para o presídio. Os circassianos montavam nas cavalgaduras durante algum tempo; os seus olhos chispavam fogo e falavam com veemência na sua linguagem incompreensível, mostrando os dentes brancos e as caras amareladas e de grande nariz. Alguns dos russos seguiam as suas palavras com tanta atenção que parecia que os olhos lhes queriam saltar das órbitas. Não compreendiam nem uma palavra; mas queriam adivinhar-lhes, pela expressão da cara, o que eles resolveriam, se lhes agradava ou não o cavalo. Ao observador imparcial teria parecido estranha uma atenção tão absorvente. Por que havia um preso de interessar-se, e sobretudo um preso como aquele, amável, apático, que mal ousava levantar a voz diante dos outros presos? Dir-se-ia que ia comprar um cavalo para si, que realmente não lhe podia ser indiferente qual deles se comprasse. Além do quirguizos distinguiam-se também os ciganos e os antigos negociantes de cavalgaduras; a esses pertenciam o primeiro lugar e a primeira palavra. E eis senão quando se deu uma espécie de torneio nobre entre dois... presos. Kulikov, o cigano, antigo ladrão de cavalos e negociante deles, e um veterinário autodidata, um astuto camponês siberiano, recém-entrado no presídio, que já conseguira tirar de Kulikov toda a sua clientela da cidade. Acontecia que os nossos veterinários do presídio eram muito estimados na cidade, e não só os camponeses ou comerciantes, mas até os mais altos funcionários, se dirigiam ao presídio quando os animais lhes adoeciam, apesar de haver na cidade alguns veterinários a valer. Até à chegada de Iólkin, o rústico siberiano, Kulikov não tivera rival, possuía uma grande clientela e, naturalmente, recebia dinheiro como recompensa. Era bajulador e palrador, sabia muito menos do que aparentava. Graças aos seus ganhos era um verdadeiro aristocrata no presídio. Pelas suas manhas, pela sua inteligência, sagacidade e decisão, havia já muito tempo que conseguira o respeito involuntário de todos os presos. Entre nós, escutavam-no e obedeciam-lhe. Falava pouco, regateava as palavras e só nas ocasiões mais importantes. Era um grande velhaco, mas possuía autêntica energia, que não era fingida. Era já entrado em anos, mas muito garboso, muito esperto. Com os nobres portava-se com uma cortesia refinada, mas ao mesmo tempo com extraordinária dignidade. Penso que se o tivessem vestido bem e o tivessem apresentado como um conde qualquer em algum círculo da capital, ter-se-ia sentido como num meio seu, teria desempenhado perfeitamente o seu papel, exprimindo-se de maneira distinta, falando com ponderação e talvez que durante toda a noite ninguém suspeitasse que ele não era um conde mas um vagabundo. Falo seriamente, pois tal era o seu desembaraço e a sua habilidade na maneira de conduzir-se. Tinha, além disso, uns modos distintos e elegantes. Devia ter visto muita coisa em toda a vida. Mas o seu passado estava envolto em mistério. Vivia entre nós, na seção especial. Mas quando chegou Iólkin, camponês, e dos mais astutos, cinquentão, velho crente, a fama de Kulikov diminuiu. Em dois meses roubou-lhe quase toda a sua clientela da cidade. Curava com toda a facilidade cavalos que Kulikov perdera a esperança de curar havia muito tempo. E curava também aqueles de que os médicos veterinários tinham desistido. Esse camponês dera entrada no presídio juntamente com outros, envolvido num crime de falsificação de moeda. Ter-se metido, na sua idade, num assunto de tal natureza! Foi ele próprio quem nos contou que por cada três moedas de ouro verdadeiras davam eles só uma falsa. Kulikov sofreu um pouco porque os seus êxitos veterinários tivessem decaído e a sua fama entre os presos também descido. Tinha uma amante nos arredores, usava blusa pregueada, ostentava anel de prata e um brinco também de prata, e sapatos próprios, com enfeites coloridos, mas, de repente, devido à diminuição dos rendimentos, viu-se na necessidade de se meter a taberneiro. Por isso esperavam que, na compra do novo Gniedkó, os dois inimigos haviam de armar grossa briga. Esperavam isso com curiosidade. Cada um deles tinha o seu partido. Os partidários de cada grupo começavam já a se acalorar e, pouco a pouco, iam-se começando a cobrir de insultos. O próprio Iólkin tinha contraído já a sua cara astuta num sorriso extremamente sarcástico. Mas tal não se deu; Kulikov nem sequer tentou insultar; mas, sem se valer de insultos, portou-se de maneira magistral. Pôs-se a escutar tranquilamente e até com certo respeito as opiniões críticas do rival; mas, assim que o apanhou em erro, imediatamente, num tom de voz resoluto, mas delicado, fez-lhe notar que estava enganado e, antes que Iólkin tivesse tido tempo de refletir e desdizer-se, demonstrou-lhe que estava enganado nisto e naquilo. Em resumo: Iólkin ficou derrotado, de maneira inesperada e hábil, e embora, em última análise, tivesse tido a última palavra, o partido de Kulikov deu-se por satisfeito.

– Não, meus caros, não é assim tão fácil como isso derrotá-lo; ele sabe defender-se; não há quem o embrulhe – diziam uns.

– Iólkin sabe mais! – observavam outros; mas observavam com uma certa transigência. Ambos os partidos adotaram imediatamente um tom conciliador.

– Não sabe nada, o que sucede é que tem a mão leve. Mas não vale a pena estarmos discutindo por causa de uns cavalos e de Kulikov!

– Não discutam, rapazes!

– Não briguem...

Até que finalmente escolheram e compraram o novo Gniedkó. Era um ótimo cavalinho; bonito, forte e com uma estampa muitíssimo agradável. E, sob outros aspectos, parecia também impecável. Começaram a discutir o preço: pediam por ele trinta rublos; os nossos ofereciam 25. Regateavam com ardor e demoradamente; cediam e transigiam. Até que finalmente isso acabou por parecer-lhes ridículo a eles próprios.

– Mas és tu que tens de pagar de teu bolso, meu amigo? – diziam uns. – Para que regatear?

– Tens pena da caixa? – exclamavam outros.

– Meus caros, é que todo este dinheiro é da comunidade!

– Da comunidade! Não, meus amigos; os malandros não precisam de ser semeados, nascem por si...

O contrato acabou finalmente por fazer-se por 25 rublos. Participaram ao major e a compra deu-se por concluída. Escusado será dizer que, a seguir, trouxeram pão e sal, e Gniedkó foi introduzido com todas as honras no presídio. E não houve preso que não lhe desse nessa ocasião uma palmadinha no pescoço ou não lhe acariciasse o focinho. Gniedkó foi ajaezado nesse mesmo dia para transportar água e todos olhavam com curiosidade para verem como Gniedkó transportaria o seu barril. O nosso aguadeiro, Roman, olhava para o nosso cavalinho com uma extraordinária satisfação. Era um camponês cinquentão, taciturno e de compleição fortíssima. De maneira geral, todos os cocheiros russos são de compleição forte e também tristonhos, como se de fato fosse verdade que o trato constante com cavalos imprimisse ao homem uma robustez e gravidade especiais. Roman era amável, afetuoso para com todos, inimigo do palavreado; tirava o seu tabaco de um cornicho e desde tempos imemoriais sempre estivera encarregado dos cavalos do presídio. O que acabara de adquirir-se era o terceiro. Entre nós todos estavam convencidos de que a cor baia dizia bem com o presídio, que assim ficava sendo da casa. Roman afirmava o mesmo. Um cavalo branco, por exemplo, por nada deste mundo o teriam comprado. As funções de aguadeiro correspondiam desde sempre a Roman, como em virtude de algum direito, e entre nós nunca ninguém pensou em disputar-lhe o cargo. Quando o anterior Gniedkó morreu, ninguém se lembrou, nem sequer o major, de atribuir-lhe a menor culpa; isso fora simplesmente a vontade de Deus e Roman era um bom cocheiro. Gniedkó tornou-se bem depressa o favorito do presídio. Os presos, embora fossem gente rude, costumavam acariciá-lo com frequência. Quando voltava do rio, Roman costumava fechar as portas que lhe abria o suboficial; mas Gniedkó, quando entrava no presídio, parava com a sua selha e ficava à espera dele, olhando-o de soslaio.

– Entra tu sozinho! – gritava-lhe Roman, e Gniedkó dirigia-se imediatamente à cozinha, parava à porta, esperava os cozinheiros e os presos com baldes para recolherem a água.

– Sempre és muito esperto, Gniedkó! – gritavam-lhe. – Vem sozinho! Obedece!

– Lá isso é verdade, é um animal e compreende.

– Bravo, Gniedkó!

Gniedkó mexia a cabeça e resfolegava, como se efetivamente compreendesse, e ficava ufano com aqueles elogios. E era infalível haver sempre quem lhe levasse pão e sal. Gniedkó comia e tornava a mexer a cabeça, como se dissesse: "Eu te conheço! Eu te conheço! Eu sou um bom cavalinho e tu és um homem bondoso!"

Eu também gostava de levar pão a Gniedkó. Era um prazer olhar o seu focinho, tão bonito, e sentir nas palmas das nossas mãos os seus beiços suaves e tépidos, quando recolhia com cuidado aquilo que lhe oferecíamos.

De maneira geral, os nossos presos teriam podido afeiçoar-se pelos animais e, se lhes fosse permitido, teriam introduzido com gosto no presídio uma multidão de animais e de pássaros domésticos. E que coisa melhor para abrandar, enobrecer o severo e fero caráter dos presos do que essa ocupação, por exemplo? Mas tal não lhes era permitido. Nem o nosso regulamento nem o lugar o consentiam.

No entanto, durante o tempo em que aí estive, sempre houve no presídio alguns animais. Além de Gniedkó, tínhamos conosco cães, gansos, um cabrito, Vasska, e também uma águia viveu ali durante uma temporada.

Como disse já, vivia entre nós, na qualidade de cão privativo do presídio, Chárik, cão inteligente e meigo, com o qual mantive uma constante amizade. Mas como o nosso povo, de maneira geral, considera o cão um animal imundo, no qual nem sequer se deve fixar a atenção, quase ninguém entre nós reparava em Chárik. Ninguém tratava dele, dormia no pátio, comia das sobras da cozinha, e não mostrava um especial interesse por ninguém, embora conhecesse todos os do presídio e os considerasse seus donos. Quando os presos voltavam do trabalho, logo ele, assim que se ouvia o grito, diante do corpo da guarda: "Cabo da guarda!", corria para a porta e, saltando com ternura ao encontro de cada grupo, mexia a cauda e olhava amigavelmente nos olhos cada um dos que iam entrando, esperando deles alguma carícia. Mas durante muitos anos não chegou a conseguir carícia alguma de alguém, a não ser de mim. E por isso gostava mais de mim do que de ninguém. Não me lembro como é que apareceu depois no presídio outro cão, Bielka. O terceiro, Kulhtiapka, fui eu próprio quem o trouxe, quando ele ainda era um cachorrinho, uma vez, quando voltava do trabalho. Bielka era um animalzinho estranho, um ser estranho. Algum devia ter-lhe passado por cima com uma *tieliega*, porque tinha a espinha partida ao meio, de maneira que, quando corria, visto de longe, parecia que eram dois animais brancos que corriam, que teriam nascido pegados um ao outro. Além disso era sarnoso; os olhos supuravam-lhe; tinha a cauda completamente pelada e continuamente encolhida. Maltratado pela sorte, pelo visto decidira resignar-se. Nunca ladrava a ninguém, nem rosnava, como se não se atrevesse. Vivia quase só de pão, atrás dos alojamentos; quando via algum dos nossos, punha-se imediatamente, a alguns passos de distância, de boca para cima, em sinal de submissão: "Vamos, faz de mim o que quiseres, que eu, como vês, não te oporei resistência alguma". E todos os presos, perante os quais se estendia desse modo, lhe davam com a ponta do pé, como se considerassem esse procedimento um dever obrigatório: "Desaparece, estupor!", costumavam dizer os presos. Mas Bielka nem sequer se atrevia a queixar-se e, quando a dor era forte demais, então gemia com a boca fechada e como para dentro. Também se punha da mesma maneira diante de Chárik e de todos os outros cães, quando corria pelo presídio. Costumava estender-se de boca para cima e ficar assim, muito sossegado, quando algum canzarrão se dirigia para ele, de orelhas caídas, rosnando e ladrando. Mas os cães gostam da submissão e do respeito dos seus semelhantes. O cão furioso amansava-se imediatamente; quedava-se, parado, como refletindo, diante do outro cão, estendido diante dele com as patas para cima, dócil, e depois punha-se, com grande curiosidade, a farejar-lhe todas as partes do corpo. Que pensaria Bielka durante todo este tempo, todo trêmulo? "E se este bandido me morde agora!", lembrar-se-ia, provavelmente. Mas depois de farejá-lo atentamente, o canzarrão acabava por deixá-lo em paz, por não lhe encontrar nada de particularmente curioso. A seguir, Bielka levantava-se e punha-se a correr, coxeando, atrás de uma longa fila de cães que seguiam algum cãozinho fraldiqueiro. E embora ele soubesse que, provavelmente, nunca poderia manter amizade com um cãozinho fraldiqueiro, apesar de tudo, acompanhá-lo, de longe, ao menos... sempre era uma consolação para ele, no meio da sua desdita. Pelo visto, já deixara de pensar na felicidade. Perdido o futuro, vivia unicamente de pão e reconhecia plenamente a sua situação. Uma vez experimentei acariciá-lo; isso foi para ele qualquer coisa de tão novo e inesperado que, de repente, foi e estendeu-se a todo o comprimento no chão, sobre as quatro patas, todo a tremer, e começou a gemer com força, de tão comovido. Eu o acariciava muitas vezes, por dó. Em compensação, ele não podia conter um gemido cada vez que me via. Assim que me via ao longe, começava a uivar de maneira doentia e lamentosa. O caso acabou desta maneira: fora do presídio, no bastião, os outros cães acabaram por dar cabo dele.

Kulhtiapka era completamente diferente. Não sei por que o teria levado eu, ainda em pequenino, para o presídio. Agradava-me dar-lhe de comer e vê-lo crescer. Chárik tomou imediatamente Kulhtiapka sob sua proteção e dormia com ele. Quando Kulhtiapka era já mais crescidinho, consentia que lhe mordesse as orelhas, lhe puxasse pelo pelo e brincasse com ele, como costumam brincar os cães já grandes com os cachorrinhos. Era estranho que Kulhtiapka se desenvolvesse pouco em altura e somente crescesse em comprimento e profundidade. Tinha um pelo lanudo, cor de rato claro; uma das orelhas crescera-lhe para baixo e a outra para cima. De gênio era vivo e fogoso, como todos os cachorrinhos, os quais costumam, com a alegria de ver o dono, arquejar, chiar, subir-lhe pelo corpo, lambiscar-lhe a cara, sem se preocuparem com reprimir perante ele todos os outros sentimentos. "Contanto que vejam o meu entusiasmo, pouco importa a compostura!" Onde quer que eu estivesse, assim que gritava: "Kulhtiapka!", logo ele surgia de algum canto, correndo, como se saísse de debaixo da terra, e voava para mim com um entusiasmo ansioso, como uma bala, caindo muitas vezes no caminho. Eu tinha uma enorme amizade por esse aborto. Parecia que o destino só havia de proporcionar-lhe satisfações e alegrias na vida. Mas um belo dia o preso Nieustróiev, que se ocupava em coser sapatos de senhora e em curtir peles, fixou nele uma atenção especial. Houve qualquer coisa que, de súbito, o impressionou. Chamou Kulhtiapka para o seu lado, acariciou-lhe o lombo e, carinhosamente, estendeu-o no chão, de boca para cima. Kulhtiapka, sem receio nenhum, gemia de gozo. Mas na manhã seguinte desaparecera. Procurei-o durante muito tempo, levara sumiço e só passadas duas semanas tudo se esclareceu. A pele de Kulhtiapka agradara muito a Nieustróiev, que a arrancou dele, a curtiu e a pôs nuns sapatos de veludo, de abafo, que lhe encomendara a mulher do auditor. Ele próprio me mostrou os sapatos quando já estavam prontos. A pele ficava neles admiravelmente. Pobre Kulhtiapka!

No presídio, muitos se dedicavam ao curtimento de peles, e quando apareciam cães de pele bonita, o que acontecia frequentemente, desapareciam num abrir e fechar de olhos. Alguns roubavam-nos, mas outros compravam-nos. Lembro-me de que uma vez encontrei dois presos atrás dos alojamentos. Tomavam resoluções e conferenciavam. Um deles segurava, por uma corda, um grande e esplêndido cão, o qual parecia de raça. Algum criado despedido o teria roubado à sua senhora e o teria vendido aos nossos sapateiros por trinta copeques de prata. Os presos pensavam afogá-lo. O que podiam fazer com a maior facilidade; depois arrancavam-lhe a pele e, quanto ao cadáver, arrojavam-no a um grande e fundo fosso de esgoto que havia no canto mais recuado do presídio e que, no verão, com o calor, fedia horrorosamente. Só de longe em longe o limpavam. O pobre cão parecia compreender a sorte que o esperava. Interrogativo e inquieto, olhava alternadamente para nós três e, de quando em quando, ousava mexer um pouco a cauda basta, como se estivesse desejoso de abrandar-nos com esse sinal da sua confiança em nós. Eu me apressei a retirar-me, e eles, naturalmente, despacharam o caso com toda a tranquilidade.

Também aos gansos sucedera virem a encontrar-se entre nós, por casualidade. Ignoro quem os teria levado para ali ou a quem pertencessem, mas durante algum tempo divertiram grandemente os condenados e até chegaram a ser conhecidos na cidade. Haviam-se criado no presídio e mantinham-se na cozinha. Quando cresceram, acostumaram-se a sair todos em grupo, juntamente com os presos, para o trabalho. Assim que se ouvia o tambor e o presídio se punha em movimento para sair, logo os nossos gansos começavam a lançar grasnidos e a correr para nós, agitando as asas e, um atrás do outro, atravessavam a porta altíssima e dirigiam-se invariavelmente para o lado direito, onde se alinhavam, aguardando o fim da divisão dos grupos. Costumavam incorporar-se ao turno mais numeroso e, durante o trabalho, ficavam em qualquer lugar próximo. Quando o grupo se punha de novo em movimento para regressar ao presídio, também eles se levantavam. No forte correu o boato de que os gansos iam com os presos para o trabalho. "Olha, lá vão os presos com os seus gansos!", costumavam dizer os que os encontravam no caminho. "Olhem para os gansos! Como é que vocês os ensinaram assim?", acrescentavam outros, dando-lhes uma esmola. Mas a despeito de toda essa simpatia, mataram-nos para fazerem um festim depois da Quaresma.

Em compensação, por nada deste mundo teriam matado o nosso cabrito Vasska, se não se tivesse dado uma circunstância especial. Também não sei como é que o arranjaram nem quem o levou ali, mas o certo é que um dia apareceu no presídio um cabritinho branco, muito bonito. Passados poucos dias, já todos nós lhe tínhamos tomado amizade e proporcionava-nos distração geral e até alegria. Encontraram também uma razão para mantê-lo: a de que era preciso manter no presídio, além do cavalo, um cabrito também. No entanto não vivia junto do cavalo, mas sim na cozinha, a princípio, e depois andava por todo o presídio. Era um animalzinho extremamente gracioso e muito simpático. Aproximava-se quando o chamavam, saltava para cima dos bancos, das mesas, arremetia contra os presos, estava sempre contente e brincalhão. Uma vez, quando já lhe tinham nascido os cornichos, uma noite, o legiano Babai, que estava sentado na escadinha do alojamento, juntamente com outros presos, lembrou-se de pôr-se a brincar com Vasska. Havia já muito tempo que davam marradinhas com a testa – o que constituía o divertimento favorito dos presos com o cabritinho –, quando de repente Vasska se encarrapitou no degrau mais alto da escadinha e, mal Babai se pusera de lado, quando o animal se levantou num ápice, sobre as patas traseiras, encolheu as outras e deu ao legiano, com todas as suas forças, uma marrada pelas costas que o fez rolar de cabeça para baixo pela escada, entre o entusiasmo de todos os presentes e do seu em primeiro lugar. Enfim, todos tinham uma grande amizade por Vasska. Depois começou a tornar-se maior, e após uma prolixa e séria discussão, concordaram em fazer-lhe, e fizeram-lhe, uma certa operação, na qual os nossos veterinários eram mestres consumados: "Assim já não cheirará a macho", diziam os presos. Depois disso, Vasska começou a engordar terrivelmente. Alimentavam-no como se quisessem cevá-lo. Finalmente tornou-se um bode esplêndido com uns cornos muito compridos e de extraordinária grossura. Também se acostumou a sair conosco para o trabalho, para distração dos presos e das pessoas que se encontravam pelos campos. Todos conheciam Vasska, o cabrito do presídio. Às vezes, quando trabalhavam na ribeira, por exemplo, os presos costumavam cortar os ramos flexíveis dos juncos, procuravam algumas folhas, arrancavam flores junto do muro e coroavam Vasska com tudo isso; atavam-lhe juncos e flores nos cornos e envolviam-lhe todo o corpo em grinaldas. Vasska regressava ao presídio enfeitado e ataviado, e os presos iam atrás dele, e pareciam sentir-se muito importantes perante os transeuntes. A tal ponto chegou essa afeição pelo cabrito que ocorreu a alguns uma ideia absolutamente pueril: "Por que não se hão de dourar os cornos de Vasska?". Simplesmente não chegaram a fazê-lo, tudo ficou em palavras. Aliás, lembro-me de que perguntei a Akim Akímitch, o melhor dourador do nosso presídio, depois de Issai Fomitch, se de fato seria possível dourar os cornos do cabrito. Ele começou por olhá-lo com muita atenção, depois refletiu com muita seriedade e acabou por dizer que era possível, "mas que isso seria de pouca duração e, além disso, perfeitamente inútil".

E com isto se acabou a história. Vasska teria vivido longo tempo no presídio e teria talvez morrido de asma, mas uma vez ao voltar do trabalho à frente dos presos, enfeitado e embonecado, encontrou o major que ia no seu *drójki*: "Alto!", gritou, "que cabrito é esse?" E explicaram-lhe. "O que, um cabrito no presídio, e sem minha autorização? Suboficial!" O suboficial apresentou-se e recebeu imediatamente ordem de abater o animalzinho. Que lhe arrancassem o velo, que o vendessem à loja, e que o dinheiro da venda fosse acrescido à quantia que a administração destinava aos presos, e que a carne fosse dada a estes, com a sopa de couves. Fizeram-se comentários no presídio; tiveram muita pena, mas não se atreveram a desobedecer. Mataram Vasska junto do fosso dos esgotos. A carne foi toda comprada por um dos presos, que abonou um rublo e meio de prata ao presídio. Com esse dinheiro compraram tortas, mas o que comprara Vasska tornou a vendê-lo para ser assado. E, de fato, a carne era extraordinariamente saborosa.

Também viveu algum tempo conosco no presídio uma águia da espécie das estepes, que não são muito grandes. Houve alguém que a levou para o presídio, ferida e maltratada. Todos acudiram a vê-la; não podia voar; a asa direita derrubada é uma pata deslocada. Lembro-me da ansiedade com que olhava à sua volta, contemplando o grupo curioso, e de como abria o bico curvo, pronta a vender cara a vida. Assim que acabaram de olhá-la à sua vontade e começaram a dispersar, a águia, coxeando, sustendo-se em uma só pata e agitanto a asa sã, foi esconder-se no extremo mais afastado do presídio, onde se encolheu num canto, contra a paliçada. Ali viveu três meses e durante todo aquele tempo nem uma vez sequer se moveu no seu canto. A princípio iam ali muitas vezes para a verem, atiçando o cão contra ela. Chárik lançava-se sobre ela com muito ímpeto, mas era evidente que não se atrevia a aproximar-se muito, o que divertia grandemente os presos. "Isto é que é uma fera!", diziam. "Não se rende!" Depois Chárik começou a magoá-la seriamente; perdeu-lhe o medo e quando o açulavam apressava-se a agarrá-la pela asa doente. A águia defendia-se com todas as suas forças, com as garras e com o bico, orgulhosa e arrogante como um monarca ferido e, agachando-se no seu canto, contemplava os curiosos que vinham para vê-la. Finalmente, todos se fartaram dela, todos a deixaram em paz e a esqueceram e, no entanto, todos os dias podia ver-se junto dela um pedaço de carne fresca e uma caçarola quebrada com água. Alguém devia cuidar dela. A princípio ela se negava a comer e assim esteve vários dias; até que por fim começou a comer, mas não à mão nem diante das pessoas. Eu pude vê-la uma vez, de longe. Não vendo ninguém e pensando que estava só, resolvia-se às vezes a afastar-se um bocadinho do seu canto e coxeava ao longo da paliçada, uns doze passos além do seu lugar; depois recuava e tornava a sair, como se estivesse fazendo exercício. Quando me via, voltava a correr imediatamente para o seu canto, com todas as forças, dando saltos e deitando a cabeça para trás, abrindo o bico, as penas eriçadas, pronta para o combate. Não conseguia amansá-la com carícias nenhumas; arranhava e bicava; não aceitava a carne da minha mão, e durante todo o tempo que me via não fazia senão olhar para mim de alto a baixo, nos olhos, com os seus, penetrantes e hostis. Aguardava a morte sozinha, não tinha confiança em ninguém nem se amansava com coisa alguma. Até que finalmente os presos se lembraram dela e, embora nenhum a tivesse procurado nem recordado nesses dois meses, de repente todos se encheram de piedade por ela. Discutiram sobre a necessidade de expulsar a águia.

– Que rebente, mas não no presídio – diziam uns.

– É um pássaro livre, arisco; não se acostumará ao presídio – disseram outros.

– Sinal de que não é como nós – acrescentou um outro.

– Olha que coisa! É uma ave e nós somos homens.

– A águia, meus amigos, é o czar das selvas... – começou a dizer Skurátov; mas desta vez não lhe deram ouvidos.

Certo dia, depois do rancho, quando soou o tambor chamando para o trabalho, pegaram na águia, fechando-lhe o bico com a mão, porque se tinha posto a debater-se, furiosa, e levaram-na do presídio. Foram até o bastião. Doze homens, que pertenciam àquele turno, queriam ver até onde subia a águia. Coisa curiosa: todos estavam tão contentes como se também eles, em parte, fossem recuperar a liberdade.

– Anda, meu palerma, faz-lhe bem, que ela não sabe senão arranhar! – dizia aquele que a segurava, olhando a ave quase com amor.

– Larga-a, Mikita!

– A ela, quer dizer, ao diabo, não o guardes em nenhum cofre. Dá-lhe a liberdade, a liberdade toda, verdadeira.

Largaram a águia do muro, sobre a estepe. O outono ia já avançado e estava um dia frio e nublado. O vento zumbia sobre a estepe desnuda e sibilava na erva seca, amarela e densa. A águia atirou-se a direito, agitando a asa sã e como se tivesse pressa de pôr-se longe do alcance dos nossos olhos. Os presos seguiam-na, curiosos, enquanto a sua cabeça brilhava acima da erva.

– Olhem para ela! – exclamou um, pensativo.

– Nem sequer se volta para olhar para nós! – acrescentou outro. – Nem uma só vez sequer se voltou para olhar-nos, meus amigos, voa que voa!

– Ai, tu pensavas que ela viria agradecer-nos? – observou um terceiro.

– Cheirou-lhe a liberdade...

– Sim, a liberdade...

– Já não se vê, meus amigos...

– Por que estão assim parados? Marche! – gritaram as sentinelas, e todos, em silêncio, correram para o trabalho.

CAPÍTULO XVIII

A RECLAMAÇÃO

AO COMEÇAR ESTE CAPÍTULO, o editor das *Memórias* do falecido Alieksandr Pietróvitch Goriântchikov considera-se obrigado a fazer aos leitores a seguinte advertência:

No primeiro capítulo, *Memórias da casa dos mortos*, disseram-se algumas palavras a respeito de um parricida de família nobre. Citou-se, entre outros, como exemplo da insensibilidade com que às vezes os presos falam dos crimes por eles cometidos. Disse-se também que o parricida não confessou o crime, no julgamento, mas atendendo a certos relatos de pessoas que conheciam o caso em todos os seus pormenores, os fatos tornavam-se claros a tal ponto que era impossível não acreditar na sua culpabilidade. Essas pessoas contaram ao autor das "Memórias" que o criminoso tinha uma conduta absolutamente licenciosa, que estava cheio de dívidas e que assassinara o pai com a ânsia de herdar. Aliás, toda a cidade em que antes vivera o parricida contava esta história nos mesmos termos. O editor das "Memórias" possui referências bastante fidedignas deste último fato. Finalmente, diz-se nas "Memórias" que o parricida mostrava no presídio a melhor e mais alegre disposição de espírito; que era um tipo desnorteado, sem ponderação alguma, embora não completamente estúpido, e que o autor das "Memórias" nunca lhe notou nenhuma crueldade especial. Ao que se acrescentavam ainda estas palavras: "É claro que eu não acreditava nesse crime".

Há pouco, o editor de *Memórias da casa dos mortos* recebeu da Sibéria a notícia de que o suposto criminoso estava de fato inocente e sofrera injustamente dez anos de trabalhos forçados, e que a sua inocência fora proclamada pelos juízes de modo oficial. Que os verdadeiros culpados tinham sido encontrados, os quais estavam já convictos e confessos, e que o infeliz já tinha sido posto em liberdade.

O editor não pode de maneira nenhuma duvidar da veracidade desta notícia...

Não é preciso acrescentar mais nada. Não é preciso falar mais nem demorarmo-nos acerca da profundidade trágica deste fato, do malogro duma vida ainda jovem, sob o peso de tão terrível acusação. O fato é demasiado compreensível, impressionante de per si.

Nós pensamos também que, se tal fato era possível, esta mesma possibilidade acrescenta ainda uma característica nova e luminosa às características e perfeição do quadro da casa dos mortos.

E agora continuemos.

*

Disse eu anteriormente que, finalmente, acabei por me conformar com a minha situação no presídio. Mas este finalmente operou-se de modo muito lento e doloroso, aos poucos. Na realidade foi-me necessário um ano para isso, e esse ano foi o mais difícil da minha vida. E por isso tudo se gravou profundamente na minha memória. Parece-me que recordo cada hora desse ano até nos seus mínimos pormenores. Disse ainda que os outros presos também não podiam acostumar-se a essa vida. Lembro-me de que, nesse primeiro ano, costumava perguntar: "Que se passará com eles? Poderão estar tranquilos?". E estas perguntas preocupavam-me muito. Já antes recordei que todos os presos viviam ali não como em sua casa, mas como numa estalagem de mudas, um bivaque, numa etapa. Até os indivíduos deportados para toda a vida andavam inquietos e nostálgicos, e, infalivelmente, todos eles sonhavam com algo impossível. Essa perene inquietude, que transparecia, mesmo através do silêncio, essa estranha amargura ou excitação, que às vezes costumava involuntariamente acusar-se em esperanças tão malfundadas, que pareciam estar delirando e que impressionavam sobretudo por se manifestarem muitas vezes em indivíduos de aparência muito realista, tudo isso imprimia um aspecto e caráter singulares àquele lugar, a um ponto tal que talvez esses aspectos constituíssem o mais característico da sua peculiaridade. Parecia sentir-se, quase ao primeiro olhar, que aquilo não existia fora do presídio. Ali, todos eram uns sonhadores. E isto era evidente. Sentia-se isso doentiamente, sobretudo porque o sonho comunicava à maioria dos do presídio um aspecto áspero e severo, um certo aspecto doentio. A imensa maioria era taciturna e má até o rancor, e não gostava de mostrar as suas esperanças. A simplicidade, a sinceridade, eram objeto de desprezo. Quanto mais arrojadas eram as esperanças e mais o próprio sonhador se dava conta do seu atrevimento, tanto mais teimosa e pudicamente se escondia dentro de si, mas afugentá-las, isso é que não podia. Quem sabe quantos não se envergonhariam delas perante si próprios! Há no caráter russo tanto sentido da realidade e tal curteza de vistas, tanta zombaria interior, a começar pela própria pessoa. Talvez essa grande irritabilidade nesses indivíduos, nas suas mútuas relações cotidianas, tantas discussões e troças entre eles, fossem devidas a esse constante, dissimulado descontentamento de si próprio. E se, por exemplo, surgia de repente algum mais ingênuo ou sensível, que deixasse transparecer por acaso o que todos escondiam nas suas almas, que se abandonasse aos sonhos e ilusões, imediatamente o corrigiam e troçavam dele; mas eu tenho a impressão de que os admoestadores mais exaltados eram precisamente os mesmos que, provavelmente, iam mais longe nos seus sonhos e ilusões. E a esses ingênuos simplórios, como já disse, olhavam-nos de uma maneira geral como imbecis, e tratavam-nos com desprezo. Eram todos a tal ponto tão arredios e fátuos que desprezavam as pessoas simples e despidas de amor-próprio. Além desses faladores, crédulos e ingênuos, todos os outros, isto é, os taciturnos, se dividiam categoricamente em bons e maus, severos e amáveis. Os severos e os maus eram incomparavelmente mais numerosos; embora entre eles houvesse também faladores que o eram por natureza, eram todos, infalivelmente, hipocondríacos, inquietos e rancorosos. Intrometiam-se em todos os assuntos alheios, embora não mostrassem o seu próprio íntimo a ninguém, os seus problemas particulares. Era essa a regra, coisa que não se admitia. Os bons – um número muito reduzido – eram pacíficos, ocultavam silenciosamente as suas esperanças, e escusado será dizer que, mais do que os ásperos, eram propensos a alimentar ilusões e a acreditar nelas. Aliás afigura-se a mim também que existiam igualmente no presídio um grupo de indivíduos completamente desesperados. A eles pertencia, por exemplo, aquele ancião, velho crente de Staradúvobo, mas, em todo caso, eram em pequeno número. Esse tal velho mostrava-se tranquilo na aparência (já falei dele) mas, por certos indícios, penso que o seu estado de espírito era espantoso. Aliás, tinha a sua salvação, o seu refúgio: a oração e a ideia de sofrimento. Aquele louco, leitor da Bíblia, a que já me referi, e que atirou aquele tijolo ao major, seria provavelmente do número dos desesperados, daqueles que já tinham perdido até a última esperança. E como viver sem ilusões é impossível, procurou um refúgio no sofrimento voluntário, quase artificial. Declarou que agredira o major sem má intenção, mas simplesmente para atrair o suplício. E quem sabe que processo psicológico se operaria então na sua alma! Sem um objetivo pelo qual tenha de esforçar-se, nenhum homem pode viver. Quando perdeu a sua finalidade e a sua ilusão, o homem transformou-se muitas vezes, com o aborrecimento, num monstro. O fim para todos nós era a liberdade e a saída do presídio.

Estou me esforçando para classificar em categorias todos os do nosso presídio; mas isso será possível? A realidade é infinitamente diferente, comparada com todos, inclusivamente com os mais refinados produtos do pensamento abstrato, e não suporta distinções vividas e acusadas. A realidade tende para os casos particulares. Existia vida individual entre nós, embora de uma maneira especial, e não uma vida pública, mas uma vida interior, própria de cada um.

Mas, como disse já noutro lado, eu não podia saber nem compreender a profundidade interior dessa vida, nos meus primeiros tempos de presídio, e por isso todas as manifestações exteriores dessa vida me mortificavam então com uma constante tristeza. Às vezes, invejava simplesmente aqueles que sofriam o mesmo que eu. Até os invejava e deitava as culpas sobre a sorte. Invejava-os porque eles, apesar de tudo, compreendiam-se mutuamente entre si, com os companheiros, embora, na realidade, tanto a eles como a mim nos repugnasse aquela camaradagem debaixo do chicote e dos açoites, aquela comunidade forçada, e procurassem evitar os demais, retirar-se para um lado, para qualquer parte. Torno a repetir que essa inveja, que se apoderava de mim em momentos de mau humor, tinha os seus fundamentos lícitos. No fundo, não têm absoluta razão aqueles que dizem que, para o nobre, para o culto, o presídio e os trabalhos forçados são tão duros como para qualquer labrego. Conheço essa tese, ouvi-a defender nos últimos tempos, tenho lido algo acerca dela. A base dessa ideia é verdadeira, humana. Todos são pessoas, todos homens. Mas é uma ideia demasiado abstrata. Não tem em conta muitas condições práticas, que não se podem compreender de outro modo senão na própria realidade. Falo assim, não porque o nobre e o ilustrado sintam de um modo mais requintado e doloroso, porque estejam mais desenvolvidos. É difícil avaliar numa escala a alma e o seu desenvolvimento. Nem a própria cultura pode servir de medida neste caso. Eu sou o primeiro a afirmar que no homem mais inculto, no meio mais baixo, entre estes homens que sofrem, se encontram aspectos da mais refinada evolução espiritual. Acontecia às vezes no presídio que uma pessoa conhecesse um homem durante alguns anos e pensasse que ele era uma fera, e não um homem, e que o desprezasse. E, de repente, chegava casualmente um instante em que a sua alma descobria num ímpeto involuntário o seu interior, e se via nele tal riqueza, tal sentimento e coração, tão clara compreensão da dor própria e alheia, que era como se vos abrissem os olhos, e no primeiro instante nem se queria acreditar naquilo que se via e ouvia. Sucedia também o contrário; a cultura estava às vezes unida a tal barbárie, a tal cinismo, que chegávamos a nos sentir magoados, e, por melhores e prudentes que fôssemos, não encontrávamos no nosso coração desculpa nem justificação alguma.

Não digo tampouco nada da mudança de costumes, da maneira de viver, de comer etc., que para o homem da camada elevada da sociedade é, sem dúvida, mais duro do que para o labrego, o qual de quando em quando sofre fome em liberdade e, no presídio, pelo menos pode comer até fartar-se. Não discutirei acerca disto. Concedamos que, para um homem, até para um homem de pouca vontade, tudo isto é uma ninharia comparado com as demais incomodidades, embora, na realidade, a mudança de costumes não seja coisa de pouca monta, tal como a última. Mas há um incômodo perante o qual tudo mais empalidece, a tal ponto que não se repara nem na falta de asseio que nos rodeia nem na escassa e suja comida. O sibarita mais requintado, o mais pedante peralvilho, desde que tenha trabalhado durante o dia com o suor do seu rosto, como nunca trabalhou quando era livre, comerá nem que seja pão negro e sopa de couves com baratas. A isso tem de acostumar-se, como diz uma canção humorística do presídio, falando de um antigo peralvilho que foi parar naquele presídio:

> *Deem-me couves com água*
> *Que me empanturro com elas*

Não; mais importante do que tudo isso é que, qualquer dos que hão de começar a acostumar-se ao presídio, passadas duas horas de aí estar, considera-se já como todos os outros, considera-se em sua casa, como proletário, com os mesmos direitos que todos à comunidade presidial. Todos o compreendem e ele compreende a todos, conhece todos, todos o consideram como seu. Mas tal não sucede com os bem-nascidos, com os nobres. Por mais digno, bom e inteligente que seja, durante anos inteiros hão de olhá-lo com maus olhos e o desprezarão com todo o seu ser; não o compreenderão e, o que é mais importante, não terão confiança nele. Não é amigo nem companheiro, e ainda que consiga, finalmente, ao fim de alguns anos, que não o ofendam, apesar de tudo nunca será dos seus e terá eternamente, dolorosamente, de reconhecer o seu afastamento, a sua solidão. Este ostracismo opera-se às vezes sem má intenção da parte dos presos e como de maneira inconsciente. Não é dos seus e basta. Nada tão espantoso como viver fora do seu meio. O camponês que foi trazido de Taganrog para o posto de Pietropávlosk encontra imediatamente ali algum camponês russo; imediatamente fala e desabafa com ele e, passadas duas horas, já convivem amistosamente os dois, na mesma choça ou na cabana. Não se dá o mesmo com os bem-nascidos. Estão separados do povo baixo por um abismo profundíssimo, e só se repara nisto plenamente quando o bem-nascido, de repente, por forças das circunstâncias exteriores, se vê efetivamente despojado dos seus anteriores direitos e fica também convertido em povo. Nem que durante toda a vida se contate com o povo, nem que durante uns quarenta anos seguidos se esteja ao seu lado, no serviço, por exemplo, em termos burocráticos ou, simplesmente, afetuosos, com ares de protetor e um certo pensamento paternal, nunca conhecereis a realidade. Tudo será unicamente um erro de óptica e nada mais. Eu sei que todos, absolutamente todos, quando lerem esta minha observação, hão de dizer que eu exagero. Mas estou convencido de que essa é a verdade. E cheguei a essa convicção, não livrescamente ou especulativamente, mas pela realidade; tive tempo de sobra de comprovar as minhas convicções. Talvez um dia todos reconheçam até que ponto isto é verdade...

Os acontecimentos, como de propósito, desde o primeiro momento que vieram confirmar as minhas observações e que atuaram sobre mim nervosa e morbidamente. Nesse primeiro ano andava para trás e para diante no presídio quase só, sozinho. Já disse que me encontrava numa disposição de espírito tal que nem sequer podia apreciar e distinguir aqueles presos que poderiam ser capazes de tomarem depois amizade por mim, embora nunca chegassem a tratar-me de igual para igual. Eram companheiros meus, nobres, mas nunca durante esse tempo tal camaradagem me serviu de alívio. De boa vontade não teria olhado para ninguém e, no entanto, não podia fugir. Eis aqui, por exemplo, uma daquelas ocasiões em que pela primeira vez me fizeram compreender o meu isolamento e a minha situação especial no presídio. Uma vez, durante esse mesmo ano, já no mês de agosto, num dia de trabalho, claro e quente, à uma da tarde, quando, como de costume, todos descansavam um pouco depois de comer, todo o presídio se pôs de repente em movimento, como um só homem, e começou a dirigir-se para a porta. Eu não sabia de nada até aquele momento. Nesse tempo costumava às vezes absorver-me numa meditação tão profunda que mal dava conta do que acontecia à minha volta. E, no entanto, havia já três dias que lavrava uma surda efervescência no presídio. Pode ser que aquela efervescência tivesse começado muito antes do que pensei depois, recordando involuntariamente algumas conversas de presos e, ao mesmo tempo, o seu mau humor exacerbado, a insociabilidade e a disposição de espírito particularmente agressiva que se notava entre eles nos últimos tempos. Eu atribuía isso ao trabalho pesado, aos aborrecidos longos dias estivais, aos involuntários sonhos de liberdade nos bosques e à brevidade das noites, em que era difícil conciliar o sono. Podia ter acontecido que tudo isso, junto, produzisse agora o seu efeito, numa explosão; mas o pretexto desse arrebatamento era... a comida. Já durante alguns dias se tinham queixado ostensivamente e mostrado a sua indignação nos alojamentos, especialmente quando se reuniam na cozinha, às horas do almoço e do jantar; deram a entender a sua insatisfação aos cozinheiros e procuraram até substituir um deles, embora em seguida tivessem expulsado o novo e reintegrado provisoriamente o antigo. Em resumo: todos se achavam numa grande inquietação.

– O trabalho é duro e a comida uma porcaria – resmungou um na cozinha.

– Pois se não te agrada pede *blanc manger* para ti – observou outro.

– Eu gosto imensamente de couves com sebo, meus amigos – encareceu um terceiro. – Estão bem saborosas.

– E mesmo que te deem sempre couves com sebo, sabem-te bem?

– Não há dúvida de que agora é tempo de carne – disse um quarto. – Nós, na olaria, trabuca que trabuca, e depois da comida temos um apetite devorador. Mas pode-se chamar comida a este sebo?

– E quando não há sebo há fressura. Sebo e fressura é tudo o mesmo. Que comida! Tenho razão ou não tenho?

– Sim, a comida não presta.

– Pode ser que esteja enchendo os bolsos.

– Isso não é da tua conta.

– Então é da conta de quem? As minhas tripas são minhas. Mas se nos juntássemos todos para fazer uma reclamação haviam de atender-nos.

– Uma reclamação?

– Sim.

– Parece que ainda não te surraram bastante por causa das reclamações! Cala-te!

– Tens razão – acrescenta, resmungando, outro que até então estivera calado. – Depressa e bem, há pouco quem. Que irás tu dizer, tu, cabeça de alho chocho? Ora vamos lá ver...

– Pois bem, hei de dizê-lo. Se formos todos juntos, falarei com todos. Quero dizer: a miséria. Entre nós há quem coma do que é seu e quem não tenha mais do que o rancho.

– Olha que invejoso! Parece que lhe faz mal aos olhos o bem alheio.

— Não abras a boca para a talhada alheia, mas mexe as mandíbulas e procura a tua.

— Procurá-la! Bem poderíamos ficar aqui discutindo até as galinhas terem dentes. Isso quer dizer que tu és rico e podes ficar de braços cruzados...

— Rico como Ierochka, que tinha um cão e um gato.

— Mas, vamos lá ver, meus amigos, por que não havíamos nós de reclamar? Esfolam-nos vivos. Por que não reclamar?

— Por quê? Parece que, para ti, é preciso mastigar a comida, antes de a levares à boca; estás acostumado a comer coisas já mastigadas. Pois porque estamos num presídio, aí tens o porquê.

— O resultado de tudo isto é a gente viver em rixas, meu Deus, enquanto o voivoda vai engordando.

— Lá isso é. Quem engorda é o Oito Olhos. Acaba de comprar uma parelha de cavalinhos.

— Bom. E ele também, diga-se a verdade, não gosta nada de beber...

— Há pouco estava jogando baralho com o veterinário.

— Passaram toda a noite jogando. O nosso, às duas horas, já tinha perdido tudo. Foi Fiedka quem me disse.

— E por isso nos põem a couves.

— Ah, os imbecis! Se vocês não estivessem aí quietinhos, o caso mudava de figura.

— Lá isso é, devíamos ir todos juntos e ver que desculpa é que ele nos dava. Era isso o que devíamos fazer.

— Desculpa? Ele te dava a desculpa...

— E, além disso, instauravam-te um processo...

Em resumo: andavam todos revoltados. De fato, por esse tempo, a comida do presídio era péssima. E a isto juntava-se tudo o mais. Mas o mais importante era a disposição geral de espírito, melancólica, o eterno suplício recalcado. O presidiário é rebelde e turbulento por natureza, mas raramente se sublevam todos ou uma grande parte. E o motivo não é outro senão a eterna discordância. Cada um deles sentia isso e era essa a razão de que houvesse entre nós mais palavras do que obras. No entanto, dessa vez, a agitação não foi em vão. Começaram a reunir-se em grupos, discutiam nos alojamentos, insultavam, recordavam com rancor todas as proezas do nosso major, não perdoavam o mais pequeno pormenor. Alguns pareciam particularmente furiosos. Em todos estes casos surgem sempre agitadores, açoitadores. Os instigadores, nestes casos, quer dizer, em casos de levante, costumam ser indivíduos notáveis, não só no presídio como em todas as sociedades. Esse tipo especial é semelhante em todas as partes. É uma gente fogosa, sedenta de justiça, da maneira mais ingênua e honesta, convencida da sua possibilidade infalível, absoluta, e mais, imediata. Esses indivíduos não são mais tolos do que os outros, há os até muito inteligentes, mas o que sucede simplesmente é que são demasiado impetuosos para serem cautos e calculistas. Em todos estes lances, quando há indivíduos que sabem conduzir habilmente as massas e levar uma empresa por diante, representam um tipo de cabecilhas e autênticos guias, tipo extremamente raro entre nós. Mas esses de que falo agora, agitadores e instigadores do motim, pagam quase sempre pelo seu atrevimento e vão depois encher as prisões. Desempenham um papel, com essa sua impetuosidade, e nisso está a razão da sua influência sobre as massas. Acabam por caminhar todos atrás deles, muito contentes. O seu ardor e a sua honesta indignação atuam sobre a massa, e, por fim, até os mais indecisos se juntam a eles. A sua fé ingênua no êxito contagia inclusivamente os céticos mais empedernidos, se bem que essa fé tenha às vezes uma base tão frágil, tão pueril, que nos admiramos de que haja quem os siga. Mas o importante é que eles vão à testa do caso e vão sem medo de nada. À semelhança dos touros, investem de frente com os cornos, às vezes sem estarem informados do caso, sem cautela, sem esse jesuitismo prático com que frequentemente os homens mais vis levam por diante as suas empresas, alcançando os seus objetivos e saindo livres de culpas e de penas. Mas os outros acabam infalivelmente por quebrar a cabeça. Na vida corrente são gente biliosa, malhumorada, irritada e intolerante. O mais frequente é serem de vistas curtas, o que, por outro lado, constitui a sua força. O mais triste de tudo é que, em vez de irem direto ao fim, desviam-se com frequência; em vez de atacarem o principal, detêm-se com ninharias. É isto o que os perde. Mas as massas compreendem-nos: nisto radica a sua força... Aliás, é preciso dizer ainda duas palavras acerca disto: que significa um levante?

No nosso presídio havia alguns homens que tinham ido lá parar por causa de um levante. Eram os mais revoltados. Principalmente um, Martínov, que servira nos hussardos, homem fogoso, inquieto e desconfiado, embora reto e honesto. O outro era Vassíli Antônov, homem que se irritava, por assim dizer, a sangue-frio; tinha um olhar receoso, um sorriso altivo e sarcástico, e era muito inteligente e também honesto e reto. Mas é impossível enumerá-los a todos, havia muitos. Entre outros, Pietrov andava sempre de um lado para o outro, escutava o que diziam em todos os grupos, falava pouco; mas era visível que estava agitado, e foi o primeiro a sair dos alojamentos quando começaram a formar.

O suboficial do presídio, o qual fazia perante nós as vezes de primeiro sargento, saiu imediatamente, assustado. Depois de terem formado, os presos pediram-lhe com toda a delicadeza que informasse o major de que os presos do presídio desejavam falar com ele e pedir-lhe concretamente contas acerca de alguns pontos. Depois do suboficial, chegaram todos os inválidos e formaram-se noutro lado, em frente dos presos. A incumbência dada ao suboficial era extraordinária, e este ficou verdadeiramente espantado. Nem sequer se atreveu a dar imediatamente parte ao major. Em primeiro lugar, se o presídio estava já sublevado, podia ainda acontecer algo de pior. Todos os nossos chefes eram extremamente tímidos em tudo quanto respeitava ao presídio. E, além disso, embora nada acontecesse, embora imediatamente todos caíssem em si e se dispersassem, ainda assim o suboficial teria de ir dar parte do acontecimento ao superior. Pálido e trêmulo de medo, dirigiu-se para o major a toda a pressa, sem pretender sequer interrogar ou admoestar os presos. Via que não era agora a oportunidade de falar-lhes.

Completamente ignorante de tudo, também eu saí e meti-me na forma. Os pormenores do caso só os conheci depois. Por então supunha que iam fazer alguma contagem; mas como não vi as sentinelas que assistiam às contagens, fiquei admirado e comecei a olhar à minha volta. Os rostos denotavam agitação e irascibilidade. Alguns estavam pálidos. De maneira geral, todos se mostravam preocupados e taciturnos, na expectativa do que teriam dito ao major. Vi que muitos me olhavam e mostravam um grande espanto, embora voltassem a cara, depois, em silêncio, para o outro lado. Era evidente que lhes parecia estranho que eu tivesse formado juntamente com eles. Pelo visto não queriam acreditar que eu me associasse também ao levante. Mas depois, quase todos os que se achavam à minha volta começaram outra vez a olhar para mim. Todos me olhavam interrogativamente...

– Por que estás tu aqui? – perguntou-me com voz rude e forte Vassíli Antônov, que estava um pouco mais afastado de mim que os outros e que até então sempre me tratara por senhor, com delicadeza.

Olhei-o, perplexo, fazendo no entanto o possível por compreender o que significava tudo aquilo e adivinhando que se tratava de qualquer coisa de extraordinário.

– Por que estás tu aqui? Vai para o alojamento! – disse um rapaz novo, da seção militar, bondoso e amável, com o qual, até então, quase não tinha convivido. – Não tens nada a fazer aqui.

– Como vi a forma – respondi-lhe –, pensei que nos iam passar revista.

– E então apresentou-se! – exclamou um.

– Nariz de ferro! – largou outro.

– Papa-moscas! – exclamou um terceiro com um enorme desprezo.

Este novo remoque suscitou uma gargalhada geral.

– Por favor, vá para a cozinha – acrescentou outro.

– Esses, em todos os lugares estão como no paraíso. Aqui é o presídio, mas eles comem tortas e até compram ganso. Tu comes por tua conta. Por que vieste meter-te aqui?

– O teu lugar não é aqui – disse Kulikov, aproximando-se amigavelmente; pegou-me depois pela mão e tirou-me da forma.

Estava também pálido, os olhos escuros cintilavam-lhe e mordia o lábio inferior. Não esperava pelo major com sangue-frio. Verdadeiramente, agradava-me muito olhar para Kulikov em todas essas ocasiões, isto é, em todos os transes em que tinha de manifestar-se.

Era terrivelmente ator mas sabia sê-lo. Tenho a impressão de que teria ido para o suplício com certo *chic*, com elegância. Agora, quando todos me tratavam por "tu" e me insultavam, extremava-se ele, visivelmente, na sua cortesia para comigo e, ao mesmo tempo, as suas palavras eram um pouco especiais, com seus laivos até de altivez, e não suportavam réplicas.

– Nós estamos aqui por causa de um assunto nosso, Alieksandr Pietróvitch, mas você, aqui, nada tem a fazer. Vá para onde quiser. Espere... Olhe, todos os seus estão na cozinha. Vá para lá.

Pela janela aberta da cozinha vi efetivamente os nossos polacos. Aliás, parecia-me que aí havia ainda muita gente além deles. Desconcertado, encaminhei-me para a cozinha. Risadas, insultos e estalos de língua (era isto que, no presídio, substituía o assobio) perseguiram-me.

– Não lhe agrada! Tiu-tiu-tiu! Apanhem-no!

Nunca até então sofrera tais ofensas no presídio e dessa vez custou-me muito. Mas compreendia o instante em que nos encontrávamos. No vestíbulo da cozinha veio ao meu encontro T...ski, dos nobres, um rapaz firme e generoso, sem grande cultura, e que tinha uma grande amizade por B***. Todos os outros presidiários o distinguiam, e também, em parte, lhe dedicavam amizade. Era valente, viril e forte, e tudo isso se via em cada um dos seus gestos.

– Que faz o senhor, Goriântchikov? – gritou-me. – Venha cá!

– Mas que se passa?

– Forjaram um motim, sabe? Com certeza que não conseguirão nada; quem é que faz caso de uns presidiários? Hão de procurar os instigadores e, se nós nos metemos nisso, seremos os primeiros a ser culpados de rebeldia. Não se esqueça do motivo por que estamos aqui. Eles serão açoitados, mas depois deixam-nos em paz; mas a nós levantarão um processo. O major odeia-nos mais do que a todos e ficaria contente se pudesse tramar a nossa perdição. Colocariam em nós a culpa de tudo.

– E os presidiários deixar-nos-iam numa linda encrenca... – acrescentou M...tski entrando na cozinha.

– É desnecessário, não teriam dó de nós – encareceu T...tski.

Na cozinha estava muita gente, além dos nobres; trinta homens ao todo. Todos eles se tinham retirado para ali por não quererem associar-se ao motim: uns, por medo, outros pela convicção firme da absoluta inutilidade de todo protesto. Também se encontrava aí Akim Akímitch, inimigo inato e verdadeiro de todos os alvoroços, que alteravam o curso regular do serviço e da moral. Aguardava em silêncio e muito tranquilo o fim do episódio, sem excitar-se absolutamente nada, e, pelo contrário, estava completamente convencido do triunfo infalível da ordem e da vontade dos superiores. Também aí estava Issai Fomitch, tomado de extraordinária aflição, de nariz caído, escutando ávida e angustiosamente tudo quanto se dizia. Estava extraordinariamente desassossegado. Estavam também todos os polacos presidiários da classe baixa, que faziam causa comum com os nobres. Havia alguns indivíduos tímidos, russos, gente sempre tímida e apreensiva. Não se tinham atrevido a juntar-se aos demais e esperavam com tristeza em que acabaria a coisa. Finalmente, havia também alguns presos sempre severos e graves, gente corajosa. Estavam firme e profundamente convencidos de que tudo aquilo era um absurdo e que dali só sairia algo de mau. Mas, no entanto, a mim parecia que eles se sentiam um pouco inseguros e que não tinham o aspecto de possuírem uma convicção absoluta. Embora compreendessem que tinham toda a razão pelo que respeitava à reclamação e que esperariam as consequências, não se consideravam como dissidentes, desertores da comunidade, que entregavam os seus companheiros à mercê do major do presídio. Andava por ali também Iólkin, aquele esperto camponês siberiano, condenado ao presídio por falsificação de moeda, e que tinha roubado a clientela de veterinário de Kulikov. O ancião dos velhos crentes de Staradúbovo também estava ali. Todos os cozinheiros, desde o primeiro até ao último, permaneciam na cozinha, provavelmente convencidos de que faziam parte da administração e, por conseguinte, não estava certo que se pusessem contra ela.

— No entanto — comecei eu, dirigindo-me resolutamente a M*** —, tirando estes, quase todos os outros foram para a forma.

— Bom. E nós, quê? — resmungou B***.

— Nós, se nos agregássemos, comprometer-nos-íamos cem vezes mais do que eles e, para quê? *Je hais ces brigands*[42]. Mas passa-lhe pela cabeça que eles se vão sair bem da reclamação? Que gosto, meter-se numa empresa tão estúpida!

— Isto não dá nada — encareceu outro dos presos, um velho teimoso e azedo.

Almázov, que também estava ali, apressou-se a responder-lhe:

---

42. Odeio estes brigões. Em francês no original. (N.T.)

– A não ser que lhes deem umas quinhentas vergastadas, nada de bom sairá daqui.

– Aí está o major! – gritou não sei quem, e todos, avidamente, espreitaram pela janela.

O major chegava correndo, furioso, alterado, purpúreo, de dentes cerrados. Em silêncio, mas com decisão, aproximou-se da parte dianteira da forma. Nesses lances era verdadeiramente ousado e não perdia a presença de espírito. Aliás, estava quase sempre embriagado. Até o seu gorro gorduroso, com a banda cor de laranja, e as suas sujas jarreteiras de prata, tinham naquele momento algo de terrível. Atrás dele vinha o escriturário Diátlov, personagem de grande importância no nosso presídio, e que tinha até influência sobre o major: um homenzinho, pequeno, esperto, muito contente de si próprio e que não era mau. Os presos estavam contentes com ele. Atrás dele vinha o nosso suboficial, que pelo visto já devia ter ouvido a mais feroz repreensão e ainda se esperava outra dez vezes pior. Os presos que, segundo parece, estavam de cabeça descoberta já desde o momento em que tinham mandado chamar o major, endireitaram-se e perfilaram-se; deram um passo em frente e depois ficaram firmes no seu lugar, esperando a primeira palavra, o primeiro grito do alto chefe.

Não se fez esperar: à segunda palavra o major rugiu a plenos pulmões, até com uma espécie de gemido, desta vez: estava furioso. Da nossa janela nós pudemos ver como corria pela dianteira da forma, como arremetia contra um ou outro e o interrogava. Mas não podíamos ouvir as suas perguntas, nem as respostas dos presos. Apenas o ouvíamos gritar, guinchando:

– Rebeldes! Vergastas! Instigadores! Tu, instigador! Tu, instigador – dizia para algum.

A resposta não se ouviu. Mas, passado um minuto, vimos como se destacava um preso e se dirigia para o corpo da guarda. Um minuto depois seguia-se um segundo, e depois um terceiro.

– Todos castigados! Eu vos direi! Quem é que está aí, na cozinha? – guinchou, quando nos viu pela janela aberta. – Aqui, todos! Enxotem-nos imediatamente para aqui!

O escriturário Diátlov dirigiu-se a nós, para a cozinha. Na cozinha disseram-lhe que estes não tinham aderido ao motim. Retirou-se imediatamente e foi comunicá-lo ao major.

– Ah, não aderiram! – exclamou ele, dois tons mais abaixo, visivelmente satisfeito. – Tanto faz. Todos para cá!

Saímos. Eu senti que tínhamos vergonha de sair daquela maneira. E saímos todos de cabeça baixa.

– Ah, Prokófievitch! Iólkin também! E tu, Almázov... Ponham-se aqui, à parte, ponham-se aqui, façam um grupo – disse-nos o major um tanto precipitadamente, mas com voz mais suave, olhando-nos afetuosamente. – M...ki, tu também aqui... Bem, toma nota, Diátlov. Toma nota já de todos: os contentes para um lado, os descontentes para outro. De todos, desde o primeiro até o último. E depois leva-me a relação. Hei de instaurar um processo a todos! Eu vos direi, tunantes!

Aquilo da relação produziu o seu efeito.

– Nós, contentes! – exclamou de repente uma voz rouca no grupo dos sublevados, mas não com muita decisão.

– Ah, contentes! Quem é que está contente? Quem é que está contente? Que se mostre!

– Contentes, contentes! – acrescentaram várias vozes.

– Contentes! Isso quer dizer que foram instigados. Isso quer dizer que há instigadores, rebeldes. Pois pior para eles!

– Senhor, que é isto? – gritou uma voz de entre o grupo.

– Quem, quem é que deu esse grito? – enfureceu-se o major dirigindo-se para o lado onde tinha soado a voz. – Foste tu que gritaste, Rastorguéiev? Para o corpo da guarda!

Rastorguéiev, um rapaz gordo e alto, destacou-se do grupo e encaminhou-se imediatamente para o corpo da guarda. Não fora ele quem gritara; mas, como o tinham nomeado, absteve-se de protestar.

– Revoltaste-te por causa do rancho! – gritou-lhe o major. – Pois deixa estar, meu gordo, que durante três dias não... Eu vos direi! Vamos lá a ver, os que estão contentes que avancem!

– Contentes, excelência! – clamaram sobriamente umas dez vozes. Os outros, teimosos, calavam-se. Mas isso era o suficiente para o major. Pelo visto era-lhe urgente terminar satisfatoriamente o assunto, quanto antes, e fosse como fosse, chegar a um acordo.

– Bem. Com que então, agora, estão todos contentes – exclamou, atrapalhando-se. – Cá me queria parecer, cá me queria parecer. Houve instigadores. Não há dúvida de que havia instigadores – continuou, encarando com Diátlov. – É preciso averiguar tudo minuciosamente. Mas agora, agora, ao trabalho, que já é tempo! Que toquem o tambor!

Assistiu ao desfile. Os presos, silenciosos e tristes, encaminharam-se para o trabalho, pelo menos satisfeitos por saírem debaixo das suas vistas. Mas assim que acabou o desfile o major dirigiu-se imediatamente para o corpo da guarda e despachou os instigadores, afinal, sem muita severidade. Também tinha pressa. Um deles, segundo contaram depois, pediu-lhe perdão e ele perdoou-lhe imediatamente. Era evidente que o major não se sentia muito seguro e até talvez tivesse medo. Um motim, apesar de tudo, é uma coisa séria; e embora a queixa dos presos, na realidade, não pudesse chamar-se motim, porque não a apresentaram ao chefe mais elevado, mas sim ao próprio major, no entanto não era nada de bom e era desagradável. O mais aborrecido era que se tivessem sublevado todos ao mesmo tempo. Era preciso abafar o caso fosse como fosse. Não tardaram a soltar os instigadores. No dia seguinte a comida melhorou, embora não por muito tempo. Nos primeiros dias o major visitou o presídio com mais frequência e achou que se praticavam irregularidades. O nosso suboficial andava preocupado e perplexo, como se não pudesse voltar a si do seu assombro. Quanto aos presos, durante muito tempo não puderam libertar-se completamente da sua inquietação, simplesmente, agora, não andavam agitados, como antes, mas sim silenciosos, um tanto perturbados e meditabundos. Alguns até baixavam a cabeça. Outros resmungavam, embora mal tocassem no assunto. Muitos troçavam em voz alta e raivosa, de si próprios, como se quisessem assim impor-se um castigo por causa do motim.

– Aí o tens, meu caro! Apanha-o, morde-o! – dizia um.

– Por causa disso de que te ris é que tens de trabalhar! – acrescentou outro.

– Sim; mas quem é que vai meter-se na boca do lobo? – observava um terceiro.

– Sem o garrote não eras capaz de fazer falar o nosso amigo, isso já se sabe. Ainda bem que nos açoitou a todos!

– Olha, pensa mais e fala menos, que tudo correrá melhor! – observou alguém com raiva.

— Ai, tu queres ensinar-nos? Então és o nosso mestre-escola...

— Ensino o que ensino.

— Mas quem és tu?

— Por agora, até esta data, tenho sido um homem; e tu, quem és?

— Um bandalho, é o que tu és!

— Bem, bem, já chega! Para que havemos de brigar? – gritaram aos contendentes, de todos os lados.

Nessa noite, isto é, no próprio dia do motim, quando voltei do trabalho encontrei-me com Pietrov atrás dos alojamentos. Andava à minha procura. Aproximando-se de mim, murmurou ao meu ouvido qualquer coisa no gênero de duas, três exclamações vagas; mas em seguida calou-se, ficou abstrato e pôs-se a caminhar maquinalmente ao meu lado. Tudo isso me impressionou bastante e pareceu-me que Pietrov podia dar-me algumas explicações.

— Diga-me, Pietrov — perguntei-lhe –, os seus não estão aborrecidos conosco?

— Quem é que havia de estar aborrecido? — perguntou ele, como se despertasse.

— Os presos, conosco... com os nobres.

— E por que haviam de estar aborrecidos?

— Ó homem, por não termos aderido ao motim,

— Mas por que haviam os senhores de aderir ao motim? — interrogou-me, como se se esforçasse por compreender-me.

— Os senhores comem por sua conta.

— Ah, meu Deus! Mas, dentre vocês, também alguns comem por sua conta e no entanto aderiram ao motim. E nós devíamos tê-lo feito também por... camaradagem.

— Mas... mas em que somos camaradas, nós e os outros? — inquiriu, atônito.

Eu me apressei a olhar para ele; era evidente que não me compreendia, que não compreendia o que eu pensava. Eu, em compensação, compreendia-o perfeitamente naquele momento. Pela primeira vez um pensamento que até então vagamente penetrara na minha imaginação, e não me deixava em paz, iluminou-se para mim definitivamente e, de repente, compreendi aquilo que até então só mal adivinhara. Compreendi que eu nunca seria ali considerado como um companheiro, que seria um preso à parte, embora estivesse ali pelos séculos dos séculos e ainda que pertencesse à seção especial. Mas ficou-me particularmente gravado na memória o gesto de Pietrov naquele instante. Na sua pergunta "Em que somos camaradas, nós e os senhores?" vibrava tão sincera ingenuidade, tão cândido assombro... Pensei: "Não haverá nestas palavras algo de ironia, de má intenção, de troça?" Mas não havia nada disso; havia simplesmente que não éramos companheiros e nada mais. Tu vais pelo teu caminho e nós pelo nosso; tu tens as tuas coisas e nós as nossas.

E, de fato, eu costumava pensar que, depois do levante, eles acabariam simplesmente por dar cabo de nós e não nos deixariam com vida. Pois não se deu nada disso; nem a mais leve censura, nem o mais simples tom de queixa chegamos a ouvir, tampouco juntaram nenhuma malignidade especial à do costume. Riram-se simplesmente de nós, na ocasião, e nada mais. No fim de tudo também não se aborreceram de maneira nenhuma com aqueles que não quiseram aderir ao levante e ficaram na cozinha, nem tampouco com os que se apresentaram a dizer que estavam contentes. Também não compreendia nada disto. Sobretudo este último fato, não podia compreendê-lo.

CAPÍTULO XIX

COMPANHEIROS

A MIM, SEM DÚVIDA que me atraíam mais os meus; isto é, os nobres, sobretudo nos primeiros tempos. Mas dos três ex-nobres russos que havia no presídio (Akim Akímitch, o alcoviteiro A...v e aquele que era tido por parricida), eu só convivia e falava com Akim Akímitch. Confesso que me aproximava de Akim Akímitch com desespero, em instantes do maior acabrunhamento, e quando já não tinha ninguém a quem dirigir-me senão a ele. No capítulo anterior tentei classificar todos esses indivíduos em categorias; mas, agora que acabo de recordar Akim Akímitch, penso que se pode acrescentar ainda outra categoria. E era só ele que cabia nessa categoria de presos. Refiro-me à... categoria de presos perfeitamente indiferentes. Perfeitamente indiferentes, isto é, daqueles para os quais tanto lhes faria viver em liberdade como no presídio, não os havia entre nós, é claro, nem poderia haver; mas Akim Akímitch parecia constituir uma exceção.

Adaptara-se ao presídio como se tivesse de passar toda a vida nele; mantinha tudo ordenado à sua volta, a começar pelo colchão, pela almofada, pelos seus utensílios de cozinha, como para muito tempo. Mal se notavam nele sinais do bivaque, de provisoriedade. Ainda lhe restavam muitos anos para viver no presídio; e quase nunca pensava na sua saída dali. Mas se estava resignado com a realidade, é claro que não o estava de coração, mas talvez só por disciplina, o que, afinal, vinha a ser o mesmo para ele. Era um homem bom e ajudou-me muito no princípio, com os seus conselhos e com alguns pequenos serviços; mas às vezes, sem querer o confesso, inspirava-me, particularmente nos primeiros tempos, uma vaga, desmedida tristeza, que vinha agravar bastante a minha melancólica disposição de espírito. Mas era essa tristeza que me impelia a falar dele. Uma pessoa, às vezes, sente-se ávida de uma palavra viva, seja qual for, afetuosa, impaciente, maldosa; ao menos nos queixaríamos juntos da sorte; mas ele se calava, pegava nas suas lanternas e punha-se a falar de que no ano tantos tiveram uma revista, e de quem era o chefe da divisão, qual era o seu nome e sobrenome, e de se ficara satisfeito ou não com a tal revista; e de como tinham sido bem dados os tiros em sinal de encontro etc. E tudo isso com uma vozinha tão uniforme, tão monótona que parecia o gotejar da água. Poderia dizer-se que ele não se entusiasmava, absolutamente nada, quando me contava que, por felicidade sua, não sei em que assunto, no Cáucaso, o julgaram digno de receber a condecoração da Ordem de Santa Anna. A sua voz revestia-se nesse momento apenas de uma gravidade e solidez extraordinárias; descia de um tom, até chegar ao do mistério, quando pronunciava as palavras Santa Anna e permanecia depois particularmente silencioso e sério, durante três minutos. Nesse primeiro ano eu tinha já instantes absurdos nos quais, sem saber por que (e sempre de repente), começava a sentir ódio contra Akim Akímitch, e, em silêncio, amaldiçoava a minha sorte por me ter cabido um lugar ao seu lado, nas esteiras, cabeça com cabeça. Quase sempre, passada uma hora sobre esse sentimento, já eu me recriminava por causa daquilo. Mas isso foi somente no primeiro ano; depois reconciliei-me mentalmente, de uma forma completa, com Akim Akímitch, e fiquei aborrecido das minhas tolices anteriores. Lembro-me de que, exteriormente, nunca me ri com ele.

Além desses três russos, no meu tempo havia também entre nós outros oito. Convivia com alguns deles e até com prazer; mas não da mesma maneira com todos. Os melhores deles eram doentios, exclusivos e rabugentos no mais alto grau. Com dois deles vim depois a cortar relações muito simplesmente. Cultos, só eram três: B...ski e o velho Ch...ski, o qual tinha sido antes, não sei onde, professor de matemática... um bom velhote, muito extravagante e, apesar da sua cultura, de vistas curtas. M...ski e B...ski eram completamente diferentes. Com M...ski entendi-me sempre muito bem, desde o primeiro momento; nunca me zanguei com ele, respeitava-o; mas, tomar-lhe amizade, tomar intimidade com ele, nunca me foi possível. Era profundamente desconfiado e maldoso, embora soubesse admiravelmente dominar-se. Mas embora isto seja um grande dom, eu não simpatizava com ele; pressentia que jamais ele abriria o seu coração a alguém. Aliás, pode ser que eu estivesse enganado. Era um temperamento enérgico e de uma natureza nobilíssima. A sua habilidade e cautela extraordinárias, e até jesuíticas, no trato com as pessoas, revelava o seu recôndito, profundo ceticismo. E, no entanto, era uma alma que sofria precisamente por causa dessa duplicidade: ceticismo e fé profunda, inquebrantável, em algumas das suas convicções e esperanças particulares. Mas, apesar de toda a sua habilidade mundana, era inimigo irreconciliável de B*** e do amigo deste, T***. B...ski; era um ser doentio, um tanto propenso à tuberculose, excitável e nervoso, mas no fundo extremamente bondoso e até de alma generosa. A sua irritabilidade raiava às vezes por uma impaciência e volubilidade estranhas. Eu não pude suportar esse caráter e depois rompi todo o convívio com B***; mas, apesar disso, nunca deixei de estimá-lo; ao passo que com M*** não cheguei a discutir e, no entanto, nunca pude ganhar-lhe amizade. Passado pouco tempo de rompimento com B***, sucedeu que tive também de romper com T***, aquele mesmo rapaz do qual falei no capítulo anterior, ao descrever o nosso motim. Isso custou-me muito. Apesar de não ser um homem culto, T...ski era bom, enérgico, honesto, enfim. O caso resume-se a que ele gostava e respeitava tanto B...ski, e estava a tal ponto dominado por ele, que todos aqueles que disputavam com B...ski, considerava-os logo também seus inimigos. Segundo parece, mais tarde veio a zangar-se igualmente com M*** por causa de B...ski, embora se tivesse mantido firme por muito tempo. Aliás, todos eles estavam moralmente doentes, eram irritáveis e receosos. O que é compreensível; aquilo para eles era duro, muitíssimo mais duro do que para os outros. Estavam longe da sua pátria. Alguns tinham sido deportados por muito tempo, por dez, por doze anos; mas o mais importante era que olhavam com profundo desprezo todos os que os rodeavam; viam somente nos presos a parte bestial e não podiam nem queriam ver neles nem um só traço bom, nada de humano, o que é também muito compreensível. Foi o destino, a força das circunstâncias que os levaram a essa infeliz opinião. Era evidente que a tristeza os oprimia no presídio. Mostravam-se afetuosos com os quirguizos, com os tártaros, com Issai Fomitch; mas, em compensação, evitavam o convívio com os outros presos. Só o velho crente de Staradúbovo lhes merecia pleno respeito. Por outro lado, é interessante que nenhum dos presos, durante todo o tempo em que eu permaneci no presídio, os increpasse pela sua origem, ou pela sua religião, ou pela sua maneira de pensar, como costuma fazer a gente de baixa condição no convívio com os estrangeiros, sobretudo com os alemães, embora raramente. No fim das contas, o que fazem com os alemães é rir-se; o alemão constitui qualquer coisa de profundamente cômico para a gente do povo. Com os nossos, os presidiários conduziam-se até respeitosamente, muito mais do que conosco, os russos, e nunca se metiam com eles. Mas eles, pelo visto, não queriam reparar nisso e tomá-lo em consideração. Falei de T...ski. Era aquele que, quando os mudaram do seu primeiro lugar de deportação para o nosso forte, levou B...ski às costas durante todo o caminho, quando este, de saúde delicada e constituição fraca, se rendeu à fadiga, quase a meio da jornada. Antes, tinham sido deportados para I...gorsk. Diziam eles que aí tudo lhes tinha corrido muito bem; isto é, muito melhor do que no nosso forte.

Mas aconteceu que lhes encontraram certa correspondência, no fundo completamente inocente, para outros deportados de outra povoação, e por isso foram os dois transferidos para o nosso forte, mais ao alcance das vistas do nosso comando superior. O seu terceiro camarada era Tch...ki. Até à sua chegada, M...ki era o único no presídio. Como ele se aborrecia no primeiro ano da sua deportação!

Tch...ski era o tal velho que estava sempre rezando a Deus, e do qual já falei. Todos os nossos presos políticos eram gente nova, alguns até muito novos; Tch...ski era o único que passava dos cinquenta. Não há dúvida de que era um homem honesto, mas um tanto extravagante. Os seus companheiros B...ski e T...ski não gostavam muito dele, e nem sequer lhe falavam, do que se justificavam dizendo que ele era teimoso e disparatado. Não sei até que ponto teriam razão. No presídio, como em todos os lugares semelhantes, onde os indivíduos se unem em grupos, não por gosto, mas à força, parece-me que se pode brigar e ganhar-lhes ódio mais depressa do que na vida livre. Muitas circunstâncias contribuem para isso. Aliás, Tch...ski era de fato um homem muito tolo, e talvez até antipático. Todos os seus outros companheiros andavam também um pouco afastados dele. Eu, embora nunca tivéssemos chegado a brigar, também não convivia muito com ele. Parece que conhecia aquilo que estudava, a matemática. Lembro-me de que se esforçou por explicar-me, no seu meio russo, não sei que sistema astronômico especial, da sua invenção. Disseram-me que publicara isso, não sei quando, mas que fizera sorrir o mundo científico. Tenho a impressão de que ele não estava completamente bom do juízo. Passava todo o dia rezando, de joelhos, e com isso conseguia o respeito de todo o presídio, que lhe foi muito útil até ao último dia da sua vida. Morreu no hospital, à minha vista, em consequência de uma doença dolorosa. Aliás, o respeito dos presidiários já o tinha ganho desde a sua primeira entrada no presídio, depois do episódio com o nosso major. Durante o trajeto de I...gorsk para o nosso forte, não os tinham rapado e a barba tinha-lhes crescido, de maneira que, quando se apresentaram pela primeira vez ao nosso major, este ficou furioso perante tal infração da disciplina, da qual, afinal, não tinham culpa.

— Mas que cara que trazem! – resmungou. – Parecem uns vagabundos, uns bandidos!

Tch...ski, que nessa altura não compreendia bem o russo e julgou que lhes perguntavam se eram vagabundos ou bandidos, respondera:

— Nós não somos vagabundos mas sim presos políticos.

— O quê? Estás fazendo-te de insolente? Fazendo-te insolente? – vociferou o major. – Pois, então, para o corpo da guarda! Cem açoites, agora mesmo, neste mesmo momento!

O velho foi castigado. Estendeu-se, sem protestar, debaixo dos arrochos; mordeu as mãos e suportou o castigo sem um grito ou um queixume. Por essa altura, B...ski e T...ski já estavam no presídio, onde M...ski os esperava à porta, e correu a lançar-se nos seus braços, apesar de nunca os ter visto até então. Impressionados pela chegada do major, contaram-lhe o episódio de Tch...ski. Lembro-me de que M...ski me falou disso: "Eu estava fora de mim", dizia. "Não sabia o que fazia e tremia como se estivesse com febre. Esperei Tch...ski junto da porta. Devia vir diretamente do corpo da guarda, onde foi castigado. De repente, a porta abriu-se: Tch...ski, sem olhar para ninguém, de rosto pálido e lábios lívidos e trementes, passou por entre os presos que se tinham apinhado no pátio e já estavam a par de que tinham castigado um nobre[43]; entrou no alojamento, dirigiu-se para o seu lugar e, sem dizer uma palavra, começou a rezar a Deus". Os presos estavam espantados e até comovidos. "Quando eu vi aquele velho", dizia M...ski, "de cabelos brancos, que deixara a mulher e o filho na terra, quando eu o vi de joelhos, suplicando e rezando agora, ignominiosamente... fui para trás dos alojamentos e durante duas horas fiquei como que alheado, não podia sair do meu espanto..." A partir daí os presos passaram a respeitar muito Tch...ski e eram muito atenciosos para com ele. Tinha-lhes agradado sobretudo o fato de ele não ter dado um só grito debaixo dos açoites.

No entanto é preciso dizer toda a verdade; não se pode julgar com justeza acerca da conduta seguida pelo comando na Sibéria, para com os deportados da nobreza, fossem eles o que

---

43. Os nobres, condenados a trabalhos forçados, perdiam os seus privilégios e somente por uma graça do imperador podiam ser reintegrados nos seus direitos. (N.T.)

fossem, russos ou polacos. Esse exemplo demonstra unicamente que é possível encontrar-se um homem infame e, não há dúvida de que esse homem infame poderá ser qualquer autoridade, e então, a sorte do deportado, se por acaso esse homem infame não sente por ele uma estima particular, por força que há de ser horrível. Mas é impossível não reconhecer que os chefes supremos da Sibéria, dos quais depende o tipo de conduta de todos os outros chefes para com os deportados nobres, são muito diferentes, e aproveitam até em alguns casos a oportunidade para tratá-los com mais brandura do que às pessoas do povo. As causas disto são claras; em primeiro lugar, esses altos chefes são também nobres, eles próprios e, além disso, já tem acontecido que alguns nobres não se conformaram a estender-se debaixo das vergastas e se atiraram ao executor, e que daí resultaram horrores; e, finalmente, há 35 anos apareceu de repente na Sibéria um grande grupo de deportados nobres[44], e estes deportados, no decurso de trinta anos, souberam instalar-se e radicar-se em toda a Sibéria, e por isso o comando, devido a um velho hábito já inveterado, involuntariamente, olhava no meu tempo os delinquentes nobres dessa categoria com olhos muito diferentes daqueles com que olhava para os outros deportados. Depois do alto comando, também os chefes inferiores se habituaram da mesma maneira, aceitando-a e acatando-a. Aliás, alguns desses chefes subalternos tinham umas ideias estúpidas, criticavam as disposições dos superiores e, com muita, com muitíssima frequência se teriam sentido bem satisfeitos se os deixassem proceder à sua vontade. Simplesmente não permitiam isso a eles. Tenho motivos fortes para pensar assim, e eis aqui a razão: a segunda categoria de presidiários, à qual eu pertencia, e que se compunha de presos do forte, sob comando militar, era incomparavelmente mais dura do que as outras duas, isto é, do que a terceira (fabril) e do que a primeira (mineira). Era mais dura, não só para os nobres, mas também para todos os outros presos, precisamente porque o chefe e a estrutura dessa categoria eram inteiramente militares; completamente militar, muito semelhante às companhias correcionais da Rússia. Comando militar severo, regime mais apertado, sempre com

---

44. Os dezembristas revoltosos de dezembro de 1825, contra a autocracia russa. (N.T.)

as cadeias, sempre com sentinelas à vista, sempre debaixo de ferrolho; não havia tanto rigor nas duas primeiras categorias. Pelo menos era isso o que diziam todos os nossos presos, e havia entre eles alguns que conheciam bem o caso. Todos passariam com alegria para a primeira categoria, que a lei considerava a mais dura, e até muitas vezes sonhavam com isso. Das companhias correcionais da Rússia, todos os nossos que lá estiveram falavam delas com horror e afirmavam que não havia em toda a Rússia lugar mais duro do que as companhias correcionais dos fortes, e que a Sibéria era um paraíso comparada com a vida que nelas se levava. Por conseguinte, se com um regime tão severo como o do nosso presídio, com um comando militar sob as vistas do próprio general governador, e, finalmente, perante tais casos (que às vezes se davam) de haver alguns indivíduos subalternos, mas serviçais, que, por ódio ou pelo desejo de igualdade no serviço, estavam prontos a denunciar quem tivesse qualquer benevolência com algum preso dessa categoria... se, em tal lugar, dizia eu, os presos nobres eram olhados com uns olhos um pouco diferentes daqueles com que eram vistos os outros presos, tanto mais benevolamente haviam de olhá-los na primeira e terceira categorias. Assim, pois, parece-me que no lugar em que eu estava podia, a este respeito, avaliar de toda a Sibéria. Todos os rumores e boatos que chegaram até mim, a respeito do caso, de deportados das primeira e terceira categorias, confirmavam a minha dedução. No fundo, os chefes do presídio olhavam a todos nós, os nobres, com muito mais atenção e cuidado. Tolerância conosco, a respeito do trabalho e da maneira de viver, não havia nenhuma; os mesmos trabalhos, as mesmas cadeias, os mesmos ferrolhos, enfim, tudo igual ao tratamento que tinham os outros presos. Era mesmo impossível aliviarem-nos. Sei que nessa cidade, num passado ainda próximo, tinha havido tantos delatores, tantas intrigas, tantos que se atiravam mutuamente veneno, que o comando, naturalmente, temia as denúncias. E que denúncia poderia ter existido mais terrível, nesse tempo, que a de que se tinham condescendências com os presos da referida categoria! De fato, todos tinham medo, e nós vivíamos nas mesmas condições que os outros presos, embora os castigos corporais constituíssem, relativamente, uma exceção. Para dizer a verdade, seria com muito gosto que nos teriam açoitado se tivéssemos incorrido em qualquer falta. Assim o exigiam o dever do serviço e a igualdade... perante os castigos corporais. Mas, açoitarem-nos à toa, levianamente, não nos açoitavam; em compensação, os presos do povo eram objeto de um tratamento precipitado, nesse sentido, especialmente da parte de alguns chefes subalternos, habituados a porem e disporem de tudo à sua vontade. Fomos informados de que o comandante, ao saber do episódio do velho Tch...ski, mostrou claramente o seu desgosto perante o major e admoestou-o para que, daí por diante, procurasse refrear a mão. Foi o que todos me contaram. Também sabiam entre nós que o próprio governador-geral, que tinha confiança no nosso major e em parte lhe tinha também amizade, por ser homem de algumas aptidões, quando soube dessa história também o admoestou. E o nosso major não se esqueceu dessas admoestações. Assim, por exemplo, de boa vontade teria procedido contra M***, ao qual não podia ver por causa das calúnias de A...v; mas nunca pôde mandar açoitá-lo, por mais pretextos que inventasse, por mais que o perseguisse e espionasse. A história de Tch...ski espalhou-se rapidamente por toda a cidade, e a opinião geral era hostil ao major; muitos o censuravam e alguns até tinham manifestações hostis. Lembro-me agora também do meu primeiro encontro com o major. A nós, isto é, a mim e a outro deportado nobre, em cuja companhia entrei no presídio, já em Tobolsk nos tinham inspirado medo as histórias referentes ao caráter azedo daquele homem. Uns deportados nobres que ali residiam, depois de terem cumprido já os seus 25 anos de deportação, acolheram-nos com profunda simpatia e conviveram conosco todo tempo que permanecemos na estação de transportes; puseram-nos de sobreaviso contra o nosso futuro chefe e prometeram-nos fazer todo o possível, por meio dos seus conhecimentos, para nos defender da sua perseguição. De fato, três filhas do general-governador, que acabavam de chegar da Rússia e se hospedaram em casa de seu pai, receberam uma carta deles, e pelo sim pelo não foram falar com ele, a nosso favor. Mas que podia ele fazer? Limitou-se a dizer ao major que fosse um pouco mais comedido. Às três da tarde, nós, isto é, eu e o meu companheiro, chegamos àquela cidade, e as sentinelas levaram-nos diretamente à presença do nosso senhor. Ficamos à espera dele no vestíbulo. Entretanto mandaram também chamar o suboficial. Mal este apareceu, surgiu também o major. A sua cara corada, borbulhenta e maldosa provocou-nos uma impressão extremamente desagradável; era como se uma aranha furiosa se lançasse, rápida, sobre uma pobre mosca que tivesse caído na sua teia.

– Como te chamas? – perguntou ao meu companheiro. Falava depressa, de maneira cortante, entrecortada e, pelo visto, queria impor-se-nos.

– Fulano de tal.

– E tu? – prosseguiu, encarando comigo e fixando-me com os óculos. – Suboficial! Levem-nos imediatamente para o alojamento, que lhes rapem meia cabeça no corpo da guarda e ponham-lhes as cadeias já amanhã. Que capotes são esses? – perguntou, de repente, reparando nos capotes pardos com rodelas amarelas nas costas, que nos tinham entregue em Tobolsk, e com os quais nos tínhamos apresentado perante os seus olhos perspicazes. – É uma nova moda! Com certeza que é uma nova moda... mas só em projeto... de Petersburgo... – disse, sacudindo-nos alternadamente. – Não trazem nada consigo? – inquiriu de repente, dirigindo-se ao guarda que nos tinha conduzido.

– Um fato privativo, excelência – respondeu o guarda, que se perfilou imediatamente, com um pequeno tremor. Todos o conheciam; todos tinham ouvido falar dele; a todos inspirava receio.

– Tirem-lhes tudo. Deixem-lhes só uma muda de roupa branca, mas branca; se trouxerem de cor, recolham-na. Tudo o mais será vendido em hasta pública. O dinheiro, para a caixa. Os presos não possuem nada próprio – continuou, olhando-nos com severidade. – Vamos a ver se se portam bem! Que eu não chegue a saber! Senão... cas-ti-go cor-po-ral! Pela falta mais insignificante... chi...ba...tas!

Toda essa noite estive quase doente por causa desse acolhimento, devido à falta de hábito. Além disso essa impressão agravava-se com tudo quanto via no presídio; mas já falei da minha entrada no presídio.

Dizia eu há pouco que não se atreviam a ter condescendência alguma nem tolerância para conosco no trabalho, perante os outros presos. No entanto, uma vez experimentaram tê-la:

durante três meses completos, eu e B...ski íamos para a secretaria dos Engenheiros, na qualidade de escriturários. Mas isto fazia-se às escondidas e foi coisa do chefe de Engenheiros. Isto é, todos aqueles que deviam sabê-lo, sabiam-no, simplesmente, fingiam ignorá-lo. Isso aconteceu durante o tempo do comandante G...v. O tenente-coronel G...kov parecia um anjo descido dos céus; mas esteve por pouco tempo – se bem me lembro, não esteve entre nós mais de meio ano, pode até ser que menos –, e voltou para a Rússia deixando uma extraordinária impressão em todos os presos. Idolatravam-no, se se pode empregar aqui essa expressão. Não sei o que ele fazia, mas conquistava-os logo à primeira vez. "Um pai, um verdadeiro pai!", diziam constantemente os presos durante o tempo que ele dirigiu a seção de Engenharia. Segundo parece, era grande boêmio. De mediana estrutura, com um olhar penetrante, cheio de firmeza. Mas ao mesmo tempo era carinhoso com os presos, quase brando e, de fato, gostava literalmente deles como um pai. Por que amaria ele tanto os presos? Não sei dizê-lo; mas o certo é que não havia um preso a que ele não dissesse uma palavra afetuosa, jovial, e com o qual não se risse e gracejasse, e sobretudo, não havia nisto uma ponta de superioridade, nada que revelasse desigualdade ou pura condescendência de superior. Era o nosso companheiro, o nosso homem, no mais alto grau. Mas apesar de toda essa sua instintiva democracia, nem uma só vez os presos tiveram a menor falta de respeito ou a menor familiaridade com ele. Pelo contrário. Simplesmente, a cara dos presos iluminava-se cada vez que o encontravam e, tirando o gorro, quedavam-se a olhá-lo, sorrindo, quando o viam chegar. E se parava a falar com eles, era como se ele lhes oferecesse um presente. Há indivíduos assim, populares. Olhava como uma criança, andava direito, à vontade. "Uma águia!", costumavam dizer os presos falando dele. Não há dúvida de que não podia aliviar a sua sorte, não há dúvida que não podia; regia apenas os trabalhos de engenharia, os quais, até noutros comandos, se ajustavam a um regime legal perpétuo, estabelecido de uma vez para sempre. Talvez que só, ao encontrar por casualidade um grupo trabalhando e ao ver que a tarefa já estava feita, costumasse perdoar o resto do tempo e mandasse os homens para casa antes do toque do tambor. Mas gostava da confiança dos presos, da ausência de exigências mesquinhas e de minudências incomodativas, da ausência absoluta de algumas formas ofensivas no trato com os superiores. Se ele tivesse perdido mil rublos... penso que o maior ladrão de entre os nossos, se os tivesse encontrado, os teria restituído a ele. Sim, estou convencido de que faria isso. Com que profunda comoção souberam os presos que o seu comandante-águia estava mortalmente zangado com o nosso major! Isso deu-se no primeiro mês em que ele esteve ali. O nosso major tinha sido seu companheiro de armas, não sei quando. Depois encontraram-se como amigos, após uma longa separação, e andaram os dois na boêmia. Mas, de repente, cortaram relações... Brigaram e G...kov tornou-se o seu mortal inimigo. Soube-se também que se tinham batido, nessa ocasião, o que podia acontecer com o nosso major, que se azedava com muita frequência. Quando os presos souberam isso, a sua alegria não teve limites: "Como é que o Oito Olhos podia viver em paz com ele! E uma águia, ao passo que o nosso...", e, de maneira geral, acrescentavam expressões impróprias para serem escritas. Demonstravam o maior interesse em saber qual dos dois é que sovara o outro. Se os boatos acerca da sua briga tivessem saído falsos (o que poderia muito bem ter acontecido), os nossos presos teriam sentido um grande desgosto. "Não, é verdade que o comandante é que levou a melhor", diziam, "é pequeno, mas esperto e olha: obrigou-o a meter-se debaixo da cama." Mas passado pouco tempo G...kov partiu, e os presos ficaram consternados. Os nossos comandantes de Engenharia eram muito bons, mas, enquanto eu estive no presídio, mudaram-nos por três ou quatro vezes. Mas, todos juntos, não valiam o outro!", diziam os presos. "É uma águia, uma águia e um protetor!" O tal G...kov gostava de todos os nobres e por fim mandou-nos algumas vezes, a mim e a B***, para as secretarias. Mas quando ele partiu, isso ficou mais bem regularizado. Havia um dos engenheiros que mostrava muita simpatia por nós. Íamos para lá, copiávamos documentos e começávamos a melhorar a letra, quando, inesperadamente, se recebeu ordem do alto comando para sermos imediatamente reintegrados nos nossos trabalhos anteriores: alguém lhes levara a notícia. Aliás, não ficamos muito desgostosos com isso: a secretaria começava já a fartar-nos. Depois, durante dois anos quase seguidos, fui sempre com B...ski para os mesmos trabalhos, geralmente para a oficina. Conversava com ele; falava-lhe das minhas esperanças e convicções. Era um bom homem; mas as suas ideias eram às vezes muito estranhas e pessoais. Observam-se frequentemente, em certo gênero de indivíduos, ideias completamente paradoxais. Mas sofreram tanto por causa delas, pagaram-nas tão caro, que se torna doloroso desprenderem-se delas e quase impossível. G...ski ficava sentido com qualquer objeção e refutava-a com violência. Aliás, pode ser que, em muitas coisas, tivesse mais razão do que eu, não sei; mas finalmente deixamos de nos dar, o que muito me custou: tínhamos convivido muito um com o outro.

Entretanto, com o tempo, M...ski foi-se tornando cada vez mais triste e sombrio. Apoderou-se dele um grande pesar. Dantes, nos meus primeiros tempos de presídio, era mais expansivo, desabafava a sua alma mais a miúdo e mais completamente. Havia já três anos que ele estava no presídio quando eu para lá entrei. A princípio interessava-se muito pelo que tinha acontecido no mundo, e do que não fazia a menor ideia, visto estar assim, no presídio; interrogava-me, escutava-me e comovia-se. Mas, com os anos, começou a fechar-se consigo, a esconder tudo no fundo do seu coração. As brasas cobriam-se de cinza. O seu mau humor aumentava de dia para dia. *Je hais ces brigands*, repetia-me com frequência, olhando os presos com cara de poucos amigos, os quais eu tinha tido oportunidade de conhecer mais de perto, mas sem que as minhas observações a favor deles o impressionassem. Não compreendia o que eu lhe dizia; aliás, às vezes concordava, distraidamente; mas no dia seguinte punha-se outra vez a repetir: *Je hais ces brigands*. De fato, costumávamos falar francês, e por causa disso, um capataz, um soldado de Engenharia, Dranítchnikov, não sei por que, deu em chamar-nos "enfermeiros". M...ski só se animava quando se recordava da mãe. "É velha", dizia-me, "gosta mais de mim do que de tudo no mundo; mas eu, aqui, não sei se ela ainda está viva ou se já morreu; já tinha sido bastante para a fazer sofrer saber que eu tinha sido condenado às chibatadas..." M...ski não era nobre e, antes da deportação, sofrera um castigo corporal. Quando se lembrava disso, cerrava os dentes e fazia por olhar de revés. Nos últimos tempos deu em andar cada vez mais sozinho.

Uma vez, de manhã, ao meio-dia, foi chamado ao escritório do comandante. Este o recebeu com um sorriso alegre:

– Muito bem, M...ski, vamos lá a ver: com que sonhou esta noite?

– Eu dei um pulo – contava M...ski, quando voltou para junto de nós. – Foi como se o coração me quisesse saltar do peito.

– Sonhei que tinha recebido carta da minha mãe – respondeu.

– Trata-se de qualquer coisa de melhor, de melhor – exclamou o comandante. – Estás livre! A tua mãe pediu... e a sua súplica foi atendida. Aqui tens a sua carta e a ordem que te diz respeito. Agora mesmo sairás do presídio.

Voltou para junto de nós, pálido, ainda mal refeito da comoção. Nós felicitamo-lo. Fazia-nos dó, com as suas mãos trementes, frias. Muitos presos o felicitaram também e congratularam-se pela sua boa sorte.

Foi para a colônia e ficou na nossa cidade, onde lhe deram bem depressa um lugar. A princípio visitava-nos frequentemente, no presídio, e quando podia comunicava-nos várias novidades. Interessavam-no sobretudo as de natureza política.

Dos outros quatro, isto é, sem contar com M...ski, B...ski e Tch...ski, dois eram ainda muito novos, condenados a penas breves, eram pouco instruídos, mas honestos, simples, francos. O terceiro, A...tchukóvski, era demasiado insignificante, a sua pessoa não oferecia nada de particular; mas o quarto, B...m, homem já avançado na idade, dava a todos uma péssima impressão. Não sei como veio parar a essa categoria de presos, e ele mesmo o negava. Tinha uma alma grosseira, ruim, com costumes e regras de merceeiro enriquecido à força de poupança. Não tinha a mínima instrução e não se interessava por coisa alguma, a não ser pelo seu ofício. Era pintor de paredes, mas pintor de grande talento. Não tardou que os chefes soubessem da sua habilidade e toda a cidade começou também a chamá-lo para pintar paredes e tetos. Em dois anos pintou quase todos os lugares oficiais. Os donos de prédios pagavam-lhe o seu trabalho e por isso vivia sem dificuldades. Mas o melhor de tudo era que mandavam outros presos para trabalhar com ele. Daqueles que o acompanhavam constantemente, dois aprenderam o seu ofício, e um deles, T...tchévski, acabou por pintar quase tão bem como ele. O nosso major da praça, que vivia também numa residência oficial, por sua vez requisitou B...m e mandou-lhe pintar todos os tetos e paredes. E dizem que, dessa vez, B...m se esmerou muito, que nem na casa do general-governador pintara assim. A casa era de madeira, de um só andar, bastante estragada e suja por fora; mas, por dentro, ficou pintada como um palácio e o major estava entusiasmado. Esfregava as mãos e dizia que, agora, não tinha outro remédio senão casar-se: "Com uma casa destas, uma pessoa não tem outro remédio senão casar-se", exclamava, muito sério. Cada vez estava mais satisfeito com B...m e com os que o tinham ajudado no seu trabalho. Esse trabalho durou um mês, ao todo. Durante esse mês o major mudou completamente de opinião a respeito de todos nós e começou a abrir-se com eles. Chegou ao extremo de, uma vez, chamar Tch...ski à sua casa.

– Tch...ski – disse – eu te ofendi. Mandei-te açoitar sem razão, bem sei. Estou arrependido. Compreendes? Eu, eu, eu.. estou arrependido!

Tch...ski respondeu-lhe que não compreendia.

– Não compreendes que eu, eu, o teu superior, te mandei chamar para pedir-te perdão? Não compreendes isto? Quem és tu, comparado comigo? Um verme! Menos do que um verme: um preso. Ao passo que eu sou major pela graça de Deus[45]. Major! Não compreendes isto?

Tch...ski respondeu que compreendia.

– Bem, pois agora me reconcilio contigo. Mas compreendes isto, compreende bem, em todo o seu alcance? Serás capaz de compreender e de senti-lo? Pensa somente que eu, eu, sou major, e tu... etc.

Foi o próprio Tch...ski quem me contou esta cena. Havia pois, também, naquele homem bêbado, absurdo e anormal, um sentimento humano. Levando em conta as suas ideias e a sua educação, semelhante conduta podia quase considerar-se generosa. Aliás, pode ser que o fato de estar bêbado contribuísse muito para isso.

Os seus sonhos não chegaram a realizar-se: não se casou, apesar de estar absolutamente decidido a fazê-lo quando aca-

---

45. Expressão usada no meu tempo, não só pelo major, mas também por muitos maus chefes, sobretudo originários das categorias inferiores. (N.A.)

bassem de aformosear-lhe a propriedade. Em vez disso, teve de comparecer perante os juízes, os quais o intimaram a pedir a reforma. Todos os seus pecados antigos vieram à luz nessa ocasião. Parece que, antes, tinha sido chefe da Polícia naquela cidade... Esse golpe caiu sobre ele inesperadamente. Essa notícia causou uma alegria imensa no presídio. Foi um dia de festa, uma vitória. Diziam que o major resmungava como uma velha e que chorava. Mas isso de nada lhe serviu. Passou à categoria de aposentado, vendeu a sua parelha de cavalos cinzentos, depois todos os seus bens e ficou na miséria. Nós encontramo-lo depois à paisana, com um sobretudo roto e um gorro com uma borla. Olhou os presos com ódio. Mas todo o seu poder desaparecera, agora que já não tinha farda. Com o uniforme era um flagelo, um deus. Com aquele sobretudo, ficava reduzido, de repente, a um zero absoluto, e parecia um criado. É extraordinário o que o uniforme representa para esses tipos.

CAPÍTULO XX

A FUGA

POUCO TEMPO DEPOIS da destituição do nosso major, deu-se uma mudança radical no nosso presídio. Suprimiram os trabalhos forçados e, em vez disso, criaram uma companhia disciplinar sujeita a direito de guerra, segundo o modelo das companhias disciplinares russas. O que significava que deixaria de haver no nosso presídio deportados e condenados às galeras, de segunda categoria. Por esse tempo começou a ter unicamente presos sujeitos a foro de guerra, isto é, indivíduos que não perdiam os seus direitos civis, soldados como todos os outros, simplesmente, castigados, condenados a penas leves (até seis anos, no máximo), e que à sua saída voltavam outra vez para o seu batalhão, como antes. Aliás, os que voltavam para o presídio, por um segundo delito, eram castigados, como antes, a doze anos. Mas já antes desta inovação havia seções de presos de direito de guerra, mas que viviam juntamente conosco só por não haver outro lugar onde colocá-los. Agora todo o presídio se transformou numa seção dependente do direito de guerra. Escusado será dizer que os anteriores forçados, verdadeiros forçados civis, privados de todos os seus direitos, marcados e com meia cabeça rapada, continuaram no presídio até cumprirem completamente a sua pena; novos, não entraram, e aqueles aos quais faltava já pouco acabaram de cumprir e saíram, de maneira que, passados dez anos, não podia restar já no nosso presídio nem um só forçado. A seção especial continuou também no presídio, e para ela ainda mandavam de quando em quando réus graves do direito de guerra, até que se inauguraram na Sibéria os trabalhos forçados mais duros. De maneira que, para nós, na realidade a vida continuou como antes: a mesma comida, os mesmos trabalhos e quase o mesmo regime, a não ser terem mudado os chefes. Nomearam um *stabsoffizer*, um chefe de companhia, e além destes, quatro tenentes encarregados, por turno, do serviço de guarda no presídio. Suprimiram também os inválidos, em cujo lugar puseram doze suboficiais e um vigilante. Dividiram-nos em seções de dez homens cada uma, para as quais nomearam outros tantos cabos, de entre os presos, claro que só nominalmente e escusado será dizer que Akim Akímitch foi imediatamente nomeado cabo. Toda esta nova organização e todo o presídio, com todos os seus funcionários e presos, ficaram sujeitos, como dantes, à jurisdição do comandante, como chefe superior. Foi isso o que aconteceu. É claro que os presos, a princípio, ficaram bastante revoltados: comentavam, faziam prognósticos e perguntavam pormenores acerca dos novos chefes, mas quando viram que, na realidade, tudo continuava na mesma, acalmaram-se imediatamente, e a nossa vida foi decorrendo como antes. O principal era que todos se viam livres do antigo major; parecia que todos respiravam e erguiam a cabeça. Desaparecido esse espantalho, todos sabiam agora que, em caso de necessidade, podiam dirigir-se ao chefe que, quando muito por engano poderia castigar um justo por um pecador. Também continuava a vender-se aguardente, tal como antes e nas mesmas condições, apesar de os antigos inválidos terem sido substituídos por suboficiais, os quais eram, na sua maioria, homens morigerados e inteligentes, que compreendiam a sua situação. Aliás, alguns deles mostraram a princípio tendência para se fazerem fanfarrões e, sem dúvida por inexperiência, julgaram que podiam tratar os presos da mesma maneira que os soldados. Mas até estes não tardaram a compreender a sua missão. Outros, que tardaram mais a compreendê-la, foram na verdade os presos que lhes ensinaram. Houve lições bastante duras. Por exemplo, agarravam um suboficial, embebedavam-no, e depois demonstravam-lhe, de uma maneira especial, naturalmente, que tinha bebido juntamente com eles, e que, portanto... Tudo isso acabou em os suboficiais verem, impávidos, ou melhor, esforçarem-se para não verem como eram introduzidas as vasilhas e vendida a aguardente. E mais: passaram a ir ao mercado, como os antigos inválidos, e traziam tortas, carne de vaca e outras coisas mais, para os presos; isto é, tudo aquilo que podiam, sem responsabilidade maior. Por que introduziram essas inovações, por que estabeleceram a companhia correcional, isso é coisa que ainda hoje ignoro. Isto se deu já nos meus últimos anos de presídio. Mas ainda tive de viver durante dois anos sujeito ao novo regime.

Descrever toda essa vida, todos os meus anos de presídio? Isso não. Se a fosse escrever, pela sua ordem, consecutivamente, tudo o que aí aconteceu e tudo o que vi e experimentei nesses anos, naturalmente necessitaria de escrever ainda um triplo ou um quádruplo número dos capítulos que já tenho escritos. Mas tal descrição acabaria finalmente por se tornar monótona, mesmo sem eu o querer. Esses capítulos seriam todos do mesmo gênero e, sobretudo, o leitor já pode, pela leitura dos capítulos antecedentes, fazer uma ideia um tanto aproximada da vida presidiária na segunda categoria. O que eu queria era mostrar-vos o nosso presídio e tudo quanto aí passei durante esses anos, por meio de um quadro compreensível e claro. Não sei se consegui esse objetivo. Em parte, não me compete a mim apreciá-lo. Mas estou convencido de que posso acabar aqui. Além do que, às vezes, com estas recordações, me sinto triste. E, aliás, poderia eu também recordar-me de tudo pela sua ordem? Os últimos tempos parecem ter-se apagado da minha memória. Estou convencido de que de muitas circunstâncias me esqueci completamente. Lembro-me, por exemplo, de que todos esses anos, no fundo tão semelhantes, desfilaram uns atrás dos outros, tediosos, longos, tão monótonos como a água que, depois de uma chuvarada, continua a escorrer gota a gota sobre um teto. Lembro-me de que só uma apaixonada ânsia de ressurreição, de renovação, de uma nova vida, me fortaleceram na esperança e na ilusão. E, finalmente, fiz-me forte; esperava e contava os dias; e, apesar de ainda me faltarem mil, contava-os com prazer um a um; via chegar o fim de um dia e, quando chegava o seguinte, ficava contente por já não me faltarem mil dias, mas apenas 999. Lembro-me de que, apesar das centenas de companheiros, me encontrava numa horrível solidão, e acabei, finalmente, por adaptar-me a essa solidão. Moralmente solitário, passava revista a toda a minha vida passada; apercebia-me dos mais insignificantes pormenores de tudo; apreciava o meu passado, julgava-me a mim mesmo de maneira implacável e severa e havia até instantes em que dava graças ao destino por me ter deparado aquela solidão, sem a qual não me teria sido possível julgar-me a mim próprio, nem sequer chegar àquele severo exame da minha vida pretérita. E que esperanças não enchiam então o meu coração! Eu pensava, decidia, jurava a mim próprio que daí por diante não se repetiriam na minha vida futura aqueles erros nem aquelas faltas em que dantes incorrera. Traçava um programa para todo o futuro e propunha-me firmemente cumpri-lo. Aguardava, chamava, impaciente, pela liberdade; sentia a ansiedade de pôr-me outra vez à prova, numa nova luta. Às vezes assaltavam-me uma impaciência convulsiva... Mas custa-me agora evocar a recordação do meu estado de alma de então. Mas não há dúvida... tudo isto, só a mim interessa... Mas se escrevi tudo isto, que a mim se refere, é porque creio que todos me hão de compreender, que cada um o há de experimentar, se vier um dia dar num presídio, na flor da idade e das suas energias.

Mas para que falar mais disso? O melhor é contar ainda mais qualquer coisa, para não terminar estes apontamentos de maneira demasiado repentina.

Lembro-me de que talvez haja quem pergunte se não seria possível fugir do presídio e se não fugiu algum preso durante todos esses anos. Disse que o preso que tinha já dois ou três anos de presídio, começava a deitar contas àqueles anos e, involuntariamente, concluía que era preferível cumprir os que faltavam, sem preocupações nem inquietações e, finalmente, estabelecer-se como colono. Mas essa ideia só nascia na cabeça dos presos condenados a penas leves. Mas os condenados a muitos anos estavam dispostos ao risco. No entanto, isso não se dava todos os dias. Não sei se teriam medo, se contariam especialmente com o caráter rígido, marcial, da vigilância, a posição da nossa cidade, que sob muitos aspectos o dificultava (estépico, aberta). Seria difícil dizê-lo. Penso que todas estas causas tinham a sua influência. De fato, fugir dali era difícil. E, no entanto, enquanto estive ali, deu-se um caso desses; houve dois que tomaram essa decisão, e dois dos mais graves criminosos...

Na altura da destituição do nosso major... A...v (aquele que fazia de espião do presídio) viu-se completamente só, sem proteção. Era um indivíduo ainda novo, mas o seu caráter tinha se fortalecido e tornou-se mais resoluto com os anos. Era, de maneira geral, um rapaz esperto, decidido e também muito inteligente. Embora continuasse espiando e imaginando vários ardis para ver se o punham em liberdade, para ver se não se deixava apanhar tão tola e impensadamente como antes, de tal maneira que teve de pagar a sua inépcia com a deportação. Também se dedicara um pouco, ali, à falsificação de passaportes, embora não possa afirmar isto com certeza absoluta. Isso foi o que me disseram os outros presos. Diziam que já trabalhava nisso quando entrava na cozinha do major da praça e, naturalmente, arranjava assim bons rendimentos. Em resumo: segundo parece, era capaz de decidir-se a tudo, contanto que mudasse de sorte. Eu tive oportunidade, casualmente, de conhecer até certo ponto a sua alma; o seu cinismo atingia uma insolência que revoltava e provocava uma repugnância invencível. Creio que, se a aguardente fosse coisa do seu agrado e não tivesse outro meio de obtê-la senão matando alguém, infalivelmente o teria feito, desde que pudesse manter-se secreto, sem que ninguém soubesse. Tinha aprendido a fazer os seus cálculos, no presídio. Foi assim que esse homem veio a fixar a sua atenção no preso da seção especial, Kulikov.

– Já falei de Kulikov. Já não era novo, mas era apaixonado, inquieto, forte, com muitas e diversas aptidões. Era enérgico e tinha gosto em viver; indivíduos destes, até na extrema velhice, desejam viver. E se eu me admirava por que entre nós não se registravam fugas, a pessoa em quem viria a pensar em primeiro lugar seria Kulikov. Mas Kulikov acabou por decidir-se. Quem, entre os dois, teria mais influência um sobre o outro: A...v sobre Kulikov ou Kulikov sobre A...v? Não sei, mas ambos eram dignos um do outro, e muito indicados para uma empresa dessa natureza. Tinham-se feito amigos. Tenho a impressão de que Kulikov contava sobre o fato de A...v ser nobre e pertencer à boa sociedade, o que prometia uma certa mudança nas futuras peripécias quando chegassem à Rússia. Sabe-se lá o que eles falariam e as ilusões que tinham; mas as suas ilusões deviam sair da rotina costumada da vagabundagem siberiana. Kulikov era histrião por natureza: podia desempenhar muitos e vários papéis da vida; podia prometer-se muito, sobretudo quanto a variedade. Tais indivíduos não podiam viver no presídio. E combinaram fugir.

Mas evadir-se sem sentinela de escolta era impossível. Portanto, era preciso convencer uma sentinela. Num dos batalhões que guarneciam o forte, fazia serviço um polaco, homem enérgico e talvez digno de melhor sorte, já entrado em anos, valente, sério. Ainda novo, fugiu assim que entrou para o serviço, na Sibéria, levado por uma funda nostalgia da pátria. Foi apanhado, castigado e mantiveram-no dois anos nas companhias disciplinares. Quando foi reintegrado nas fileiras, reconsiderou e começou a servir conscienciosamente com todas as suas forças. Fizeram-no cabo para distingui-lo. Era homem amigo de honrarias, que se conhecia a si mesmo e sabia o que valia; olhava e falava como quem sabe o que vale. Via-o a miúdo, e falei muitas vezes com ele. Encontrei-o algumas vezes nesses anos, entre as nossas sentinelas. Os polacos também me falaram dele algumas vezes. Disseram-me que a sua antiga nostalgia se transformara em ódio encoberto, surdo, contínuo. Que esse homem era capaz de tudo e Kulikov não se enganava quando o escolheu por companheiro. Chamava-se Koller. Chegaram a acordo e marcaram um dia. Era no mês de junho, nos dias de calor. O clima, nessa cidade, é bastante igual; no verão faz um tempo sempre quente, e isto favorecia a vagabundagem. É claro que nunca podiam ir a nenhum lado fora do forte: a cidade era aberta por todos os lados e, à sua volta, não havia bosques, numa grande extensão. Era preciso vestir-se com o trajo regional, e depois, desaparecer no subúrbio, sem ser visto, onde, havia já algum tempo, Kulikov tinha um refúgio. Não sei se se trataria daquela amante dos presos que vivia nos arrabaldes e que guardaria absoluto segredo. É lógico pensar que o tinham, embora, no fundo, nunca se tivesse chegado a descobrir. Nesse ano, num canto dos arrabaldes, tinha começado as suas atividades havia pouco uma bonita moça, chamada Vanhka, que fazia nascer grandes ilusões e, em parte, as converteu logo em realidade. Também lhe chamavam A Chama. Segundo parece, teve sua parte na empresa. Kulikov gastou o seu dinheiro com ela durante um ano inteiro. Os nossos rapazes saíram de manhã, para a contagem, e arranjaram-se de maneira que os enviaram, juntamente com o preso Chílkin, forneiro e gesseiro, para trabalhar num quartel vazio, cujos soldados estavam num acampamento, havia já algum tempo... A...v, em companhia de Kulikov, foi até lá com ele, ambos na qualidade de trabalhadores. Koller encarregou-se de escoltá-los; mas, como eram necessárias duas sentinelas para os três, Koller, como mais antigo no serviço e como cabo, escolheu de boa vontade um soldadinho novo, com o pretexto de ensiná-lo e de treiná-lo no trabalho de sentinela. Pelo visto, os nossos fugitivos deviam ter já uma grande influência sobre Koller, visto terem conseguido convencê-lo, depois de tantos anos de serviço e de tão boa conduta nos últimos desses anos, e além disso sendo como era um homem inteligente, enérgico e calculista, a decidir-se a segui-los.

Entraram no quartel. Eram seis da manhã. Não havia mais ninguém ali senão eles. Depois de terem trabalhado durante uma hora, Kulikov e A...v disseram a Chílkin que iam à oficina, primeiro para falarem não sei com quem e depois para trazerem umas ferramentas de que precisavam. Era preciso ter cuidado com Chílkin, isto é, proceder com a maior naturalidade possível. Era moscovita, forneiro de profissão, da classe média de Moscou, esperto, astuto, inteligente, pouco falador. Aparentemente era um rapaz fraco, débil. Tinha nascido para usar toda a sua vida colete e americana[46], à moda moscovita; mas o destino dispôs as coisas de outra maneira e, depois de muitas andanças, acabou por vir parar para sempre no presídio, à seção especial, isto é, à categoria dos mais ferozes criminosos militares. Até que ponto teria merecido este fim, não sei; mas nunca se notava nenhum desgosto especial nele; portava-se pacificamente e de maneira regular, embora às vezes se embebedasse terrivelmente; mas até

---

46. Carruagem pequena e leve, de quatro rodas, muito comum em meados do século XIX. (N.E.)

nessas circunstâncias se portava bem. É natural que não estivesse metido na combinação; mas tinha bons olhos. Concluiu-se que Kulikov devia ter-lhe dado a entender com um piscar de olhos que iam em busca de aguardente, que tinham escondido na oficina na tarde anterior. Isso comoveu Chílkin; deixou-os sair sem a menor suspeita e ficou só com o recruta, enquanto Kulikov, A...v e Koller se dirigiam aos arrabaldes.

Passou-se meia hora; os ausentes não voltavam e, de repente, Chílkin ficou perplexo, pôs-se a pensar. Começou a recordar: Kulikov tinha, naquele dia, qualquer coisa de estranho; A... v por duas vezes se pôs a cochichar com ele; pelo menos por duas vezes Kulikov fez-lhe sinais que não lhe escaparam. Lembrava-se de tudo, agora. Também notara qualquer coisa em Koller; pelo menos, quando foi com eles, começou a dar instruções ao recruta sobre a maneira como devia conduzir-se na sua ausência, o que lhe pareceu um pouco estranho, pelo menos da parte de Koller. Em resumo: quanto mais aprofundava as suas recordações, tanto mais cresciam as suspeitas de Chílkin. Entretanto o tempo ia passando, eles não voltavam e a sua inquietação aumentava até limites extremos. Compreendia muito bem o quanto se arriscava naquele assunto; podia atrair as suspeitas dos superiores. Podiam pensar que deixara sair os seus companheiros, por estar a par de tudo, em virtude de combinação recíproca; e se se demorasse a dar parte do desaparecimento de Kulikov e de A...v, essas suspeitas adquiriam maior probabilidade de verossimilhança. Não havia tempo a perder. De repente, lembrou-se de que, durante os últimos tempos, Kulikov e A...v tinham convivido muito; falavam frequentemente entre si, iam muitas vezes para trás dos alojamentos, longe de todos os olhares. Lembrou-se também do que já algumas vezes pensara acerca deles... Olhou com curiosidade para a sentinela, que bocejava, apoiada à espingarda, e esgaravatava inocentemente o nariz com o dedo; de maneira que Chílkin não se dignou comunicar-lhe o seu pensamento e limitou-se a dizer-lhe que o seguiria até a oficina de engenharia. Era preciso perguntar na oficina se porventura não teriam estado ali. Mas ninguém os vira ali. Todas as dúvidas de Chílkin desapareceram. "Se tivessem ido beber para os arrabaldes, o que Kulikov fazia várias vezes", pensou Chílkin, "não teriam saído daquela maneira. Tê-lo-iam dito, pois, para isso, não valia a pena estar com segredos." Chílkin deixou o trabalho e, sem voltar ao quartel, dirigiu-se para o presídio.

Era já perto das nove horas quando se apresentou ao *feldwebel* e lhe explicou o que se passava. O *feldwebel* ficou de sobrolho carregado e, a princípio, não queria acreditar. É claro que Chílkin participou o ocorrido a ele apenas como um receio, uma suspeita. O *feldwebel* chamou imediatamente o major. Este chamou imediatamente o comandante. Passado um quarto de hora, já tinham sido tomadas todas as medidas necessárias para essa circunstância. Deram parte ao general-governador. Os presos eram delinquentes graves e, por causa deles, podia haver séria admoestação de Petersburgo. Devidamente ou não, A...v fora incluído entre os presos políticos; Kulikov pertencia à seção especial: isto é, ao número dos mais graves criminosos e, além disso, de direito de guerra. Até então ainda não havia exemplo de se ter evadido alguém da seção especial. Recordavam-se, efetivamente, que, por determinação do regulamento, cada preso da seção especial era enviado para o trabalho com duas sentinelas, ou, pelo menos, com uma. Não se tinha observado essa regra. De maneira que o caso estava feio. Enviaram-se cavaleiros em direção a todas as aldeias, a todas as localidades circunvizinhas, para participar a evasão e deixar aí os sinais dos fugitivos. Enviaram-se cossacos em sua perseguição; escreveram-se ofícios para os distritos e governos vizinhos. Em suma: ficaram muito sobressaltados.

Entretanto, começava entre nós, no presídio, uma agitação de outra natureza. À medida que regressavam do trabalho, os presos iam-se pondo a par do sucedido. A notícia já se tinha espalhado entre todos, e todos a recebiam com uma alegria incomum, secreta. A todos parecia palpitar-lhes o coração... Além de que esse incidente vinha alterar a monotonia da vida no presídio, uma evasão do formigueiro e uma evasão como aquela revolvia as almas de todos e agitava nelas desejos não completamente esquecidos; a possibilidade de mudar de sorte tornava a fazer palpitar todos os corações... "Vejam como eles fugiram! E por que não?" E perante esse pensamento todos se animavam e olhavam com olhos interrogativos para os outros. Pelo menos, todos repentinamente se puseram orgulhosos e começaram a olhar com altivez para o suboficial. As autoridades compareceram imediatamente ao presídio. O comandante veio também. Os presos sentiam-se corajosos e olhavam ousadamente, até com certo desprezo e com certa rígida, tácita solidariedade: "Nós cá, caramba, sabemos fazer as coisas". Escusado será dizer que já tinham contado com a visita geral das autoridades do presídio. Contavam também que infalivelmente haveria investigações e já tinham escondido tudo. Sabiam que as autoridades, nestes casos, eram muitíssimo expeditas. Foi o que aconteceu então: houve um rebuliço enorme; revolveram tudo, revistaram tudo... e, é claro, não encontraram nada. Os presos foram para o trabalho da tarde com uma forte escolta. À noite, as sentinelas inspecionaram demoradamente o presídio, contaram os presos uma vez mais do que o costume, e enganaram-se duas vezes mais que de costume. Depois fizeram uma terceira contagem, de alojamento em alojamento... Em suma: houve uma grande comoção.

Mas os presos não perguntavam a razão daquilo. Mostravam-se todos muito altivos e, como costumava acontecer sempre em tais ocasiões, durante toda essa noite conduziram-se com extraordinário aprumo: "Não, é desnecessário brincarem conosco." Por seu lado, o chefe pensava: "Não haverá cúmplices dos fugitivos no presídio?" E mandava investigar, escutar o que os presos diziam. Mas estes se limitavam a sorrir: "Não é assunto para participar aos outros. Isso se faz com muita reserva e muita cautela, e só assim. Então Kulikov e A...v não são homens capazes de fazerem as coisas sem deixarem rastro? Fizeram-no magistralmente, à chucha calada. São tipos capazes de passar por uma chaminé de bronze, de se esgueirar por uma porta fechada". Em resumo: a fama de Kulikov e de A... v crescia a olhos vistos: todos se sentiam ufanos por eles. Sentiam que a sua façanha alcançaria a mais remota posteridade dos presidiários, que havia de sobreviver ao próprio presídio.

– São mestres! – diziam uns.

– Se calhar pensavam que não havia aqui quem fosse capaz de fugir! Ai, não, que não havia! – acrescentavam outros.

– Fugiram! – exclamava um terceiro olhando com uns ares de domínio à sua volta. – Houve quem fugisse! Que dizes disso, *bratiets*?

Noutra ocasião, o preso ao qual fossem dirigidas essas palavras teria infalivelmente respondido com altivez e sairia em defesa da sua honra. Mas agora contentou-se em resmungar: "Eu bem dizia que, de fato, nem todos são como Kulikov e A...v".

– E afinal, meus amigos, verdadeiramente, por que estamos nós aqui? – atalhava um quarto que até aí tinha estado calado, sentado modestamente ao pé da janela da cozinha, falando como se cantasse, impulsionado por um sentimento deprimente e ao mesmo tempo com um prazer secreto e segurando a face com a mão. – Por que estamos nós aqui? Não vivemos... como pessoas, morremos... e não somos cadáveres. Ah!

– Vê se descalças esse par de botas... Para que é esse ah?

– Aí está Kulikov... – gritou um dos entusiastas, um criançola, de boca rubicunda.

– Kulikov! – acrescentou imediatamente outro, voltando-se para olhar com desprezo para o criançola. – Kulikov!

O que queria dizer: "Mas por acaso abundam aqui os Kulikov?"

– Bom; e A...v, meus amigos, é esperto, caramba, é esperto!

– Toma! Esse é um finório! É capaz de engrolar Kulikov e de lhe fazer ver estrelas ao meio-dia!

– Sabe-se lá onde eles já vão, meus amigos!

E surgiram imediatamente discussões sobre a distância a que eles já iriam. E por que lado teriam saído? Por onde lhes seria mais fácil terem saído? E qual seria a aldeia mais próxima? Intervieram na discussão indivíduos que conheciam aqueles arredores. Escutaram-nos com curiosidade. Falavam dos habitantes das aldeias próximas e diziam que não eram gente de confiança. Nas imediações da cidade, a pessoa era interesseira; não davam auxílio aos presos, apanhavam-nos e entregavam-nos.

– O camponês destas terras não se presta a nada. É camponês e basta!

– E um camponês que não sabe o que quer!

– O siberiano é matreiro. Quem lhe cair nas mãos é degolado.

– Então os nossos...

– Tudo se reduz a saber quem pode mais. E os nossos não são qualquer coisa.

– Pois se não morrermos, havemos de chegar a saber.

– E tu, que dizes? Achas que os apanham?

– Eu penso que, vivos, não os apanham! – junto dos entusiasmados, dando uma punhada na cabeça.

– Hum! Bem. Tudo depende da casualidade.

– Pois eu lhes vou dizer o que penso, meus amigos – exclamou Skurátov. – Se eu tornasse a ser vagabundo, não me apanhavam!

– A ti!

Começaram a rir, enquanto alguns fingiam que nem sequer queriam ouvir aquilo. Mas Skurátov estava impetuoso.

– Não me apanhavam vivo! – acrescentou com energia. – Eu, meus amigos, já o tenho pensado muitas vezes e fico admirado comigo mesmo; asseguro-vos que me meteria em qualquer canto e que não me apanhavam.

– Acabavas por ficar cheio de fome e tinhas de ir pedir um pedaço de pão a um camponês.

Gargalhada geral.

– Qual pedaço de pão!

– Para que estás dando tanto à língua? És tão esperto que até vingaste a morte da vaca matando o teu tio Vássia, e por isso é que estás aqui.[47]

As gargalhadas arrefeceram. Os sérios olhavam com grande aborrecimento.

– Mentes! – gritava Skurátov. – Mikita mente nisso que diz de mim, e não só de mim, mas também do meu tio; mas é verdade que me complicaram a vida. Eu sou moscovita e desde pequeno que estou acostumado à vagabundagem. Quando eu andava aprendendo a ler e a escrever com o nosso subdiácono, em pequeno, costumavam puxar-me as orelhas: "Diz lá: 'Senhor, tem piedade de nós, pela grandeza da tua misericórdia etc.'" Mas eu ia e dizia: "Leva-me à Polícia, Senhor, pela grandeza da tua misericórdia, etc". Aí tem como eu era em pequeno!

Tornaram a ouvir-se risos. Mas que mais queria Skurátov? Não tardaram em deixá-lo, para voltarem às suas conversas sérias. Os velhos entendidos em evasões deram a sua opinião.

---

47. Tinham matado um homem ou uma mulher, na crença de que estes tinham infectado o ar, provocando a morte do gado. No presídio havia mais de um condenado deste gênero. (N.A.)

Os mais novos e modestos contentavam-se com olhá-los e estender os pescoços para escutar. Tinha-se reunido uma grande multidão na cozinha, embora, é claro, não estivessem ali os suboficiais. Na sua presença, não se teriam posto a falar. Entre os que davam mostras de maior complacência, chamou-me a atenção um tártaro, Mámetka, de alta estatura, de rosto cheio, com uma figura muito cômica. Falava muito mal o russo e não percebia quase nada do que os outros diziam; mas estava ali, e escutava, escutava com prazer.

– Então, Mámetka, *yákchi*[48]? – perguntou-lhe Skurátov, para dizer alguma coisa, já que todos o repeliam.

– *Yákchi*! Oh, *yákchi*! – exclamou Mámetka, todo animado, fazendo uma careta a Skurátov com a sua cara grotesca – *Yákchi*!

– Não os apanharam, *yok*[49]?

– *Yok*! *Yok*! – e Mámetka tornou a menear a cabeça e, desta vez, até mexeu as mãos.

– Quer dizer que um mente e o outro não desmente, não é verdade?

– Isso, isso, yákchi! – acrescentou Mámetka movendo a cabeça.

– Bem, então, yákchi!

E Skurátov, depois de ter dado um piparote no gorro de Mámetka e de atirá-lo para cima dos olhos, saiu da cozinha na melhor das disposições, deixando o tártaro um pouco perplexo.

O regime de severidade no presídio e as enérgicas rusgas e pesquisas prolongaram-se por uma semana inteira, no presídio e nos arredores. Não sei como seria; mas os presos recebiam todas as notícias referentes às atividades das autoridades fora do presídio, imediatamente e com exatidão. Nos primeiros dias, todas as notícias referentes aos fugitivos eram favoráveis: nem boatos, nem sinais; tinham simplesmente desaparecido. Os presos limitavam-se a sorrir. Cessou toda a inquietação a respeito da sorte dos fugitivos.

– Não encontram nada, não apanham nenhum – diziam com satisfação.

– Levaram sumiço!

---

48. "Está bem", em tártaro. (N.T.)

49. "Não", em tártaro. (N.T.)

– Adeus, espera lá que eu vou ali e já venho!

Os presos sabiam que os camponeses de todos aqueles arredores se tinham posto em movimento e inspecionavam todos os lugares suspeitos, todos os bosques, todos os barrancos.

– É extraordinário – diziam os presos, troçando. – Com certeza que tem alguém que os esconde em sua casa.

– Deve ser isso – diziam outros. – São espertos, prepararam tudo com antecedência.

Iam ainda mais longe nas suas suposições; começaram a dizer que os fugitivos ainda deviam estar nos arredores, escondidos em alguma gruta e aí continuariam até que passasse a agitação e o cabelo lhes crescesse. Estariam aí meio ano, um ano, e depois partiriam.

Resumindo: estavam todos numa disposição de espírito um pouco romântica. Mas, de repente, passados oito dias sobre a evasão, correu o boato de que tinham encontrado uma pista. Escusado será dizer que o absurdo boato foi imediatamente repudiado com desprezo. Mas ainda nessa noite o boato foi confirmado. Os presos, a princípio, não queriam acreditar. Mas no outro dia de manhã começaram a dizer na cidade que os tinham apanhado, que iam trazê-los. Depois do rancho, souberam também outros pormenores: tinham sido detidos a setenta verstas dali, não sei em que aldeola. Até que, finalmente, se receberam notícias mais concretas. O *feldwebel*, depois de se ter avistado com o major, anunciou definitivamente que nessa mesma noite os trariam diretamente para o corpo da guarda, à entrada do presídio. Não era possível duvidar. É difícil descrever a impressão que a notícia causou nos presos. A princípio pareceu que todos ficaram aborrecidos; depois ficaram consternados. Depois deram mostras de levar o caso à conta de brincadeira. A princípio alguns, quase todos, exceto uns tantos indivíduos sérios e moderados, que pensavam por sua própria cabeça e que não era possível demover com brincadeiras, puseram-se a sorrir, mas então já não à custa dos perseguidores mas sim dos detidos. Olhavam com desprezo para os aturdidos e ficavam calados.

Em resumo: na mesma medida em que antes enalteceram Kulikov e A...v, agora os rebaixavam e até com prazer. Parecia que eles os tinham ofendido a todos em qualquer coisa. Diziam, com um ar depreciativo, que eram muito comilões, que não eram capazes de suportar a fome e que tinham ido à aldeia pedir pão aos camponeses. O que, para um vagabundo, representava o extremo da vileza. Mas esses ditos e contos não eram verdadeiros. Tinham ido seguindo o rasto dos fugitivos; internaram-se no bosque e rodearam este por todos os lados com gente. E quando viram que não lhes restava já possibilidade de salvação, entregaram-se. Não tinham mais nada a fazer.

Mas quando de fato os trouxeram à noite, atados de pés e mãos, com guardas, todo o presídio se empilhou de encontro à paliçada para ver o que fariam com eles. É claro que não viram nada, a não ser as carruagens do major e do comandante, junto ao corpo da guarda. Os fugitivos foram encerrados num calabouço, postos com ferros, e no dia seguinte compareceram perante os juízes.

As troças e desprezos dos presos cessaram então. Abandonaram a sua atitude anterior. Tomaram conhecimento do lance com mais pormenores, souberam que os fugitivos não puderam fazer outra coisa senão render-se, e puseram-se todos a seguir com paixão o desenlace do julgamento.

– Vão dar-lhes mil – diziam uns.

– Qual mil? – diziam outros. – Matam-nos com os paus! A A...v, pode ser que ainda lhe deem mil, mas ao outro matam-no, meu amigo, porque é da seção especial.

No entanto não acertaram. A A...v deram-lhe ao todo quinhentos: levaram em conta a sua anterior conduta satisfatória e ser essa a sua primeira falta. A Kulikov deram-lhe, segundo parece, 1.500. Castigaram-no com bastante brandura. Eles, como pessoas experimentadas, não se contradisseram nem num único ponto, perante os juízes; declararam claramente ter fugido diretamente do forte, sem saberem para onde. De todos, o que mais compaixão me inspirava era Koller; este perdia tudo, as suas últimas esperanças; recebeu mais do que os outros, dois mil, e encarceraram-no, mas não no nosso presídio. A...v foi castigado com brandura, com delicadeza, para o que contribuíram os médicos. Mas ele mostrou coragem e disse em voz alta, no hospital, que agora que já tinha recebido o batismo, estava disposto a tudo e não havia de demorar-se ali. Kulikov portou-se como sempre; de uma maneira séria, digna, e quando voltou do castigo para o presídio, parecia que nunca saíra dele. Mas os presos não o viam com os mesmos olhos; apesar de Kulikov saber dominar-se sempre e em todos os lugares, os presos, no fundo da sua alma, pareciam ter-lhe perdido o respeito, pois começaram a tratá-lo com mais familiaridade. Numa palavra: com a fuga, a fama de Kulikov declinou muito. Eis o que vale o êxito entre os mortais...

CAPÍTULO XXI

Saída do presídio

Tudo isso aconteceu já no último ano da minha condenação. Esse último ano tenho-o quase tão bem gravado na memória como o primeiro e, sobretudo, os meus últimos tempos no presídio. Mas para que demorar-me com pormenores? Recordarei unicamente que, nesse ano, apesar de toda a minha impaciência para acabar a minha pena o mais depressa possível, a vida se me tornou muito mais leve do que em todos os anteriores anos de deportação. Em primeiro lugar, tinha eu já muitos amigos entre os presos e conhecidos firmemente convictos de que eu era uma boa pessoa. Muitos deles me eram dedicados e me queriam sinceramente. A ordenança Baklúskin esteve quase a chorar quando teve de escoltar-me, a mim e a um companheiro meu, fora do presídio e, durante o mês que depois vivi já livre, na cidade, num edifício da administração, quase todos os dias vinha me visitar, só pelo gosto de me ver. Havia no entanto indivíduos arredios e hostis até o fim, aos quais parecia que lhes custava falar comigo. Sabe-se lá por quê. Dir-se-ia que, entre nós, havia um muro de permeio.

Nos últimos tempos eu tinha mais oportunidades do que durante toda a época da minha condenação. Encontrei nessa cidade, entre os militares da guarnição, conhecidos e até antigos companheiros de estudos. Reatei o convívio com eles. Por seu intermédio consegui arranjar mais dinheiro, escrever à minha família e obter também livros. Havia já alguns anos que eu não lia um livro e ser-me-ia difícil descrever a estranha e ao mesmo tempo profunda impressão que me produziu o primeiro que li no presídio. Lembro-me de que me pus a lê-lo à tarde, quando fecharam o alojamento, e que fiquei a lê-lo toda a noite até o amanhecer. Era um número de uma revista. Era como se até mim chegassem notícias de outro mundo; a minha vida anterior surgiu perante mim clara e luminosa, e esforçava-me por adivinhar à medida que ia lendo. Estaria eu muito afastado dessa vida? Tinham-se passado muitas coisas na minha ausência? Que seria que agora os agitava, que questões os preocupavam? Meditava sobre cada palavra, lia nas entrelinhas, esforçava-me por encontrar-lhes um pensamento secreto, alusões ao passado; esquadrinhava os vestígios daquilo que dantes, no meu tempo, comovia as pessoas. E que pena sentia eu então ao reconhecer que era como uma peça desirmanada! Era preciso acostumar-me às coisas novas, travar conhecimento com a nova geração. Li particularmente um artigo em cujo pé vinha o nome dum escritor conhecido, que dantes me fora muito dedicado. Mas surgiam já também nomes novos, manifestavam-se novas personalidades; e eu me apressava a conhecê-los ansiosamente, e lamentava ter tão poucos livros e que fosse tão difícil arranjá-los. Dantes, quando estava ainda no presídio o anterior major da caserna, teria sido muito perigoso introduzir livros no presídio. Em caso de investigação haviam infalivelmente de perguntar: "Donde vieram esses livros? Quem os arranjou? Então tens relações!" E que poderia eu responder a tal perguntas? E por isso, vivendo sem livros, eu, sem querer, afundava-me em mim próprio, fazia perguntas a mim mesmo, esforçava-me por responder-lhes, torturava a imaginação. Mas como explicar tudo isso!

Entrei no presídio no inverno e sucedeu-me também ser liberto no inverno, no mesmo dia do mês em que entrara. Com que impaciência eu aguardava o inverno, com que prazer via o fim do ano, quando na aldeia começam a amarelar as folhas das árvores e a erva se esgota na estepe! E o verão já se foi embora e uiva o vento do outono; caiu o primeiro nevão. Chegou, enfim, esse inverno tão desejado! O meu coração começa muitas vezes a palpitar surda e fortemente, com o grande pressentimento da liberdade. Mas, coisa estranha: quanto mais o tempo ia passando e mais se aproximava o fim da minha condenação, maior era a paciência que se apoderava de mim. Já quase nos últimos dias, até me admirava e dirigia censuras a mim mesmo; tinha-me tornado perfeitamente frio e indiferente. Quando se encontravam no pátio, nas horas de recreio, muitos presos me felicitavam:

– Viva! Com que então vais sair, vais ser posto em liberdade, em breve, em breve, *bátiuchka* Alieksandr Pietróvitch! Vais deixar sozinhos estes pobres-diabos!

– E tu, Martínov, não acaba também em breve? – respondia-lhe.

– Eu? Sim, sim! Ainda me faltam sete anos!

E suspirava, ficava ali especado, olhando abstratamente, como se escutasse o futuro... Sim; muitos felicitavam-me sincera e alegremente. Parecia-me que todos começavam a tornar-se mais afetuosos comigo. Era evidente que se tinham reconciliado comigo. K...tchinski, um polaco nobre, um jovem amável, gostava muito, tal como eu, de vir para o pátio nas horas livres. Pensava que o ar livre e o exercício lhe convinham para conservar a saúde e resistir ao mal causado pelas abafadiças noites do alojamento. "Eu aguardo a sua saída com impaciência", dizia-me, sorrindo, quando se encontrou uma vez comigo, durante os seus passeios. "O senhor sairá, e então eu ficarei sabendo que me falta um ano para cumprir."

Farei notar aqui, de passagem, que, devido ao muito sonhar e à longa privação da liberdade, esta nos parecia no presídio algo de mais livre que a verdadeira liberdade; isto é, que aquela que verdadeiramente existe na realidade. Os presos encareciam o conceito da liberdade positiva, e isto é muito natural, muito próprio do preso. Qualquer desastrado impedido dum oficial nos parecia quase um rei, em comparação com os presos, simplesmente por andar com a cabeça rapada, sem ferros e sem sentinela.

Na véspera do último dia, ao escurecer, dei a volta, pela última vez, a toda a paliçada do presídio. Quantos milhares de vezes teria eu dado volta a essa paliçada em todos aqueles anos! Como eu me aborreci, atrás dos alojamentos, no primeiro ano da minha prisão, só, triste, aniquilado. Lembro-me de que, então, contava os milhares de dias que me restavam. Senhor, há quanto tempo isso foi já! Aqui, neste canto, viveu cativa a nossa águia e era aqui também que eu costumava encontrar-me com Pietrov, que, agora, também não se afasta de mim. Aproxima-se e, como se adivinhasse o meu pensamento, põe-se a caminhar em silêncio ao meu lado e parece admirar-se de algo no meu íntimo. Despeço-me em pensamento destas tábuas denegridas dos nossos alojamentos. Que impressão tão hostil me faziam elas então, nos primeiros tempos! Não há dúvida de que devem estar agora mais velhas do que antes, mas eu não o noto. Quanta juventude não se sepultou inutilmente atrás destas paredes, quantas grandes energias não se perderam aqui sem proveito! E, para dizer tudo: essa gente era uma gente extraordinária. Pode ser que fosse a mais dotada, a mais forte de todo o nosso povo. Mas foi debalde que sucumbiram energias poderosas, sucumbiram de uma maneira anormal, ilegal, irreparável. E quem tem a culpa disso?

– Sim, é esse o ponto, de quem é a culpa?

No dia seguinte, de manhã, antes da saída para o trabalho, quando mal começara a clarear, fui percorrendo todos os alojamentos para despedir-me de todos os presos. Alguns estenderam-me afetuosamente as suas mãos calejadas e fortes. Alguns as davam a mim como a um companheiro, mas eram poucos. Outros compreendiam muito bem que daí a um momento eu iria transformar-me num homem diferente deles. Sabiam que eu tinha amizades na cidade, que me dirigiria imediatamente ali, aos senhores, e que trataria com eles de igual para igual. Compreendiam-no e despediam-se afetuosamente, mas não como de um companheiro e antes como de um senhor. Outros voltavam-me as costas e respondiam por entre dentes a minha despedida. Alguns até me olhavam com certo ódio.

Ouviu-se o tambor e todos se dirigiram para o trabalho; só eu fiquei ali. Nessa manhã Suchílov levantou-se mais cedo do que todos e pôs-se a movimentar-se com todas as suas energias para preparar-me o chá. Pobre Suchílov! Chorou quando eu lhe ofereci os meus objetos do presídio, algumas camisas, as palmilhas para usar debaixo das cadeias e algum dinheiro! "Eu não preciso nada disto, eu não quero nada!", dizia, esforçando-se por dominar os lábios trêmulos... "Como hei de eu suportar a sua ausência, Alieksandr Pietróvitch? Sem você, quem me resta agora aqui?" Despedi-me também pela última vez de Akim Akímitch.

– Em breve chegará a tua vez! – disse-lhe eu.

– Ainda me falta muito tempo – resmungou, apertando a minha mão.

Lancei-me contra o seu peito e abraçamo-nos.

Dez minutos depois da saída dos presos saímos também para nunca mais voltarmos, eu e o meu companheiro, aquele com quem entrara. Era necessário irmos imediatamente ao ferreiro para que nos tirasse os ferros. E a sentinela, de arma no braço, já não nos escoltava; era um suboficial que nos acompanhava. Foram os nossos próprios presos que nos tiraram os ferros na oficina de engenharia. Esperei que desferrassem o meu companheiro e depois aproximei-me da bigorna. Os ferreiros puseram-me de costas, levantaram-me o pé por detrás, apoiaram-no na bigorna... absorviam-se no trabalho, desejavam fazê-lo com a maior perícia, o melhor possível.

– Os rebites, os rebites para cima, pouco a pouco! – mandou o mestre. – Segurem-no bem... Agora deem com o martelo...

As cadeias caíram. Eu as apanhei... Queria tê-las nas minhas mãos, olhá-las pela última vez. Admirava-me agora que ainda há um instante as trouxesse nos pés.

– Bom, vão com Deus! Com Deus! – diziam-me os presos com vozes roucas, entrecortadas, mas nas quais me parecia vibrar agora um pouco de alegria.

Sim, com Deus! Liberdade, vida nova; ressurreição de entre os mortos! Que momento glorioso!

FIM

Coleção **L&PM** POCKET

500. **Esboço para uma teoria das emoções** – Sartre
501. **Renda básica de cidadania** – Eduardo Suplicy
502. (1).**Pílulas para viver melhor** – Dr. Lucchese
503. (2).**Pílulas para prolongar a juventude** – Dr. Lucchese
504. (3).**Desembarcando o diabetes** – Dr. Lucchese
505. (4).**Desembarcando o sedentarismo** – Dr. Fernando Lucchese e Cláudio Castro
506. (5).**Desembarcando a hipertensão** – Dr. Lucchese
507. (6).**Desembarcando o colesterol** – Dr. Fernando Lucchese e Fernanda Lucchese
508. **Estudos de mulher** – Balzac
509. **O terceiro tira** – Flann O'Brien
510. **100 receitas de aves e ovos** – J. A. P. Machado
511. **Garfield em toneladas de diversão (5)** – Jim Davis
512. **Trem-bala** – Martha Medeiros
513. **Os cães ladram** – Truman Capote
514. **O Kama Sutra de Vatsyayana**
515. **O crime do Padre Amaro** – Eça de Queiroz
516. **Odes de Ricardo Reis** – Fernando Pessoa
517. **O inverno da nossa desesperança** – Steinbeck
518. **Piratas do Tietê (1)** – Laerte
519. **Rê Bordosa: do começo ao fim** – Angeli
520. **O Harlem é escuro** – Chester Himes
522. **Eugénie Grandet** – Balzac
523. **O último magnata** – F. Scott Fitzgerald
524. **Carol** – Patricia Highsmith
525. **100 receitas de patisserie** – Sílvio Lancellotti
527. **Tristessa** – Jack Kerouac
528. **O diamante do tamanho do Ritz** – F. Scott Fitzgerald
529. **As melhores histórias de Sherlock Holmes** – Arthur Conan Doyle
530. **Cartas a um jovem poeta** – Rilke
532. **O misterioso sr. Quin** – Agatha Christie
533. **Os analectos** – Confúcio
536. **Ascensão e queda de César Birotteau** – Balzac
537. **Sexta-feira negra** – David Goodis
538. **Ora bolas – O humor de Mario Quintana** – Juarez Fonseca
539. **Longe daqui aqui mesmo** – Antonio Bivar
540. **É fácil matar** – Agatha Christie
541. **O pai Goriot** – Balzac
542. **Brasil, um país do futuro** – Stefan Zweig
543. **O processo** – Kafka
544. **O melhor de Hagar 4** – Dik Browne
545. **Por que não pediram a Evans?** – Agatha Christie
546. **Fanny Hill** – John Cleland
547. **O gato por dentro** – William S. Burroughs
548. **Sobre a brevidade da vida** – Sêneca
549. **Geraldão (1)** – Glauco
550. **Piratas do Tietê (2)** – Laerte
551. **Pagando o pato** – Ciça
552. **Garfield de bom humor (6)** – Jim Davis
553. **Conhece o Mário?** vol.1 – Santiago
554. **Radicci 6** – Iotti
555. **Os subterrâneos** – Jack Kerouac
556. (1).**Balzac** – François Taillandier
557. (2).**Modigliani** – Christian Parisot
558. (3).**Kafka** – Gérard-Georges Lemaire
559. (4).**Júlio César** – Joël Schmidt
560. **Receitas da família** – J. A. Pinheiro Machado
561. **Boas maneiras à mesa** – Celia Ribeiro
562. (9).**Filhos sadios, pais felizes** – R. Pagnoncelli
563. (10).**Fatos & mitos** – Dr. Fernando Lucchese
564. **Ménage à trois** – Paula Taitelbaum
565. **Mulheres!** – David Coimbra
566. **Poemas de Álvaro de Campos** – Fernando Pessoa
567. **Medo e outras histórias** – Stefan Zweig
568. **Snoopy e sua turma (1)** – Schulz
569. **Piadas para sempre (1)** – Visconde da Casa Verde
570. **O alvo móvel** – Ross Macdonald
571. **O melhor do Recruta Zero (2)** – Mort Walker
572. **Um sonho americano** – Norman Mailer
573. **Os broncos também amam** – Angeli
574. **Crônica de um amor louco** – Bukowski
575. (5).**Freud** – René Major e Chantal Talagrand
576. (6).**Picasso** – Gilles Plazy
577. (7).**Gandhi** – Christine Jordis
578. **A tumba** – H. P. Lovecraft
579. **O príncipe e o mendigo** – Mark Twain
580. **Garfield, um charme de gato (7)** – Jim Davis
581. **Ilusões perdidas** – Balzac
582. **Esplendores e misérias das cortesãs** – Balzac
583. **Walter Ego** – Angeli
584. **Striptiras (1)** – Laerte
585. **Fagundes: um puxa-saco de mão cheia** – Laerte
586. **Depois do último trem** – Josué Guimarães
587. **Ricardo III** – Shakespeare
588. **Dona Anja** – Josué Guimarães
589. **24 horas na vida de uma mulher** – Stefan Zweig
591. **Mulher no escuro** – Dashiell Hammett
592. **No que acredito** – Bertrand Russell
593. **Odisseia (1): Telemaquia** – Homero
594. **O cavalo cego** – Josué Guimarães
595. **Henrique V** – Shakespeare
596. **Fabulário geral do delírio cotidiano** – Bukowski
597. **Tiros na noite 1: A mulher do bandido** – Dashiell Hammett
598. **Snoopy em Feliz Dia dos Namorados! (2)** – Schulz
600. **Crime e castigo** – Dostoiévski
601. **Mistério no Caribe** – Agatha Christie
602. **Odisseia (2): Regresso** – Homero
603. **Piadas para sempre (2)** – Visconde da Casa Verde
604. **À sombra do vulcão** – Malcolm Lowry
605. (8).**Kerouac** – Yves Buin
606. **E agora são vinte** – Angeli
607. **As mil e uma noites** – Paulo Caruso
608. **Um assassino entre nós** – Ruth Rendell

609. **Crack-up** – F. Scott Fitzgerald
610. **Do amor** – Stendhal
611. **Cartas do Yage** – William Burroughs e Allen Ginsberg
612. **Striptiras (2)** – Laerte
613. **Henry & June** – Anaïs Nin
614. **A piscina mortal** – Ross Macdonald
615. **Geraldão (2)** – Glauco
616. **Tempo de delicadeza** – A. R. de Sant'Anna
617. **Tiros na noite 2: Medo de tiro** – Dashiell Hammett
618. **Snoopy em Assim é a vida, Charlie Brown! (3)** – Schulz
619. **1954 – Um tiro no coração** – Hélio Silva
621. **Sobre a inspiração poética (Íon) e ...** – Platão
621. **Garfield e seus amigos (8)** – Jim Davis
622. **Odisseia (3): Ítaca** – Homero
623. **A louca matança** – Chester Himes
624. **Factótum** – Bukowski
625. **Guerra e Paz: volume 1** – Tolstói
626. **Guerra e Paz: volume 2** – Tolstói
627. **Guerra e Paz: volume 3** – Tolstói
628. **Guerra e Paz: volume 4** – Tolstói
629. (9). **Shakespeare** – Claude Mourthé
630. **Bem está o que bem acaba** – Shakespeare
631. **O contrato social** – Rousseau
632. **Geração Beat** – Jack Kerouac
633. **Snoopy: É Natal! (4)** – Charles Schulz
634. **Testemunha da acusação** – Agatha Christie
635. **Um elefante no caos** – Millôr Fernandes
636. **Guia de leitura (100 autores que você precisa ler)** – Organização de Léa Masina
637. **Pistoleiros também mandam flores** – David Coimbra
638. **O prazer das palavras** – vol. 1 – Cláudio Moreno
639. **O prazer das palavras** – vol. 2 – Cláudio Moreno
640. **Novíssimo testamento: com Deus e o diabo, a dupla da criação** – Iotti
641. **Literatura Brasileira: modos de usar** – Luís Augusto Fischer
642. **Dicionário de Porto-Alegrês** – Luís A. Fischer
643. **Clô Dias & Noites** – Sérgio Jockymann
644. **Memorial de Isla Negra** – Pablo Neruda
645. **Um homem extraordinário e outras histórias** – Tchékhov
646. **Ana sem terra** – Alcy Cheuiche
647. **Adultérios** – Woody Allen
651. **Snoopy: Posso fazer uma pergunta, professora? (5)** – Charles Schulz
652. (10). **Luís XVI** – Bernard Vincent
653. **O mercador de Veneza** – Shakespeare
654. **Cancioneiro** – Fernando Pessoa
655. **Non-Stop** – Martha Medeiros
656. **Carpinteiros, levantem bem alto a cumeeira & Seymour, uma apresentação** – J.D.Salinger
657. **Ensaios céticos** – Bertrand Russell
558. **O melhor de Hagar 5** – Dik e Chris Browne
559. **Primeiro amor** – Ivan Turguêniev
560. **A trégua** – Mario Benedetti
561. **Um parque de diversões da cabeça** – Lawrence Ferlinghetti
562. **Aprendendo a viver** – Sêneca
563. **Garfield, um gato em apuros (9)** – Jim Davis

664. **Dilbert (1)** – Scott Adams
666. **A imaginação** – Jean-Paul Sartre
667. **O ladrão e os cães** – Naguib Mahfuz
669. **A volta do parafuso** *seguido de* **Daisy Miller** – Henry James
670. **Notas do subsolo** – Dostoiévski
671. **Abobrinhas da Brasilônia** – Glauco
672. **Geraldão (3)** – Glauco
673. **Piadas para sempre (3)** – Visconde da Casa Verde
674. **Duas viagens ao Brasil** – Hans Staden
676. **A arte da guerra** – Maquiavel
677. **Além do bem e do mal** – Nietzsche
678. **O coronel Chabert** *seguido de* **A mulher abandonada** – Balzac
679. **O sorriso de marfim** – Ross Macdonald
680. **100 receitas de pescados** – Sílvio Lancellotti
681. **O juiz e seu carrasco** – Friedrich Dürrenmatt
682. **Noites brancas** – Dostoiévski
683. **Quadras ao gosto popular** – Fernando Pessoa
685. **Kaos** – Millôr Fernandes
686. **A pele de onagro** – Balzac
687. **As ligações perigosas** – Choderlos de Laclos
689. **Os Lusíadas** – Luís Vaz de Camões
690. (11). **Átila** – Éric Deschodt
691. **Um jeito tranquilo de matar** – Chester Himes
692. **A felicidade conjugal** *seguido de* **O diabo** – Tolstói
693. **Viagem de um naturalista ao redor do mundo** – vol. 1 – Charles Darwin
694. **Viagem de um naturalista ao redor do mundo** – vol. 2 – Charles Darwin
695. **Memórias da casa dos mortos** – Dostoiévski
696. **A Celestina** – Fernando de Rojas
697. **Snoopy: Como você é azarado, Charlie Brown! (6)** – Charles Schulz
698. **Dez (quase) amores** – Claudia Tajes
699. **Poirot sempre espera** – Agatha Christie
701. **Apologia de Sócrates** *precedido de* **Êutifron** e *seguido de* **Críton** – Platão
702. **Wood & Stock** – Angeli
703. **Striptiras (3)** – Laerte
704. **Discurso sobre a origem e os fundamentos da desigualdade entre os homens** – Rousseau
705. **Os duelistas** – Joseph Conrad
706. **Dilbert (2)** – Scott Adams
707. **Viver e escrever** (vol. 1) – Edla van Steen
708. **Viver e escrever** (vol. 2) – Edla van Steen
709. **Viver e escrever** (vol. 3) – Edla van Steen
710. **A teia da aranha** – Agatha Christie
711. **O banquete** – Platão
712. **Os belos e malditos** – F. Scott Fitzgerald
713. **Libelo contra a arte moderna** – Salvador Dalí
714. **Akropolis** – Valerio Massimo Manfredi
715. **Devoradores de mortos** – Michael Crichton
716. **Sob o sol da Toscana** – Frances Mayes
717. **Batom na cueca** – Nani
718. **Vida dura** – Claudia Tajes
719. **Carne trêmula** – Ruth Rendell
720. **Cris, a fera** – David Coimbra
721. **O anticristo** – Nietzsche
722. **Como um romance** – Daniel Pennac
723. **Emboscada no Forte Bragg** – Tom Wolfe

724. **Assédio sexual** – Michael Crichton
725. **O espírito do Zen** – Alan W. Watts
726. **Um bonde chamado desejo** – Tennessee Williams
727. **Como gostais** seguido de **Conto de inverno** – Shakespeare
728. **Tratado sobre a tolerância** – Voltaire
729. **Snoopy: Doces ou travessuras? (7)** – Charles Schulz
730. **Cardápios do Anonymous Gourmet** – J.A. Pinheiro Machado
731. **100 receitas com lata** – J.A. Pinheiro Machado
732. **Conhece o Mário?** vol.2 – Santiago
733. **Dilbert (3)** – Scott Adams
734. **História de um louco amor** seguido de **Passado amor** – Horacio Quiroga
735(11). **Sexo: muito prazer** – Laura Meyer da Silva
736(12). **Para entender o adolescente** – Dr. Ronald Pagnoncelli
737(13). **Desembarcando a tristeza** – Dr. Fernando Lucchese
738. **Poirot e o mistério da arca espanhola & outras histórias** – Agatha Christie
739. **A última legião** – Valerio Massimo Manfredi
741. **Sol nascente** – Michael Crichton
742. **Duzentos ladrões** – Dalton Trevisan
743. **Os devaneios do caminhante solitário** – Rousseau
744. **Garfield, o rei da preguiça (10)** – Jim Davis
745. **Os magnatas** – Charles R. Morris
746. **Pulp** – Charles Bukowski
747. **Enquanto agonizo** – William Faulkner
748. **Aline: viciada em sexo (3)** – Adão Iturrusgarai
749. **A dama do cachorrinho** – Anton Tchékhov
750. **Tito Andrônico** – Shakespeare
751. **Antologia poética** – Anna Akhmátova
752. **O melhor de Hagar 6** – Dik e Chris Browne
753(12). **Michelangelo** – Nadine Sautel
754. **Dilbert (4)** – Scott Adams
755. **O jardim das cerejeiras** seguido de **Tio Vânia** – Tchékhov
756. **Geração Beat** – Claudio Willer
757. **Santos Dumont** – Alcy Cheuiche
758. **Budismo** – Claude B. Levenson
759. **Cleópatra** – Christian-Georges Schwentzel
760. **Revolução Francesa** – Frédéric Bluche, Stéphane Rials e Jean Tulard
761. **A crise de 1929** – Bernard Gazier
762. **Sigmund Freud** – Edson Sousa e Paulo Endo
763. **Império Romano** – Patrick Le Roux
764. **Cruzadas** – Cécile Morrisson
765. **O mistério do Trem Azul** – Agatha Christie
768. **Senso comum** – Thomas Paine
769. **O parque dos dinossauros** – Michael Crichton
770. **Trilogia da paixão** – Goethe
773. **Snoopy: No mundo da lua! (8)** – Charles Schulz
774. **Os Quatro Grandes** – Agatha Christie
775. **Um brinde de cianureto** – Agatha Christie
776. **Súplicas atendidas** – Truman Capote
779. **A viúva imortal** – Millôr Fernandes
780. **Cabala** – Roland Goetschel
781. **Capitalismo** – Claude Jessua
782. **Mitologia grega** – Pierre Grimal
783. **Economia: 100 palavras-chave** – Jean-Paul Betbèze
784. **Marxismo** – Henri Lefebvre
785. **Punição para a inocência** – Agatha Christie
786. **A extravagância do morto** – Agatha Christie
787(13). **Cézanne** – Bernard Fauconnier
788. **A identidade Bourne** – Robert Ludlum
789. **Da tranquilidade da alma** – Sêneca
790. **Um artista da fome** seguido de **Na colônia penal e outras histórias** – Kafka
791. **Histórias de fantasmas** – Charles Dickens
796. **O Uraguai** – Basílio da Gama
797. **A mão misteriosa** – Agatha Christie
798. **Testemunha ocular do crime** – Agatha Christie
799. **Crepúsculo dos ídolos** – Friedrich Nietzsche
802. **O grande golpe** – Dashiell Hammett
803. **Humor barra pesada** – Nani
804. **Vinho** – Jean-François Gautier
805. **Egito Antigo** – Sophie Desplancques
806(14). **Baudelaire** – Jean-Baptiste Baronian
807. **Caminho da sabedoria, caminho da paz** – Dalai Lama e Felizitas von Schönborn
808. **Senhor e servo e outras histórias** – Tolstói
809. **Os cadernos de Malte Laurids Brigge** – Rilke
810. **Dilbert (5)** – Scott Adams
811. **Big Sur** – Jack Kerouac
812. **Seguindo a correnteza** – Agatha Christie
813. **O álibi** – Sandra Brown
814. **Montanha-russa** – Martha Medeiros
815. **Coisas da vida** – Martha Medeiros
816. **A cantada infalível** seguido de **A mulher do centroavante** – David Coimbra
819. **Snoopy: Pausa para a soneca (9)** – Charles Schulz
820. **De pernas pro ar** – Eduardo Galeano
821. **Tragédias gregas** – Pascal Thiercy
822. **Existencialismo** – Jacques Colette
823. **Nietzsche** – Jean Granier
824. **Amar ou depender?** – Walter Riso
825. **Darmapada: A doutrina budista em versos**
826. **J'Accuse...!** – **a verdade em marcha** – Zola
827. **Os crimes ABC** – Agatha Christie
828. **Um gato entre os pombos** – Agatha Christie
831. **Dicionário de teatro** – Luiz Paulo Vasconcellos
832. **Cartas extraviadas** – Martha Medeiros
833. **A longa viagem de prazer** – J. J. Morosoli
834. **Receitas fáceis** – J. A. Pinheiro Machado
835(14). **Mais fatos & mitos** – Dr. Fernando Lucchese
836.(15). **Boa viagem!** – Dr. Fernando Lucchese
837. **Aline: Finalmente nua!!! (4)** – Adão Iturrusgarai
838. **Mônica tem uma novidade!** – Mauricio de Sousa
839. **Cebolinha em apuros!** – Mauricio de Sousa
840. **Sócios no crime** – Agatha Christie
841. **Bocas do tempo** – Eduardo Galeano
842. **Orgulho e preconceito** – Jane Austen
843. **Impressionismo** – Dominique Lobstein
844. **Escrita chinesa** – Viviane Alleton
845. **Paris: uma história** – Yvan Combeau
846(15). **Van Gogh** – David Haziot
848. **Portal do destino** – Agatha Christie
849. **O futuro de uma ilusão** – Freud
850. **O mal-estar na cultura** – Freud
853. **Um crime adormecido** – Agatha Christie
854. **Satori em Paris** – Jack Kerouac
855. **Medo e delírio em Las Vegas** – Hunter Thompson

856. **Um negócio fracassado e outros contos de humor** – Tchékhov
857. **Mônica está de férias!** – Mauricio de Sousa
858. **De quem é esse coelho?** – Mauricio de Sousa
859. **O mistério Sittaford** – Agatha Christie
860. **O mistério Sittaford** – Agatha Christie
861. **Manhã transfigurada** – L. A. de Assis Brasil
862. **Alexandre, o Grande** – Pierre Briant
863. **Jesus** – Charles Perrot
864. **Islã** – Paul Balta
865. **Guerra da Secessão** – Farid Ameur
866. **Um rio que vem da Grécia** – Cláudio Moreno
868. **Assassinato na casa do pastor** – Agatha Christie
869. **Manual do líder** – Napoleão Bonaparte
870. (16).**Billie Holiday** – Sylvia Fol
871. **Bidu arrasando!** – Mauricio de Sousa
872. **Os Sousa: Desventuras em família** – Mauricio de Sousa
874. **E no final a morte** – Agatha Christie
875. **Guia prático do Português correto – vol. 4** – Cláudio Moreno
876. **Dilbert (6)** – Scott Adams
877. (17).**Leonardo da Vinci** – Sophie Chauveau
878. **Bella Toscana** – Frances Mayes
879. **A arte da ficção** – David Lodge
880. **Striptiras (4)** – Laerte
881. **Skrotinhos** – Angeli
882. **Depois do funeral** – Agatha Christie
883. **Radicci 7** – Iotti
884. **Walden** – H. D. Thoreau
885. **Lincoln** – Allen C. Guelzo
886. **Primeira Guerra Mundial** – Michael Howard
887. **A linha de sombra** – Joseph Conrad
888. **O amor é um cão dos diabos** – Bukowski
890. **Despertar: uma vida de Buda** – Jack Kerouac
891. (18).**Albert Einstein** – Laurent Seksik
892. **Hell's Angels** – Hunter Thompson
893. **Ausência na primavera** – Agatha Christie
894. **Dilbert (7)** – Scott Adams
895. **Ao sul de lugar nenhum** – Bukowski
896. **Maquiavel** – Quentin Skinner
897. **Sócrates** – C.C.W. Taylor
899. **O Natal de Poirot** – Agatha Christie
900. **As veias abertas da América Latina** – Eduardo Galeano
901. **Snoopy: Sempre alerta! (10)** – Charles Schulz
902. **Chico Bento: Plantando confusão** – Mauricio de Sousa
903. **Penadinho: Quem é morto sempre aparece** – Mauricio de Sousa
904. **A vida sexual da mulher feia** – Claudia Tajes
905. **100 segredos de liquidificador** – José Antonio Pinheiro Machado
906. **Sexo muito prazer 2** – Laura Meyer da Silva
907. **Os nascimentos** – Eduardo Galeano
908. **As caras e as máscaras** – Eduardo Galeano
909. **O século do vento** – Eduardo Galeano
910. **Poirot perde uma cliente** – Agatha Christie
911. **Cérebro** – Michael O'Shea
912. **O escaravelho de ouro e outras histórias** – Edgar Allan Poe
913. **Piadas para sempre (4)** – Visconde da Casa Verde
914. **100 receitas de massas light** – Helena Tonetto
915. (19).**Oscar Wilde** – Daniel Salvatore Schiffer
916. **Uma breve história do mundo** – H. G. Wells
917. **A Casa do Penhasco** – Agatha Christie
919. **John M. Keynes** – Bernard Gazier
920. (20).**Virginia Woolf** – Alexandra Lemasson
921. **Peter e Wendy seguido de Peter Pan em Kensington Gardens** – J. M. Barrie
922. **Aline: numas de colegial (5)** – Adão Iturrusgarai
923. **Uma dose mortal** – Agatha Christie
924. **Os trabalhos de Hércules** – Agatha Christie
926. **Kant** – Roger Scruton
927. **A inocência do Padre Brown** – G.K. Chesterton
928. **Casa Velha** – Machado de Assis
929. **Marcas de nascença** – Nancy Huston
930. **Aulete de bolso**
931. **Hora Zero** – Agatha Christie
932. **Morte na Mesopotâmia** – Agatha Christie
934. **Nem te conto, João** – Dalton Trevisan
935. **As aventuras de Huckleberry Finn** – Mark Twain
936. (21).**Marilyn Monroe** – Anne Plantagenet
937. **China moderna** – Rana Mitter
938. **Dinossauros** – David Norman
939. **Louca por homem** – Claudia Tajes
940. **Amores de alto risco** – Walter Riso
941. **Jogo de damas** – David Coimbra
942. **Filha é filha** – Agatha Christie
943. **M ou N?** – Agatha Christie
945. **Bidu: diversão em dobro!** – Mauricio de Sousa
946. **Fogo** – Anaïs Nin
947. **Rum: diário de um jornalista bêbado** – Hunter Thompson
948. **Persuasão** – Jane Austen
949. **Lágrimas na chuva** – Sergio Faraco
950. **Mulheres** – Bukowski
951. **Um pressentimento funesto** – Agatha Christie
952. **Cartas na mesa** – Agatha Christie
954. **O lobo do mar** – Jack London
955. **Os gatos** – Patricia Highsmith
956. (22).**Jesus** – Christiane Rancé
957. **História da medicina** – William Bynum
958. **O Morro dos Ventos Uivantes** – Emily Brontë
959. **A filosofia na era trágica dos gregos** – Nietzsche
960. **Os treze problemas** – Agatha Christie
961. **A massagista japonesa** – Moacyr Scliar
963. **Humor do miserê** – Nani
964. **Todo o mundo tem dúvida, inclusive você** – Édison de Oliveira
965. **A dama do Bar Nevada** – Sergio Faraco
969. **O psicopata americano** – Bret Easton Ellis
970. **Ensaios de amor** – Alain de Botton
971. **O grande Gatsby** – F. Scott Fitzgerald
972. **Por que não sou cristião** – Bertrand Russell
973. **A Casa Torta** – Agatha Christie
974. **Encontro com a morte** – Agatha Christie
975. (23).**Rimbaud** – Jean-Baptiste Baronian
976. **Cartas na rua** – Bukowski
977. **Memória** – Jonathan K. Foster
978. **A abadia de Northanger** – Jane Austen
979. **As pernas de Úrsula** – Claudia Tajes

980. **Retrato inacabado** – Agatha Christie
981. **Solanin (1)** – Inio Asano
982. **Solanin (2)** – Inio Asano
983. **Aventuras de menino** – Mitsuru Adachi
984(16). **Fatos & mitos sobre sua alimentação** – Dr. Fernando Lucchese
985. **Teoria quântica** – John Polkinghorne
986. **O eterno marido** – Fiódor Dostoiévski
987. **Um safado em Dublin** – J. P. Donleavy
988. **Mirinha** – Dalton Trevisan
989. **Akhenaton e Nefertiti** – Carmen Seganfredo e A. S. Franchini
990. **On the Road – o manuscrito original** – Jack Kerouac
991. **Relatividade** – Russell Stannard
992. **Abaixo de zero** – Bret Easton Ellis
993(24). **Andy Warhol** – Mériam Korichi
995. **Os últimos casos de Miss Marple** – Agatha Christie
996. **Nico Demo: Aí vem encrenca** – Mauricio de Sousa
998. **Rousseau** – Robert Wokler
999. **Noite sem fim** – Agatha Christie
1000. **Diários de Andy Warhol (1)** – Editado por Pat Hackett
1001. **Diários de Andy Warhol (2)** – Editado por Pat Hackett
1002. **Cartier-Bresson: o olhar do século** – Pierre Assouline
1003. **As melhores histórias da mitologia: vol. 1** – A.S. Franchini e Carmen Seganfredo
1004. **As melhores histórias da mitologia: vol. 2** – A.S. Franchini e Carmen Seganfredo
1005. **Assassinato no beco** – Agatha Christie
1006. **Convite para um homicídio** – Agatha Christie
1008. **História da vida** – Michael J. Benton
1009. **Jung** – Anthony Stevens
1010. **Arsène Lupin, ladrão de casaca** – Maurice Leblanc
1011. **Dublinenses** – James Joyce
1012. **120 tirinhas da Turma da Mônica** – Mauricio de Sousa
1013. **Antologia poética** – Fernando Pessoa
1014. **A aventura de um cliente ilustre** *seguido de* **O último adeus de Sherlock Holmes** – Sir Arthur Conan Doyle
1015. **Cenas de Nova York** – Jack Kerouac
1016. **A corista** – Anton Tchékhov
1017. **O diabo** – Leon Tolstói
1018. **Fábulas chinesas** – Sérgio Capparelli e Márcia Schmaltz
1019. **O gato do Brasil** – Sir Arthur Conan Doyle
1020. **Missa do Galo** – Machado de Assis
1021. **O mistério de Marie Rogêt** – Edgar Allan Poe
1022. **A mulher mais linda da cidade** – Bukowski
1023. **O retrato** – Nicolai Gogol
1024. **O conflito** – Agatha Christie
1025. **Os primeiros casos de Poirot** – Agatha Christie
1027(25). **Beethoven** – Bernard Fauconnier
1028. **Platão** – Julia Annas
1029. **Cleo e Daniel** – Roberto Freire
1030. **Til** – José de Alencar
1031. **Viagens na minha terra** – Almeida Garrett
1032. **Profissões para mulheres e outros artigos feministas** – Virginia Woolf
1033. **Mrs. Dalloway** – Virginia Woolf
1034. **O cão da morte** – Agatha Christie
1035. **Tragédia em três atos** – Agatha Christie
1037. **O fantasma da Ópera** – Gaston Leroux
1038. **Evolução** – Brian e Deborah Charlesworth
1039. **Medida por medida** – Shakespeare
1040. **Razão e sentimento** – Jane Austen
1041. **A obra-prima ignorada** *seguido de* **Um episódio durante o Terror** – Balzac
1042. **A fugitiva** – Anaïs Nin
1043. **As grandes histórias da mitologia greco-romana** – A. S. Franchini
1044. **O corno de si mesmo & outras historietas** – Marquês de Sade
1045. **Da felicidade** *seguido de* **Da vida retirada** – Sêneca
1046. **O horror em Red Hook e outras histórias** – H. P. Lovecraft
1047. **Noite em claro** – Martha Medeiros
1048. **Poemas clássicos chineses** – Li Bai, Du Fu e Wang Wei
1049. **A terceira moça** – Agatha Christie
1050. **Um destino ignorado** – Agatha Christie
1051(26). **Buda** – Sophie Royer
1052. **Guerra Fria** – Robert J. McMahon
1053. **Simons's Cat: as aventuras de um gato travesso e comilão – vol. 1** – Simon Tofield
1054. **Simons's Cat: as aventuras de um gato travesso e comilão – vol. 2** – Simon Tofield
1055. **Só as mulheres e as baratas sobreviverão** – Claudia Tajes
1057. **Pré-história** – Chris Gosden
1058. **Pintou sujeira!** – Mauricio de Sousa
1059. **Contos de Mamãe Gansa** – Charles Perrault
1060. **A interpretação dos sonhos: vol. 1** – Freud
1061. **A interpretação dos sonhos: vol. 2** – Freud
1062. **Frufru Rataplã Dolores** – Dalton Trevisan
1063. **As melhores histórias da mitologia egípcia** – Carmem Seganfredo e A.S. Franchini
1064. **Infância. Adolescência. Juventude** – Tolstói
1065. **As consolações da filosofia** – Alain de Botton
1066. **Diários de Jack Kerouac – 1947-1954**
1067. **Revolução Francesa – vol. 1** – Max Gallo
1068. **Revolução Francesa – vol. 2** – Max Gallo
1069. **O detetive Parker Pyne** – Agatha Christie
1070. **Memórias do esquecimento** – Flávio Tavares
1071. **Drogas** – Leslie Iversen
1072. **Manual de ecologia (vol.2)** – J. Lutzenberger
1073. **Como andar no labirinto** – Affonso Romano de Sant'Anna
1074. **A orquídea e o serial killer** – Juremir Machado da Silva
1075. **Amor nos tempos de fúria** – Lawrence Ferlinghetti
1076. **A aventura do pudim de Natal** – Agatha Christie
1078. **Amores que matam** – Patrícia Faur
1079. **Histórias de pescador** – Mauricio de Sousa
1080. **Pedaços de um caderno manchado de vinho** – Bukowski

1081. **A ferro e fogo: tempo de solidão (vol.1)** – Josué Guimarães
1082. **A ferro e fogo: tempo de guerra (vol.2)** – Josué Guimarães
1084(17). **Desembarcando o Alzheimer** – Dr. Fernando Lucchese e Dra. Ana Hartmann
1085. **A maldição do espelho** – Agatha Christie
1086. **Uma breve história da filosofia** – Nigel Warburton
1088. **Heróis da História** – Will Durant
1089. **Concerto campestre** – L. A. de Assis Brasil
1090. **Morte nas nuvens** – Agatha Christie
1092. **Aventura em Bagdá** – Agatha Christie
1093. **O cavalo amarelo** – Agatha Christie
1094. **O método de interpretação dos sonhos** – Freud
1095. **Sonetos de amor e desamor** – Vários
1096. **120 tirinhas do Dilbert** – Scott Adams
1097. **280 fábulas de Esopo**
1098. **O curioso caso de Benjamin Button** – F. Scott Fitzgerald
1099. **Piadas para sempre: uma antologia para morrer de rir** – Visconde da Casa Verde
1100. **Hamlet (Mangá)** – Shakespeare
1101. **A arte da guerra (Mangá)** – Sun Tzu
1104. **As melhores histórias da Bíblia (vol.1)** – A. S. Franchini e Carmen Seganfredo
1105. **As melhores histórias da Bíblia (vol.2)** – A. S. Franchini e Carmen Seganfredo
1106. **Psicologia das massas e análise do eu** – Freud
1107. **Guerra Civil Espanhola** – Helen Graham
1108. **A autoestrada do sul e outras histórias** – Julio Cortázar
1109. **O mistério dos sete relógios** – Agatha Christie
1110. **Peanuts: Ninguém gosta de mim... (amor)** – Charles Schulz
1111. **Cadê o bolo?** – Mauricio de Sousa
1112. **O filósofo ignorante** – Voltaire
1113. **Totem e tabu** – Freud
1114. **Filosofia pré-socrática** – Catherine Osborne
1115. **Desejo de status** – Alain de Botton
1118. **Passageiro para Frankfurt** – Agatha Christie
1120. **Kill All Enemies** – Melvin Burgess
1121. **A morte da sra. McGinty** – Agatha Christie
1122. **Revolução Russa** – S. A. Smith
1123. **Até você, Capitu?** – Dalton Trevisan
1124. **O grande Gatsby (Mangá)** – F. S. Fitzgerald
1125. **Assim falou Zaratustra (Mangá)** – Nietzsche
1126. **Peanuts: É para isso que servem os amigos (amizade)** – Charles Schulz
1127(27). **Nietzsche** – Dorian Astor
1128. **Bidu: Hora do banho** – Mauricio de Sousa
1129. **O melhor do Macanudo Taurino** – Santiago
1130. **Radicci 30 anos** – Iotti
1131. **Show de sabores** – J.A. Pinheiro Machado
1132. **O prazer das palavras** – vol. 3 – Cláudio Moreno
1133. **Morte na praia** – Agatha Christie
1134. **O fardo** – Agatha Christie
1135. **Manifesto do Partido Comunista (Mangá)** – Marx & Engels
1136. **A metamorfose (Mangá)** – Franz Kafka
1137. **Por que você não se casou... ainda** – Tracy McMillan
1138. **Textos autobiográficos** – Bukowski
1139. **A importância de ser prudente** – Oscar Wilde
1140. **Sobre a vontade na natureza** – Arthur Schopenhauer
1141. **Dilbert (8)** – Scott Adams
1142. **Entre dois amores** – Agatha Christie
1143. **Cipreste triste** – Agatha Christie
1144. **Alguém viu uma assombração?** – Mauricio de Sousa
1145. **Mandela** – Elleke Boehmer
1146. **Retrato do artista quando jovem** – James Joyce
1147. **Zadig ou o destino** – Voltaire
1148. **O contrato social (Mangá)** – J.-J. Rousseau
1149. **Garfield fenomenal** – Jim Davis
1150. **A queda da América** – Allen Ginsberg
1151. **Música na noite & outros ensaios** – Aldous Huxley
1152. **Poesias inéditas & Poemas dramáticos** – Fernando Pessoa
1153. **Peanuts: Felicidade é...** – Charles M. Schulz
1154. **Mate-me por favor** – Legs McNeil e Gillian McCain
1155. **Assassinato no Expresso Oriente** – Agatha Christie
1156. **Um punhado de centeio** – Agatha Christie
1157. **A interpretação dos sonhos (Mangá)** – Freud
1158. **Peanuts: Você não entende o sentido da vida** – Charles M. Schulz
1159. **A dinastia Rothschild** – Herbert R. Lottman
1160. **A Mansão Hollow** – Agatha Christie
1161. **Nas montanhas da loucura** – H.P. Lovecraft
1162(28). **Napoleão Bonaparte** – Pascale Fautrier
1163. **Um corpo na biblioteca** – Agatha Christie
1164. **Inovação** – Mark Dodgson e David Gann
1165. **O que toda mulher deve saber sobre os homens: a afetividade masculina** – Walter Riso
1166. **O amor está no ar** – Mauricio de Sousa
1167. **Testemunha de acusação & outras histórias** – Agatha Christie
1168. **Etiqueta de bolso** – Celia Ribeiro
1169. **Poesia reunida (volume 3)** – Affonso Romano de Sant'Anna
1170. **Emma** – Jane Austen
1171. **Que seja em segredo** – Ana Miranda
1172. **Garfield sem apetite** – Jim Davis
1173. **Garfield: Foi mal...** – Jim Davis
1174. **Os irmãos Karamázov (Mangá)** – Dostoiévski
1175. **O Pequeno Príncipe** – Antoine de Saint-Exupéry
1176. **Peanuts: Ninguém mais tem o espírito aventureiro** – Charles M. Schulz
1177. **Assim falou Zaratustra** – Nietzsche
1178. **Morte no Nilo** – Agatha Christie
1179. **Ê, soneca boa** – Mauricio de Sousa
1180. **Garfield a todo o vapor** – Jim Davis
1181. **Em busca do tempo perdido (Mangá)** – Proust
1182. **Cai o pano: o último caso de Poirot** – Agatha Christie
1183. **Livro para colorir e relaxar** – Livro 1
1184. **Para colorir sem parar**
1185. **Os elefantes não esquecem** – Agatha Christie
1186. **Teoria da relatividade** – Albert Einstein

1187. Compêndio da psicanálise – Freud
1188. Visões de Gerard – Jack Kerouac
1189. Fim de verão – Mohiro Kitoh
1190. Procurando diversão – Mauricio de Sousa
1191. E não sobrou nenhum e outras peças – Agatha Christie
1192. Ansiedade – Daniel Freeman & Jason Freeman
1193. Garfield: pausa para o almoço – Jim Davis
1194. Contos do dia e da noite – Guy de Maupassant
1195. O melhor de Hagar 7 – Dik Browne
1196.(29). Lou Andreas-Salomé – Dorian Astor
1197.(30). Pasolini – René de Ceccatty
1198. O caso do Hotel Bertram – Agatha Christie
1199. Crônicas de motel – Sam Shepard
1200. Pequena filosofia da paz interior – Catherine Rambert
1201. Os sertões – Euclides da Cunha
1202. Treze à mesa – Agatha Christie
1203. Bíblia – John Riches
1204. Anjos – David Albert Jones
1205. As tirinhas do Guri de Uruguaiana 1 – Jair Kobe
1206. Entre aspas (vol.1) – Fernando Eichenberg
1207. Escrita – Andrew Robinson
1208. O spleen de Paris: pequenos poemas em prosa – Charles Baudelaire
1209. Satíricon – Petrônio
1210. O avarento – Molière
1211. Queimando na água, afogando-se na chama – Bukowski
1212. Miscelânea septuagenária: contos e poemas – Bukowski
1213. Que filosofar é aprender a morrer e outros ensaios – Montaigne
1214. Da amizade e outros ensaios – Montaigne
1215. O medo à espreita e outras histórias – H.P. Lovecraft
1216. A obra de arte na era de sua reprodutibilidade técnica – Walter Benjamin
1217. Sobre a liberdade – John Stuart Mill
1218. O segredo de Chimneys – Agatha Christie
1219. Morte na rua Hickory – Agatha Christie
1220. Ulisses (Mangá) – James Joyce
1221. Ateísmo – Julian Baggini
1222. Os melhores contos de Katherine Mansfield – Katherine Mansfield
1223.(31). Martin Luther King – Alain Foix
1224. Millôr Definitivo: uma antologia de *A Bíblia do Caos* – Millôr Fernandes
1225. O Clube das Terças-Feiras e outras histórias – Agatha Christie
1226. Por que sou tão sábio – Nietzsche
1227. Sobre a mentira – Platão
1228. Sobre a leitura *seguido do* Depoimento de Céleste Albaret – Proust
1229. O homem do terno marrom – Agatha Christie
1230.(32). Jimi Hendrix – Franck Médioni
1231. Amor e amizade e outras histórias – Jane Austen
1232. Lady Susan, Os Watson e Sanditon – Jane Austen
1233. Uma breve história da ciência – William Bynum
1234. Macunaíma: o herói sem nenhum caráter – Mário de Andrade
1235. A máquina do tempo – H.G. Wells
1236. O homem invisível – H.G. Wells
1237. Os 36 estratagemas: manual secreto da arte da guerra – Anônimo
1238. A mina de ouro e outras histórias – Agatha Christie
1239. Pic – Jack Kerouac
1240. O habitante da escuridão e outros contos – H.P. Lovecraft
1241. O chamado de Cthulhu e outros contos – H.P. Lovecraft
1242. O melhor de Meu reino por um cavalo! – Edição de Ivan Pinheiro Machado
1243. A guerra dos mundos – H.G. Wells
1244. O caso da criada perfeita e outras histórias – Agatha Christie
1245. Morte por afogamento e outras histórias – Agatha Christie
1246. Assassinato no Comitê Central – Manuel Vázquez Montalbán
1247. O papai é pop – Marcos Piangers
1248. O papai é pop 2 – Marcos Piangers
1249. A mamãe é rock – Ana Cardoso
1250. Paris boêmia – Dan Franck
1251. Paris libertária – Dan Franck
1252. Paris ocupada – Dan Franck
1253. Uma anedota infame – Dostoiévski
1254. O último dia de um condenado – Victor Hugo
1255. Nem só de caviar vive o homem – J.M. Simmel
1256. Amanhã é outro dia – J.M. Simmel
1257. Mulherzinhas – Louisa May Alcott
1258. Reforma Protestante – Peter Marshall
1259. História econômica global – Robert C. Allen
1260.(33). Che Guevara – Alain Foix
1261. Câncer – Nicholas James
1262. Akhenaton – Agatha Christie
1263. Aforismos para a sabedoria de vida – Arthur Schopenhauer
1264. Uma história do mundo – David Coimbra
1265. Ame e não sofra – Walter Riso
1266. Desapegue-se! – Walter Riso
1267. Os Sousa: Uma família do barulho – Mauricio de Sousa
1268. Nico Demo: O rei da travessura – Mauricio de Sousa
1269. Testemunha de acusação e outras peças – Agatha Christie
1270.(34). Dostoiévski – Virgil Tanase
1271. O melhor de Hagar 8 – Dik Browne
1272. O melhor de Hagar 9 – Dik Browne
1273. O melhor de Hagar 10 – Dik e Chris Browne
1274. Considerações sobre o governo representativo – John Stuart Mill
1275. O homem Moisés e a religião monoteísta – Freud
1276. Inibição, sintoma e medo – Freud

1277. **Além do princípio de prazer** – Freud
1278. **O direito de dizer não!** – Walter Riso
1279. **A arte de ser flexível** – Walter Riso
1280. **Casados e descasados** – August Strindberg
1281. **Da Terra à Lua** – Júlio Verne
1282. **Minhas galerias e meus pintores** – Kahnweiler
1283. **A arte do romance** – Virginia Woolf
1284. **Teatro completo v. 1: As aves da noite** *seguido de* **O visitante** – Hilda Hilst
1285. **Teatro completo v. 2: O verdugo** *seguido de* **A morte do patriarca** – Hilda Hilst
1286. **Teatro completo v. 3: O rato no muro** *seguido de* **Auto da barca de Camiri** – Hilda Hilst
1287. **Teatro completo v. 4: A empresa** *seguido de* **O novo sistema** – Hilda Hilst
1289. **Fora de mim** – Martha Medeiros
1290. **Divã** – Martha Medeiros
1291. **Sobre a genealogia da moral: um escrito polêmico** – Nietzsche
1292. **A consciência de Zeno** – Italo Svevo
1293. **Células-tronco** – Jonathan Slack
1294. **O fim do ciúme e outros contos** – Proust
1295. **A jangada** – Júlio Verne
1296. **A ilha do dr. Moreau** – H.G. Wells
1297. **Ninho de fidalgos** – Ivan Turguêniev
1298. **Jane Eyre** – Charlotte Brontë
1299. **Sobre gatos** – Bukowski
1300. **Sobre o amor** – Bukowski
1301. **Escrever para não enlouquecer** – Bukowski
1302. **222 receitas** – J. A. Pinheiro Machado
1303. **Reinações de Narizinho** – Monteiro Lobato
1304. **O Saci** – Monteiro Lobato
1305. **Memórias da Emília** – Monteiro Lobato
1306. **O Picapau Amarelo** – Monteiro Lobato
1307. **A reforma da Natureza** – Monteiro Lobato
1308. **Fábulas** *seguido de* **Histórias diversas** – Monteiro Lobato
1309. **Aventuras de Hans Staden** – Monteiro Lobato
1310. **Peter Pan** – Monteiro Lobato
1311. **Dom Quixote das crianças** – Monteiro Lobato
1312. **O Minotauro** – Monteiro Lobato
1313. **Um quarto só seu** – Virginia Woolf
1314. **Sonetos** – Shakespeare
1315. **(35).Thoreau** – Marie Berthoumieu e Laura El Makki
1316. **Teoria da arte** – Cynthia Freeland
1317. **A arte da prudência** – Baltasar Gracián
1318. **O louco** *seguido de* **Areia e espuma** – Khalil Gibran
1319. **O profeta** *seguido de* **O jardim do profeta** – Khalil Gibran
1320. **Jesus, o Filho do Homem** – Khalil Gibran
1321. **A luta** – Norman Mailer
1322. **Sobre o sofrimento do mundo e outros ensaios** – Schopenhauer
1323. **Epidemiologia** – Rodolfo Sacacci
1324. **Japão moderno** – Christopher Goto-Jones
1325. **A arte da meditação** – Matthieu Ricard
1326. **O adversário secreto** – Agatha Christie
1327. **Pollyanna** – Eleanor H. Porter
1328. **Espelhos** – Eduardo Galeano
1329. **A Vênus das peles** – Sacher-Masoch
1330. **O 18 de brumário de Luís Bonaparte** – Karl Marx
1331. **Um jogo para os vivos** – Patricia Highsmith
1332. **A tristeza pode esperar** – J.J. Camargo
1333. **Vinte poemas de amor e uma canção desesperada** – Pablo Neruda
1334. **Judaísmo** – Norman Solomon
1335. **Esquizofrenia** – Christopher Frith & Eve Johnstone
1336. **Seis personagens em busca de um autor** – Luigi Pirandello
1337. **A Fazenda dos Animais** – George Orwell
1338. **1984** – George Orwell
1339. **Ubu Rei** – Alfred Jarry
1340. **Sobre bêbados e bebidas** – Bukowski
1341. **Tempestade para os vivos e para os mortos** – Bukowski
1342. **Complicado** – Natsume Ono
1343. **Sobre o livre-arbítrio** – Schopenhauer
1344. **Uma breve história da literatura** – John Sutherland
1345. **Você fica tão sozinho às vezes que até faz sentido** – Bukowski
1346. **Um apartamento em Paris** – Guillaume Musso
1347. **Receitas fáceis e saborosas** – José Antonio Pinheiro Machado
1348. **Por que engordamos** – Gary Taubes
1349. **A fabulosa história do hospital** – Jean-Noël Fabiani
1350. **Voo noturno** *seguido de* **Terra dos homens** – Antoine de Saint-Exupéry
1351. **Doutor Sax** – Jack Kerouac
1352. **O livro do Tao e da virtude** – Lao-Tsé
1353. **Pista negra** – Antonio Manzini
1354. **A chave de vidro** – Dashiell Hammett
1355. **Martin Eden** – Jack London
1356. **Já te disse adeus, e agora, como te esqueço?** – Walter Riso
1357. **A viagem do descobrimento** – Eduardo Bueno
1358. **Náufragos, traficantes e degredados** – Eduardo Bueno
1359. **Retrato do Brasil** – Paulo Prado
1360. **Maravilhosamente imperfeito, escandalosamente feliz** – Walter Riso
1361. **É...** – Millôr Fernandes
1362. **Duas tábuas e uma paixão** – Millôr Fernandes
1363. **Selma e Sinatra** – Martha Medeiros
1364. **Tudo que eu queria te dizer** – Martha Medeiros
1365. **Várias histórias** – Machado de Assis
1366. **A sabedoria do Padre Brown** – G. K. Chesterton
1367. **Capitães do Brasil** – Eduardo Bueno
1368. **O falcão maltês** – Dashiell Hammett
1369. **A arte de estar com a razão** – Arthur Schopenhauer
1370. **A visão dos vencidos** – Miguel León-Portilla

lepmeditores
www.lpm.com.br
o site que conta tudo

IMPRESSÃO:

PALLOTTI
GRÁFICA

Santa Maria - RS | Fone: (55) 3220.4500
www.graficapallotti.com.br